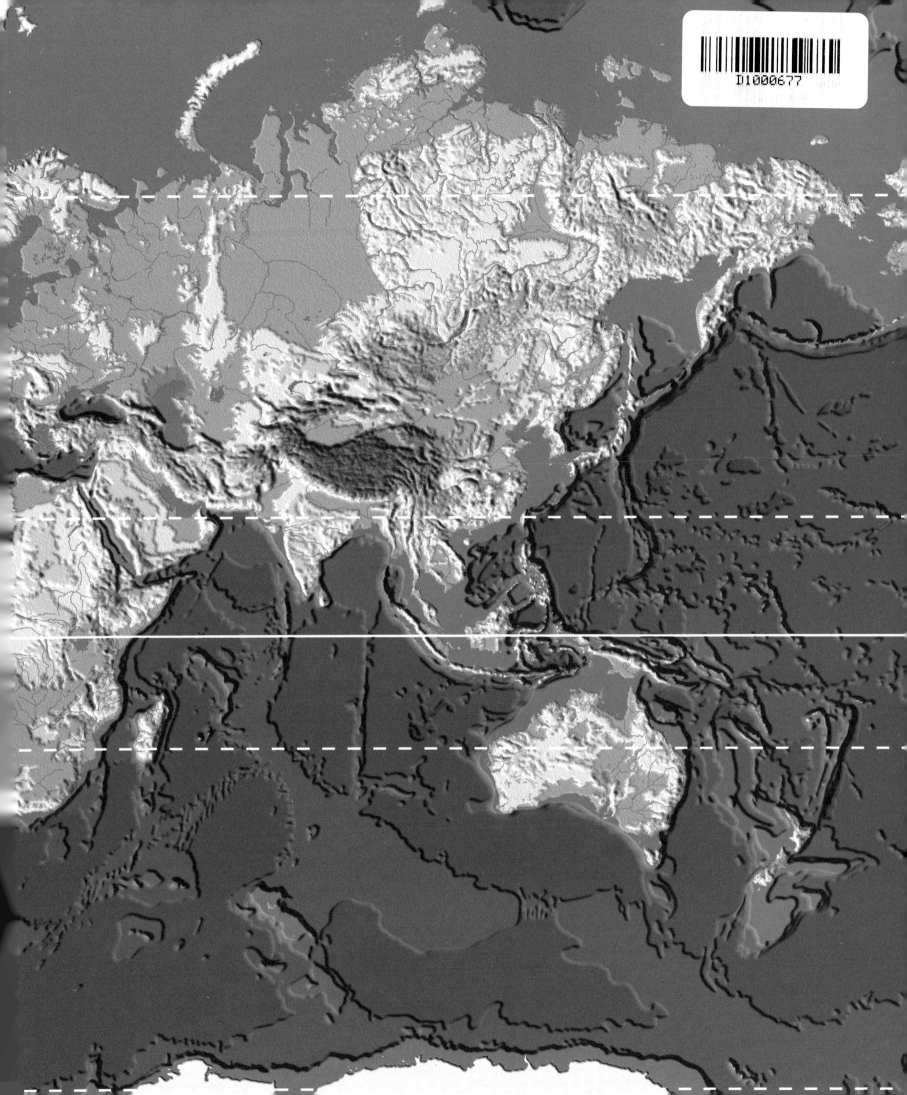

ATLAS MONDIAL

AUZOU

Direction générale : Philippe Auzou
Direction éditoriale : Gwenaëlle Hamon
Auteur : Patrick David
Création graphique : Sylvie Philippe
Mise en page : Sylvie Philippe, Colombe Maupoint de Vandeul, Sophie Hazard
Couverture : Astrid Guillo, Sophie Hazard
Cartes réalisées d'après « GEOATLAS®.com - © Graphi-Ogre »
et par François Escalmel
Cartes de la francophonie : Alexandra Petracchi
Relecture : Vanessa Bourmaut, Maëlle Rey, Noémi Villars (Doctorante à l'Université de Bâle, Suisse)

SOMMAIRE

5

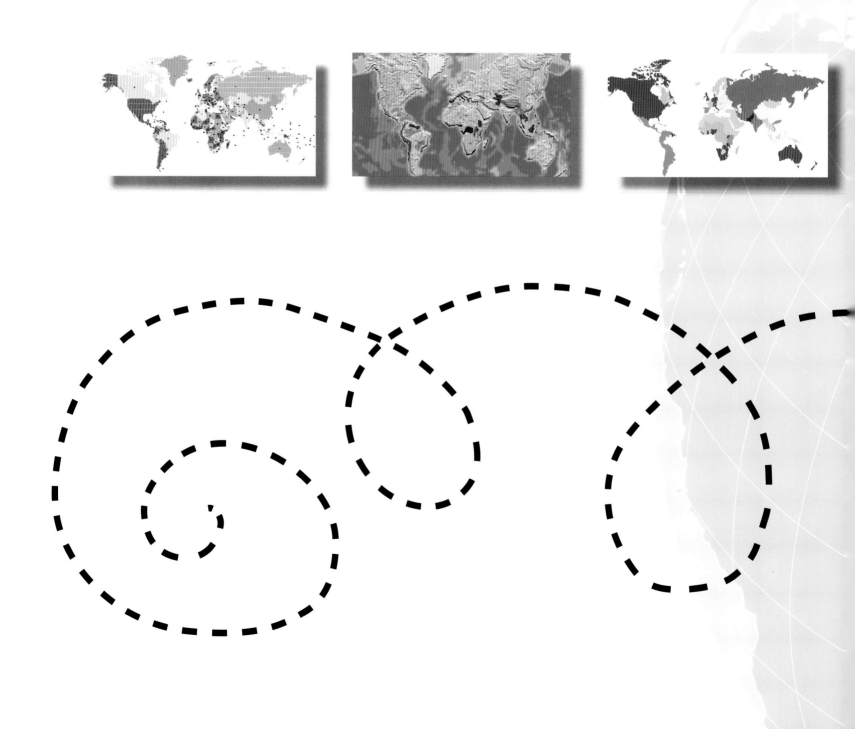

LE MONDE

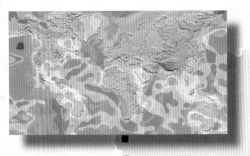

La Terre vue de satellite

Remarque

Cette vue de la Terre a été élaborée à partir de milliers d'images numériques, collectées durant quatre mois par le satellite européen ENVISAT. Ce satellite de 8 215 kg est chargé d'étudier la Terre depuis une altitude d'environ 790 kilomètres. Les données satellite enregistrées ont été traitées, afin de montrer la planète dans des couleurs naturelles.

Le saviez-vous ?

Vue depuis l'espace lointain, la Terre apparaît comme une sphère bleue. Elle est surnommée la "Planète bleue". Puis, en s'approchant, par exemple à la distance de la Lune, les continents se détachent comme des surfaces brunâtres. La Terre ne ressemble à aucune autre planète du Système solaire.

Depuis leurs vaisseaux spatiaux, en orbite entre 200 et 400 kilomètres d'altitude, les astronautes distinguent des détails étonnamment petits, comme les routes et le sillage des navires sur l'océan.

Contrairement à une légende, la Grande muraille de Chine, ni aucune autre construction humaine, n'est visible à l'œil nu depuis la Lune.

Des dizaines de satellites artificiels observent chaque jour la surface de la Terre grâce à des caméras et d'autres instruments très perfectionnés. Les satellites civils peuvent envoyer des images où figurent des détails d'environ 50 centimètres.

Les satellites sont irremplaçables pour la surveillance de notre planète et la compréhension de son fonctionnement. Les plus nombreux sont les satellites météorologiques, qui contribuent à la prévision du temps et à la surveillance des ouragans. D'autres satellites surveillent plusieurs fois par jour la surface du globe, tant les terres que les océans. Enfin, certains analysent les gaz de l'atmosphère.

Depuis 1972, les satellites d'étude de l'environnement, comme les systèmes américain Landsat ou français SPOT, surveillent la couverture végétale, les océans et les glaces polaires. Un seul satellite peut produire une carte globale de la végétation de la Terre en quelques jours. Grâce aux satellites, la qualité des récoltes, la destruction des forêts, les volcans et le recul de la banquise sont suivis avec précision.

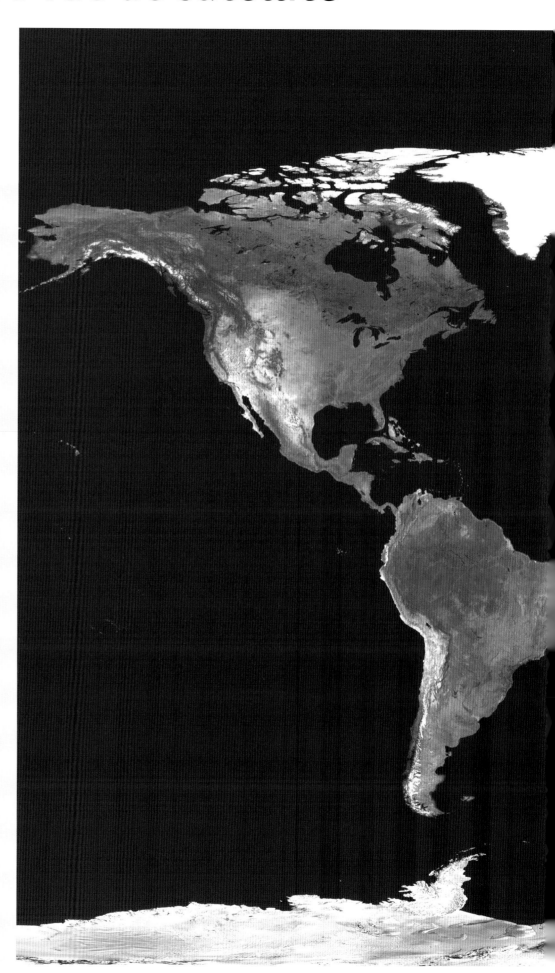

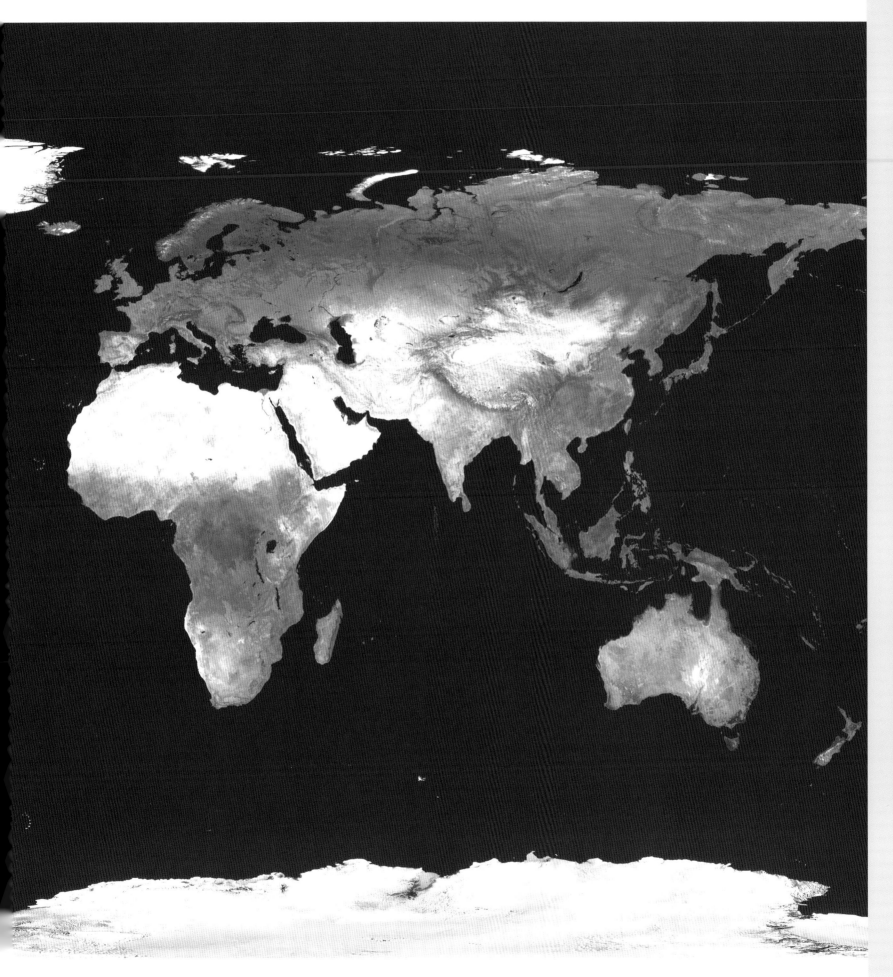

La Terre physique

Le saviez-vous ?

● **La Terre** appartient au Système solaire. Elle est la troisième planète en partant du Soleil. C'est une petite planète rocheuse qui contient en son centre un noyau de fer en fusion.

- La Terre est située en moyenne à 149,598 millions de kilomètres de notre étoile, avec une distance minimale de 147 098 074 kilomètres et une distance maximale de 152 097 701 km.

- La Terre parcourt son orbite en exactement 365,26 jours. La durée d'une rotation de la Terre sur elle-même est de 23 heures 56 minutes, que l'on arrondit à 24 heures pour la vie quotidienne.

- La Terre a un diamètre de 12 756,30 km à l'équateur et 12 713,50 km selon la circonférence passant par les pôles. La Terre n'est pas tout à fait ronde ! À l'équateur, le tour de la planète vaut donc 40 074,98 km.

- La superficie totale du globe est de 510 067 420 km², dont 148 941 198 km² pour l'ensemble des terres émergées et 361 126 222 km² pour les océans.

- La masse de la planète est estimée à 5,974 millions de milliards de milliards de tonnes...

● **Dans le Système solaire**, la Terre est unique par ses réserves d'eau liquide et sa richesse en oxygène.
Ce gaz, contenu dans l'atmosphère et dans les roches, représente 40 % du poids de la planète.

● **L'atmosphère de la Terre** est composée de 78,06 % d'azote, 20,95 % d'oxygène et 0,93 % d'argon. Les 0,06 % restants constituent les gaz rares, dont l'hélium.
À ces valeurs, il faut ajouter une proportion variable (entre 0 et 4,1 %) de vapeur d'eau. Sa quantité n'est en effet pas fixe ; elle dépend de l'état de l'atmosphère, notamment de sa température. Enfin, la quantité de dioxyde de carbone est négligeable, moins de 0,03 % ; les autres polluants sont en quantité encore plus faible.

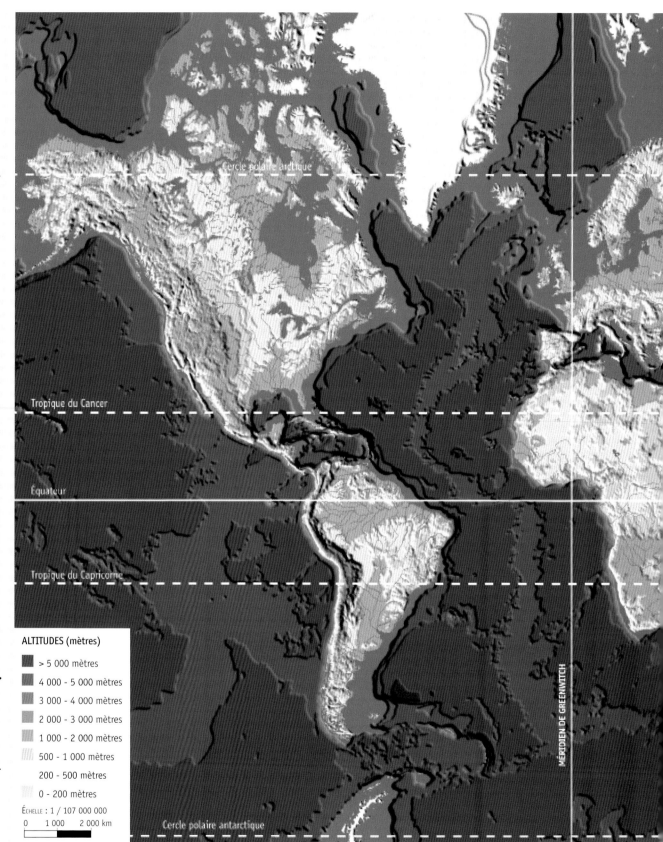

ALTITUDES (mètres)

■ > 5 000 mètres
■ 4 000 - 5 000 mètres
■ 3 000 - 4 000 mètres
■ 2 000 - 3 000 mètres
■ 1 000 - 2 000 mètres
■ 500 - 1 000 mètres
■ 200 - 500 mètres
■ 0 - 200 mètres

ÉCHELLE : 1 / 107 000 000
0   1 000   2 000 km

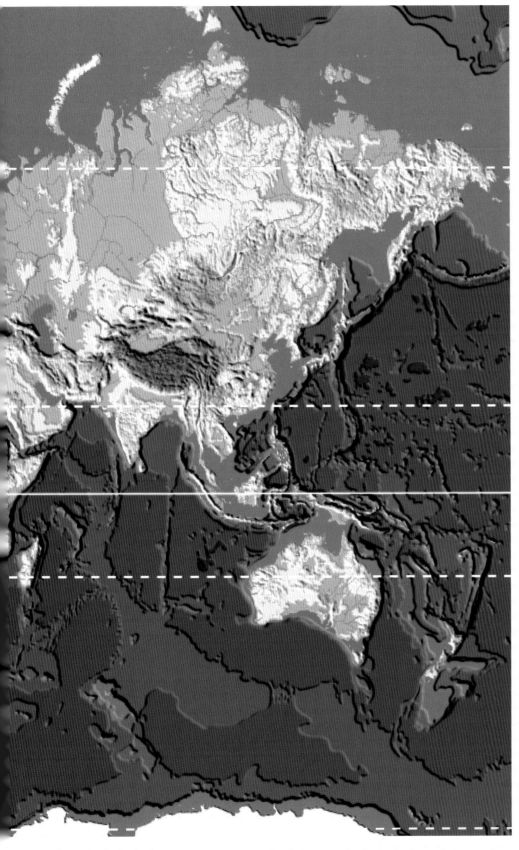

Le saviez-vous ?

● **Vers -2,95 milliards d'années**, les rares terres émergées se sont rassemblées en glissant sur le magma des profondeurs de la jeune Terre. Elles ne constituent qu'un unique continent, l'Yilgarn, cerné par un seul océan qui couvre le reste de la planète. Ce continent va se scinder, avant de se reformer grâce aux mouvements de l'écorce terrestre. Ce processus de formation / dislocation d'un continent unique se répète plusieurs fois, jusqu'à la formation de la Pangée, il y a -295 millions d'années. Vers -199 millions d'années, la Pangée commence à se disloquer. Ses fragments prennent progressivement la position et la forme des continents actuels. L'espace entre ces continents est occupé par de nouveaux océans.

● **Un continent** est un espace émergé, comme une île, mais qui s'en distingue par sa structure, sa superficie beaucoup plus grande et sa géologie. D'une part, un continent est lié aux couches profondes de la Terre ; la composition de son socle est donc celle du manteau terrestre. D'autre part, un continent est un espace d'un seul bloc, qui est bordé par un ou plusieurs océans.

● **La Terre** compte 5, 6 ou 7 continents, selon que l'on considère la géologie, la géographie ou les aspects culturels et politiques !
- **cinq continents** selon l'aspect géologique : l'Afrique, l'Amérique du Nord, l'Amérique du Sud, l'Eurasie et l'Océanie (qui inclut l'Antarctique).
- **six continents** selon l'aspect géographique : l'Afrique, l'Amérique du Nord, l'Amérique du Sud, l'Antarctique, l'Eurasie et l'Océanie.
- **sept continents**, si on y ajoute les aspects géopolitiques et culturels, car l'Europe doit alors être séparée de l'Asie.
En combinant ces aspects géographiques et géopolitiques, les continents reconnus sont : **l'Afrique, l'Amérique du Nord, l'Amérique du Sud, l'Antarctique, l'Asie, l'Europe et l'Océanie.**

● **La superficie de l'océan Pacifique,** 155 557 550 km², est supérieure à celle de l'ensemble des terres émergées du globe !

● **La Terre** est couverte par d'immenses zones de reliefs, les plateaux et les montagnes. Certains plateaux relativement peu élevés, par exemple au nord-ouest du Canada et en Australie, sont les restes des reliefs originels de la Terre. Ils se sont formés il y a plus de 3,5 milliards d'années. Au contraire, les montagnes beaucoup plus élevées, comme l'Himalaya et le plateau du Tibet, la Cordillère des Andes et les Alpes, résultent des mouvements des plaques tectoniques. Lorsque deux plaques se heurtent, les terrains de la zone de contact se plissent puis se soulèvent. Ces montagnes sont beaucoup plus jeunes, entre –150 et –70 millions d'années.

Les océans du globe

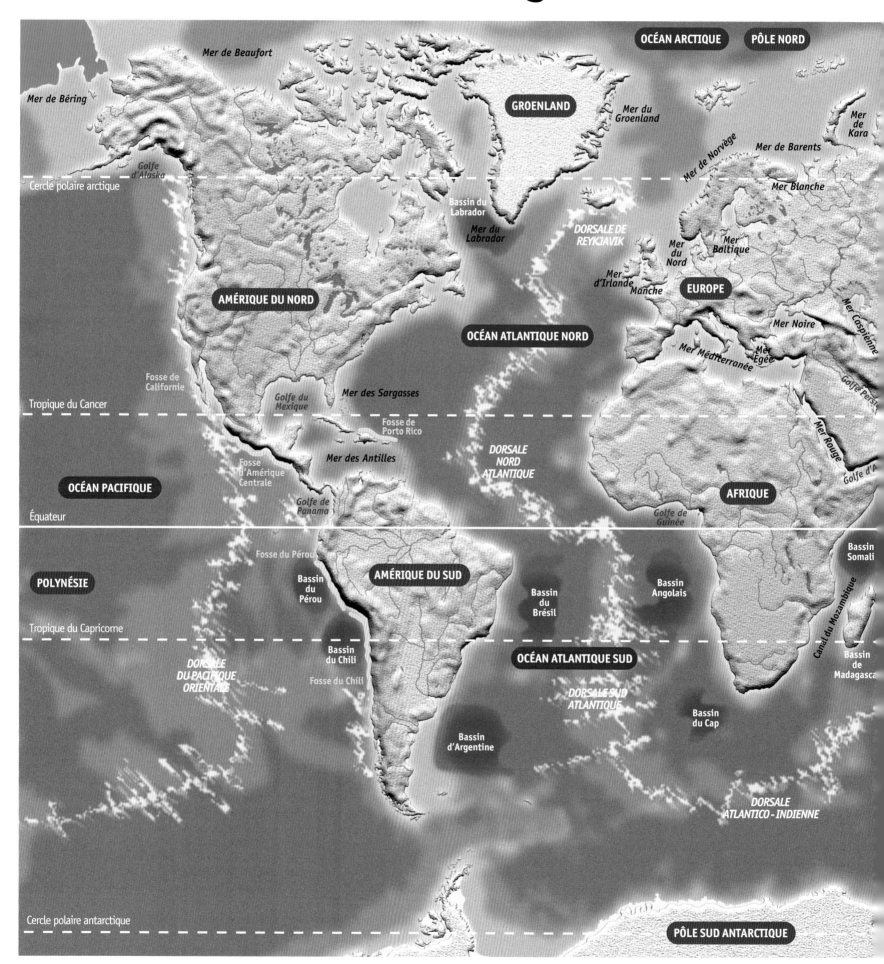

OCÉAN ARCTIQUE · PÔLE NORD

Mer de Beaufort

Mer de Béring

GROENLAND

Mer du Groenland

Mer de Kara

Golfe d'Alaska

Cercle polaire arctique

Bassin du Labrador

Mer de Norvège

Mer de Barents

Mer Blanche

DORSALE DE REYKJAVIK

Mer du Labrador

Mer du Nord

Mer Baltique

AMÉRIQUE DU NORD

Mer d'Irlande

Manche

EUROPE

OCÉAN ATLANTIQUE NORD

Mer Noire

Mer Caspienne

Mer Méditerranée

Mer Égée

Golfe Persi

Fosse de Californie

Mer des Sargasses

Tropique du Cancer

Golfe du Mexique

Fosse de Porto Rico

Mer Rouge

Fosse d'Amérique Centrale

Mer des Antilles

DORSALE NORD ATLANTIQUE

Golfe d'A

OCÉAN PACIFIQUE

AFRIQUE

Golfe de Panama

Équateur

Golfe de Guinée

Fosse du Pérou

Bassin Somali

POLYNÉSIE

Bassin du Pérou

AMÉRIQUE DU SUD

Bassin du Brésil

Bassin Angolais

Tropique du Capricorne

Bassin du Chili

OCÉAN ATLANTIQUE SUD

Canal du Mozambique

Bassin de Madagasca

DORSALE DU PACIFIQUE ORIENTALE

Fosse du Chili

DORSALE SUD ATLANTIQUE

Bassin du Cap

Bassin d'Argentine

DORSALE ATLANTICO - INDIENNE

Cercle polaire antarctique

PÔLE SUD ANTARCTIQUE

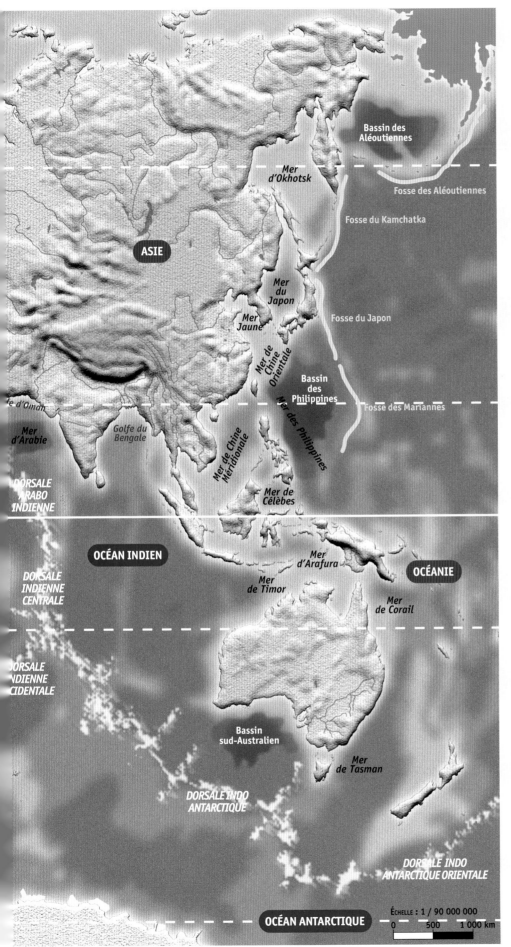

Bassin des
Aléoutiennes

Mer
d'Okhotsk

Fosse des Aléoutiennes

Fosse du Kamchatka

ASIE

Mer
du
Japon

Mer
Jaune

Fosse du Japon

Mer de Chine
Orientale

Bassin
des
Philippines

Fosse des Mariannes

Île d'Oman

Mer
d'Arabie

Golfe du
Bengale

Mer Chine
Méridionale

Mer des Philippines

*DORSALE
ARABO
INDIENNE*

Mer de
Célèbes

OCÉAN INDIEN

Mer
d'Arafura

OCÉANIE

*DORSALE
INDIENNE
CENTRALE*

Mer
de Timor

Mer
de Corail

*DORSALE
INDIENNE
OCCIDENTALE*

Bassin
sud-Australien

Mer
de Tasman

*DORSALE INDO
ANTARCTIQUE*

*DORSALE INDO
ANTARCTIQUE ORIENTALE*

ÉCHELLE : 1 / 90 000 000

0   500   1 000 km

OCÉAN ANTARCTIQUE

Le saviez-vous ?

● **Les océans sont apparus** très tôt dans l'histoire de la Terre. Grâce à l'eau dégagée des profondeurs de la Terre et celle apportée par les comètes, environ 500 millions d'années après sa formation, la Terre était déjà passée du stade de boule en fusion à celui de planète recouverte d'eau !

● **Le fond des océans** est tapissé par la croûte océanique, une partie de la croûte terrestre. Formée de basalte et d'autres roches volcaniques rejetées au niveau des dorsales océaniques, elle n'est épaisse que de seulement 5 à 7 km.

● **Les dorsales océaniques**, véritables chaînes de montagnes au fond des océans, marquent la limite entre deux ou trois plaques tectoniques. Ces zones de fracture de la lithosphère (la croûte terrestre et la partie supérieure du manteau supérieur de la Terre) voient l'épanchement d'énormes quantités de magma qui forment progressivement de longues chaînes volcaniques. Ainsi, les volcans sous-marins représentent au moins 80 % de l'ensemble des points d'émission du magma de la Terre. On en connaît plus de 10 000, rien qu'au fond de l'océan Pacifique.

● **Il ne faut pas confondre bassin océanique et fosse océanique.** Les bassins sont de vastes dépressions qui bordent les dorsales sous-marines. Leurs pentes sont relativement douces ; leur fond est tapissé de plaines et de collines. Ces bassins atteignent entre 4 000 et 6 000 mètres de profondeur par rapport à la surface de l'océan.

● Au contraire, **les fosses océaniques** correspondent aux vallées encaissées de nos continents. Elles sont très étroites, abruptes et très profondes. Ces fosses se rencontrent dans les zones géologiquement actives au pied des talus continentaux, c'est-à-dire du pied immergé d'un continent.

● **La plus grande profondeur océanique, -11 031 m,** est atteinte dans **la Fosse des Mariannes,** au large des îles du même nom dans le Pacifique Occidental. La profondeur moyenne des océans varie entre 3 500 et 4 000 mètres.

● **Les océans et les mers ouvertes** couvrent 70,9 % de la surface terrestre. Au total, ils représentent 1,37 milliard de kilomètres cubes, soit l'équivalent de 1 370 milliards de milliards de bouteilles d'un litre !

Les climats de la Terre

Le saviez-vous ?

● **Il existe plusieurs manières** de définir ou de dénommer les climats de la planète. Certains climatologues parlent de **climat aride**, d'autres de climat désertique. D'autres parleront de **climat maritime** plutôt que de **climat tempéré**. Nous avons adopté ici une classification, mais il en existe d'autres.

● **Le climat équatorial** est réputé pour la constance de ses températures. Les moyennes des températures maximales et minimales sont proches, et les variations annuelles sont faibles, voire presque nulles (voir Singapour page 21). Par contre, les variations dans les précipitations peuvent être considérables selon les mois. Il est donc faux de penser que les précipitations sont régulières dans les régions équatoriales.

● **Le climat subtropical humide**, caractérisé par ses étés chauds et très humides et ses hivers frais et humides, est souvent appelé "climat chinois".

● **Le climat tropical de montagne** est relativement frais, ce qui le fait souvent ranger dans les climats subtropicaux. Très humide, ce climat se caractérise par ses précipitations régulières. Les endroits les plus humides et les moins ventés abritent des forêts constamment enveloppées de brumes. Très riches en végétaux et animaux, les Anglo-saxons les appellent les cloud forests, ou "forêt de nuage".

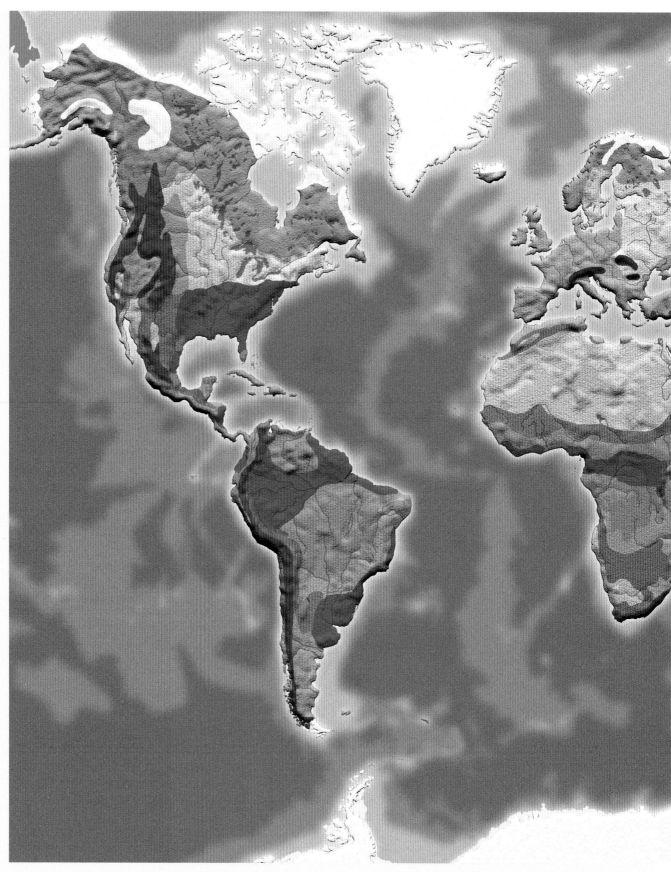

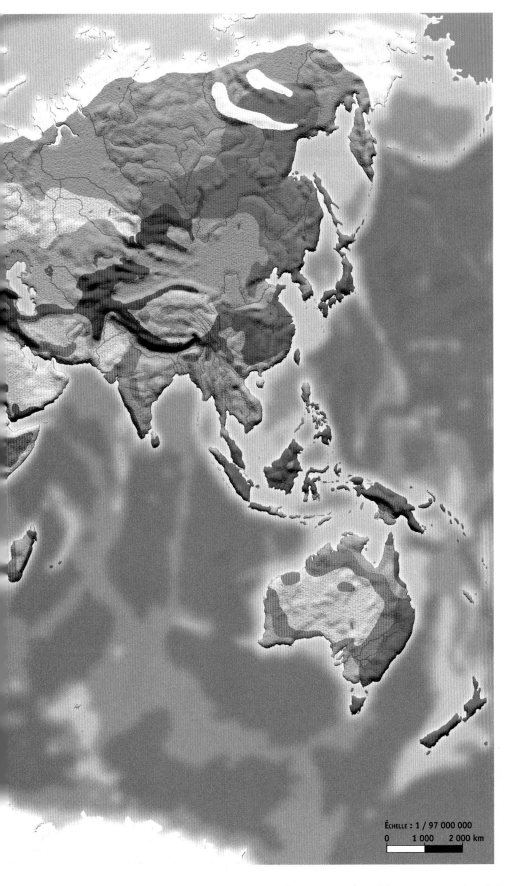

CLIMATS CHAUDS

▓ Climat équatorial ou tropical perhumide

▓ Climat tropical humide

▓ Climat tropical dégradé

▓ Climat tropical de montagne

▓ Climat tropical semi-aride

▓ Climat aride chaud (climat désertique)

CLIMATS TEMPÉRÉS ET FRAIS

▓ Climat subtropical humide (climat maritime à étés chauds)

▓ Climat méditerranéen et subtropical sec (étés secs, hivers frais)

▓ Climat tempéré océanique (étés et hivers humides)

▓ Climat continental humide (hivers froids et humides)

▓ Climat continental sec (hivers froids et secs)

▓ Climat semi-aride sec (climat steppique à étés chauds)

▓ Climat aride frais (étés et hivers très secs)

▓ Climat sec de montagne (étés chauds et secs, hivers froids)

CLIMATS FROIDS

▓ Climat boréal (étés frais et humides, hivers froids)

▓ Climat humide de montagne (hivers froids et humides)

☐ Climat polaire

Remarques

● Cette carte s'appuie sur diverses sources récentes et surtout sur la classification des climats du globe établie par **Wladimir Peter Köppen**, météorologue et climatologue allemand (1846-1940). Sa classification a été modernisée depuis sa publication, mais elle reste toujours utilisée. Nous avons ici simplifié certaines appellations.

● Malgré le caractère détaillé de cette carte, il est impossible de tenir compte de nombreuses variations régionales. Par exemple, la carte du climat de la France (page 94) montre des variations régionales qui sont trop faibles pour figurer à l'échelle du globe.

Échelle : 1 / 97 000 000

0   1 000   2 000 km

Le saviez-vous ?

● Le **climat méditerranéen**, qui donne progressivement naissance au "climat subtropical sec" au Proche-Orient et en Afrique australe, est un climat chaud, voire torride l'été, mais souvent frais l'hiver. Sa grosse différence avec les climats subtropicaux humides porte sur la sécheresse des étés. Dans le climat méditerranéen, il ne doit pas pleuvoir l'été. Les précipitations sont abondantes en automne et au printemps.

Les zones de végétation de la Terre

Le saviez-vous ?

● Les définitions des **diffé- rentes catégories de végé- tation de la Terre** recoupent celles des milieux naturels de la Terre. Les climatologues et les écologues américains s'appuient d'ailleurs plus sur la notion de biome, c'est-à-dire d'ensemble écologique, que de climat pur. Les spécialistes reconnaissent actuellement 13 ou 14 types de biomes. Certains sont très proches ; nous les avons regroupés en douze types sur la carte de ces pages.

● **La répartition de la vé- gétation** suit largement, mais pas exactement, les limites des climats. Selon les régions, par exemple l'Afrique occiden- tale et l'Inde, le même climat tropical aboutira à des biomes légèrement différents. La raison provient d'un régime différent des précipitations.

● **La notion de milieu naturel** associe le climat, notamment le volume de précipitations et les tempéra- tures moyennes annuelles, la nature de la flore (la végétation) et divers autres éléments. Un biome caractéri- se les conditions biologiques globales d'une région donnée.

● **La végétation** est carac- téristique de la vie terrestre. Les premiers végétaux, de petites algues primitives, sont apparus sur Terre il y a 2,7 milliards d'années. Les premières vraies plantes, des mousses, datent de 500 millions d'années ; elles ont quitté les eaux et envahi la terre ferme il y a 450 millions d'années. Vers -325 millions d'années, les plantes vertes contenant de la sève sont apparues.

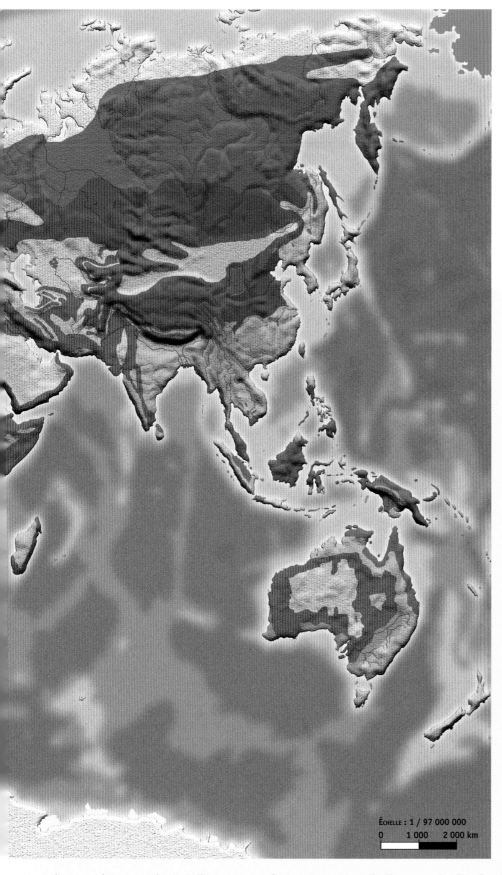

Forêts boréales

Forêts, cultures et bocages des régions tempérées

Forêts de plaine et végétation sub-tropicales

Forêts humides de montagne tropicales et sub-tropicales

Forêts et savanes humides tropicales

Forêts tropicales primaires et équatoriales

Végétation de montagne

Végétation méditerranéenne et sèche des zones tempérées

Végétation des zones semi-arides

Végétation des zones arides et déserts

Steppes et prairies

Toundra et végétation polaire

ÉCHELLE : 1 / 97 000 000

0   1 000   2 000 km

Le saviez-vous ?

● **Actuellement, on connaît plus de 600 000 espèces de végétaux** ; on en découvre encore beaucoup chaque année, surtout dans les régions tropicales.

● **Les forêts humides des régions tropicales et équatoriales** couvrent environ 12,3 millions de kilomètres carrés, soit environ 8,3 % de la superficie des terres émergées et environ 30 % des zones boisées du globe. Néanmoins, ces forêts abritent 70 % de l'ensemble de la diversité biologique de la Terre.

● **On parle souvent de forêt primaire** et de **forêt secondaire**. Il ne s'agit pas d'une différence liée au climat ou à la nature de la forêt. Une forêt primaire n'a jamais subi de modifications majeures dues à une activité humaine. Au contraire, une forêt secondaire a été fortement modifiée ou dégradée. Les arbres ont repoussé, mais le nombre d'espèces est bien inférieur à celui d'une forêt primaire.

● **Les arbres des forêts humides** des régions tropicales et équatoriales atteignent 50 à 60 m de hauteur. Les séquoias géants de Californie dépassent les 100 mètres de hauteur. Le record est détenu par un séquoia de 115,5 mètres découvert en 2006. Ces arbres, d'au moins 1 200 tonnes, vivent près de 4 000 ans...

● **La disparition de la forêt** est alarmante, surtout dans les régions tropicales. Chaque année, 13 millions d'hectares, ou 130 000 kilomètres carrés de forêts, disparaissent de la surface de la planète. Les pays les plus touchés sont le Brésil, avec une forte régression de l'Amazonie, l'Indonésie, avec la destruction des forêts primaires de Sumatra et de Bornéo, et la Chine. Au total, 0,2 % des forêts du globe disparaissent chaque année.

Climatogrammes : l'Europe

Reykjavik, ISLANDE (18 mètres)

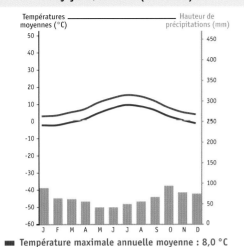

Températures moyennes (°C) — Hauteur de précipitations (mm)

- ■ Température maximale annuelle moyenne : 8,0 °C
- ■ Température minimale annuelle moyenne : 2,5 °C
- ▬ Hauteur totale de précipitations annuelle : 779 mm

Londres, ROYAUME-UNI (5 mètres)

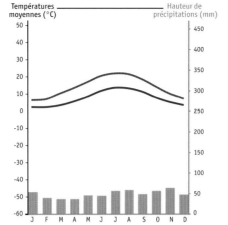

Températures moyennes (°C) — Hauteur de précipitations (mm)

- ■ Température maximale annuelle moyenne : 13,9 °C
- ■ Température minimale annuelle moyenne : 7,3 °C
- ▬ Hauteur totale de précipitations annuelle : 593 mm

Lisbonne, PORTUGAL (75 mètres)

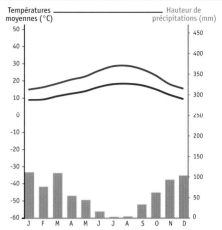

Températures moyennes (°C) — Hauteur de précipitations (mm)

- ■ Température maximale annuelle moyenne : 20,6 °C
- ■ Température minimale annuelle moyenne : 12,5 °C
- ▬ Hauteur totale de précipitations annuelle : 708 mm

Rome, ITALIE (45 mètres)

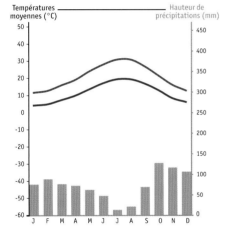

Températures moyennes (°C) — Hauteur de précipitations (mm)

- ■ Température maximale annuelle moyenne : 20,4 °C
- ■ Température minimale annuelle moyenne : 11,2 °C
- ▬ Hauteur totale de précipitations annuelle : 882 mm

Berlin, ALLEMAGNE (55 mètres)

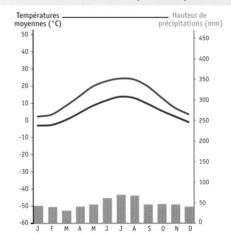

Températures moyennes (°C) — Hauteur de précipitations (mm)

- ■ Température maximale annuelle moyenne : 13,1 °C
- ■ Température minimale annuelle moyenne : 4,7 °C
- ▬ Hauteur totale de précipitations annuelle : 581 mm

Athènes, GRÈCE (107 mètres)

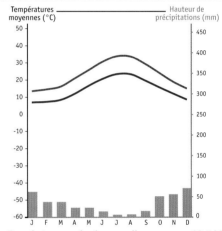

Températures moyennes (°C) — Hauteur de précipitations (mm)

- ■ Température maximale annuelle moyenne : 22,5 °C
- ■ Température minimale annuelle moyenne : 14,0 °C
- ▬ Hauteur totale de précipitations annuelle : 402 mm

Qu'est-ce qu'un climatogramme ?

Un climatogramme, ou diagramme climatique, est une représentation très pratique des principaux caractères du climat d'une ville ou d'une station donnée (jamais d'un pays), les températures mensuelles moyennes et les hauteurs de précipitations mensuelles moyennes. On donne aussi la moyenne annuelle calculée à partir des valeurs mensuelles sur une période de 20 ou 30 ans. Les valeurs indiquées dans ces climatogrammes portent sur la période 1970-2000.

Moscou, RUSSIE (155 mètres)

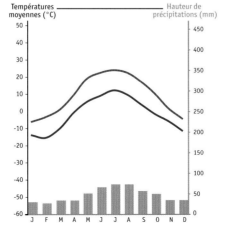

Températures moyennes (°C) — Hauteur de précipitations (mm)

- ■ Température maximale annuelle moyenne : 9,1 °C
- ■ Température minimale annuelle moyenne : -2,0 °C
- ▬ Hauteur totale de précipitations annuelle : 575 mm

St Petersbourg, RUSSIE (5 mètres)

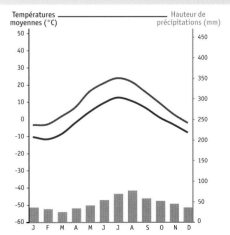

Températures moyennes (°C) — Hauteur de précipitations (mm)

- ■ Température maximale annuelle moyenne : 8,7 °C
- ■ Température minimale annuelle moyenne : -0,5 °C
- ▬ Hauteur totale de précipitations annuelle : 559 mm

L'Afrique

Alger, ALGÉRIE (10 mètres)

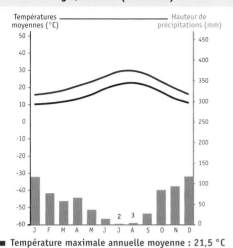

Températures moyennes (°C) — Hauteur de précipitations (mm)

- ■ Température maximale annuelle moyenne : 21,5 °C
- ■ Température minimale annuelle moyenne : 15,0 °C
- ▥ Hauteur totale de précipitations annuelle : 691 mm

Le Caire, ÉGYPTE (75 mètres)

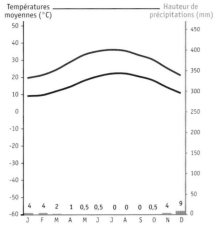

Températures moyennes (°C) — Hauteur de précipitations (mm)

- ■ Température maximale annuelle moyenne : 28,1 °C
- ■ Température minimale annuelle moyenne : 15,4 °C
- ▥ Hauteur totale de précipitations annuelle : 25 mm

Bilma, NIGER (522 mètres)

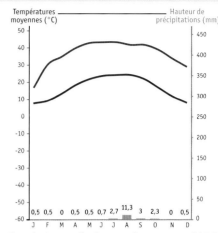

Températures moyennes (°C) — Hauteur de précipitations (mm)

- ■ Température maximale annuelle moyenne : 36,5 °C
- ■ Température minimale annuelle moyenne : 16,0 °C
- ▥ Hauteur totale de précipitations annuelle : 214 mm

Dakar, SÉNÉGAL (5 mètres)

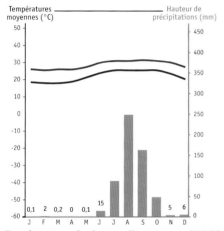

Températures moyennes (°C) — Hauteur de précipitations (mm)

- ■ Température maximale annuelle moyenne : 27,5 °C
- ■ Température minimale annuelle moyenne : 21,0 °C
- ▥ Hauteur totale de précipitations annuelle : 576 mm

Abidjan, CÔTE D'IVOIRE (5 mètres)

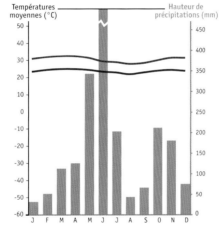

Températures moyennes (°C) — Hauteur de précipitations (mm)

- ■ Température maximale annuelle moyenne : 30,1 °C
- ■ Température minimale annuelle moyenne : 23,6 °C
- ▥ Hauteur totale de précipitations annuelle : 1 978 mm

Libreville, GABON (5 mètres)

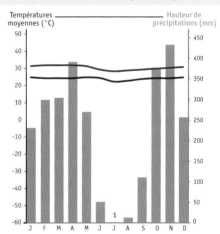

Températures moyennes (°C) — Hauteur de précipitations (mm)

- ■ Température maximale annuelle moyenne : 29,4 °C
- ■ Température minimale annuelle moyenne : 23,1 °C
- ▥ Hauteur totale de précipitations annuelle : 2 727 mm

Addis-Abeba, ÉTHIOPIE (2 410 mètres)

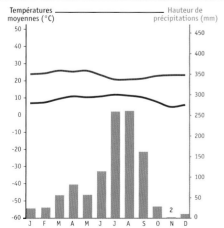

Températures moyennes (°C) — Hauteur de précipitations (mm)

- ■ Température maximale annuelle moyenne : 22,6 °C
- ■ Température minimale annuelle moyenne : 8,1 °C
- ▥ Hauteur totale de précipitations annuelle : 1 074 mm

Le Cap, AFRIQUE DU SUD (5 mètres)

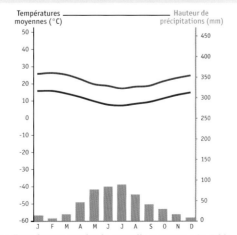

Températures moyennes (°C) — Hauteur de précipitations (mm)

- ■ Température maximale annuelle moyenne : 21,5 °C
- ■ Température minimale annuelle moyenne : 11,5 °C
- ▥ Hauteur totale de précipitations annuelle : 508 mm

Comment lire un climatogramme ?

Les douze mois sont disposés sur l'axe horizontal (l'abscisse). L'axe vertical de gauche (les ordonnées) supporte l'échelle des températures moyennes ; celui de droite indique les hauteurs de précipitations moyennes. La courbe rouge représente les températures maximales moyennes mensuelles, la courbe bleue donne les températures minimales moyennes mensuelles. On ne trace pas de courbe moyenne pour les précipitations. Grâce à un climatogramme, on peut, en un clin d'œil, déterminer le type de climat de la ville !

Les Amériques

New York, ÉTATS-UNIS (5 mètres)

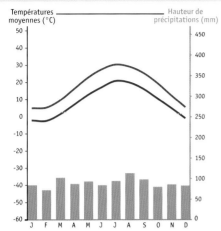

Températures moyennes (°C) ———— Hauteur de précipitations (mm)

- ■ Température maximale annuelle moyenne : 16,9 °C
- ■ Température minimale annuelle moyenne : 8,0 °C
- ■ Hauteur totale de précipitations annuelle : 1 076 mm

Vancouver, CANADA (5 mètres)

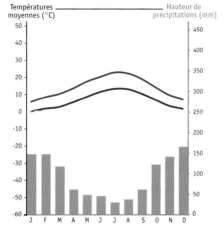

Températures moyennes (°C) ———— Hauteur de précipitations (mm)

- ■ Température maximale annuelle moyenne : 13,6 °C
- ■ Température minimale annuelle moyenne : 6,0 °C
- ■ Hauteur totale de précipitations annuelle : 1 121 mm

La Nouvelle-Orléans, ÉTATS-UNIS (8 mètres)

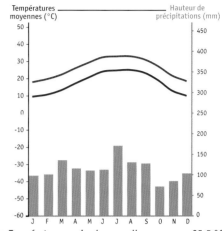

Températures moyennes (°C) ———— Hauteur de précipitations (mm)

- ■ Température maximale annuelle moyenne : 25,5 °C
- ■ Température minimale annuelle moyenne : 17,1 °C
- ■ Hauteur totale de précipitations annuelle : 1 366 mm

Phœnix, ÉTATS-UNIS (337 mètres)

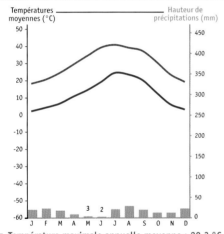

Températures moyennes (°C) ———— Hauteur de précipitations (mm)

- ■ Température maximale annuelle moyenne : 29,3 °C
- ■ Température minimale annuelle moyenne : 11,8 °C
- ■ Hauteur totale de précipitations annuelle : 183 mm

San José, COSTA RICA (1 145 mètres)

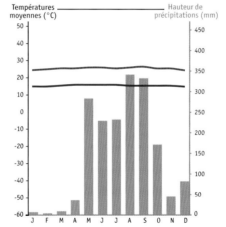

Températures moyennes (°C) ———— Hauteur de précipitations (mm)

- ■ Température maximale annuelle moyenne : 25,0 °C
- ■ Température minimale annuelle moyenne : 15,5 °C
- ■ Hauteur totale de précipitations annuelle : 1 944 mm

Manaus, BRÉSIL (45 mètres)

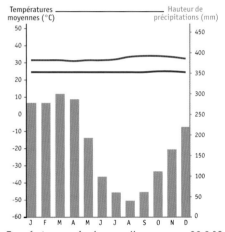

Températures moyennes (°C) ———— Hauteur de précipitations (mm)

- ■ Température maximale annuelle moyenne : 32,0 °C
- ■ Température minimale annuelle moyenne : 24,0 °C
- ■ Hauteur totale de précipitations annuelle : 2 096 mm

São Paulo, BRÉSIL (790 mètres)

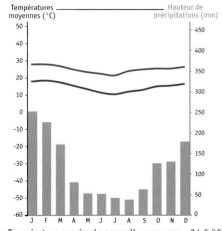

Températures moyennes (°C) ———— Hauteur de précipitations (mm)

- ■ Température maximale annuelle moyenne : 24,5 °C
- ■ Température minimale annuelle moyenne : 14,5 °C
- ■ Hauteur totale de précipitations annuelle : 1 425 mm

Santiago du Chili, CHILI (520 mètres)

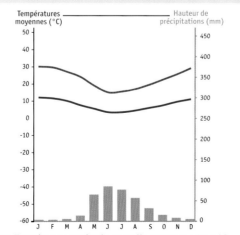

Températures moyennes (°C) ———— Hauteur de précipitations (mm)

- ■ Température maximale annuelle moyenne : 27,5 °C
- ■ Température minimale annuelle moyenne : 7,0 °C
- ■ Hauteur totale de précipitations annuelle : 363 mm

Le saviez-vous ?

● **Notre planète bénéficie** d'un climat plutôt tempéré ! Cela ne l'empêche pas de connaître des valeurs extrêmes. En voici quelques-unes :

Record absolu de chaleur (à l'ombre) : 58,2°C (El Aziza, désert de Libye, 19 septembre 1922)

Record absolu de froid : –89,2°C (base russe de Vostok, Antarctique, 21 juillet 1983)

Record de précipitations sur un an : 26 460 mm à Mawsynram, à côté de Cherrapunji, État de Meghalaya, nord-est de l'Inde, 1860-1861.

L' Asie et l'Océanie

Ryad, ARABIE SAOUDITE (610 mètres)

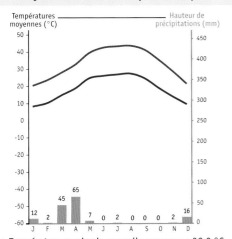

- ■ Température maximale annuelle moyenne : 32,3 °C
- ■ Température minimale annuelle moyenne : 17,6 °C
- ▦ Hauteur totale de précipitations annuelle : 152 mm

Mumbai (Bombay), INDE (10 mètres)

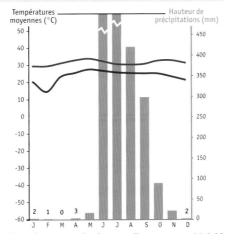

- ■ Température maximale annuelle moyenne : 35,0 °C
- ■ Température minimale annuelle moyenne : 23,2 °C
- ▦ Hauteur totale de précipitations annuelle : 2 078 mm

Beijing (Pékin), CHINE (30 mètres)

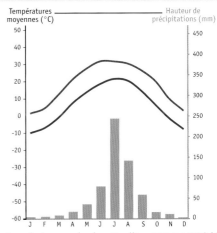

- ■ Température maximale annuelle moyenne : 17,8 °C
- ■ Température minimale annuelle moyenne : 5,8 °C
- ▦ Hauteur totale de précipitations annuelle : 619 mm

Verkhoïansk, RUSSIE (Sibérie) (125 mètres)

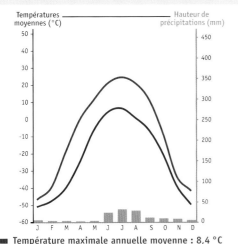

- ■ Température maximale annuelle moyenne : 8,4 °C
- ■ Température minimale annuelle moyenne : -23,0 °C
- ▦ Hauteur totale de précipitations annuelle : 155 mm

Shanghaï, CHINE (5 mètres)

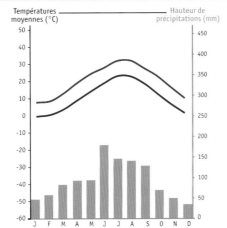

- ■ Température maximale annuelle moyenne : 19,9 °C
- ■ Température minimale annuelle moyenne : 10,7 °C
- ▦ Hauteur totale de précipitations annuelle : 1 137 mm

Bangkok, THAÏLANDE (5 mètres)

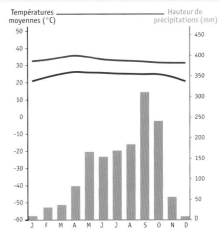

- ■ Température maximale annuelle moyenne : 32,5 °C
- ■ Température minimale annuelle moyenne : 23,6 °C
- ▦ Hauteur totale de précipitations annuelle : 1 439 mm

Record de précipitations sur un mois :
9 296 mm, toujours à Cherrapunji, en
juillet 1861... Cela représente, en un seul
mois, exactement 15 ans de pluie à Paris !
**Record de hauteur annuelle moyenne
de précipitations :** 11 875 mm d'eau
par an... à Cherrapunji !
Record annuel de sécheresse : moins
de 1 millimètre de précipitations par an,
désert d'Atacama, Chili ; il n'y pleut
jamais ! Seules des brumes apportent
un peu de rosée sur le sol.
Record annuel d'épaisseur de neige :
31,15 m entre 1971 et 1972, Mont Rainier,
État de Washington, États-Unis.

Singapour, SINGAPOUR (5 mètres)

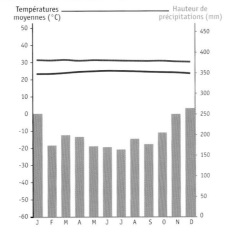

- ■ Température maximale annuelle moyenne : 20,6 °C
- ■ Température minimale annuelle moyenne : 24,0 °C
- ▦ Hauteur totale de précipitations annuelle : 2 427 mm

Sydney, AUSTRALIE (10 mètres)

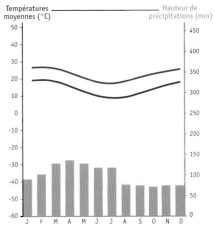

- ■ Température maximale annuelle moyenne : 21,8 °C
- ■ Température minimale annuelle moyenne : 13,5 °C
- ▦ Hauteur totale de précipitations annuelle : 1 182 mm

Carte du réchauffement climatique

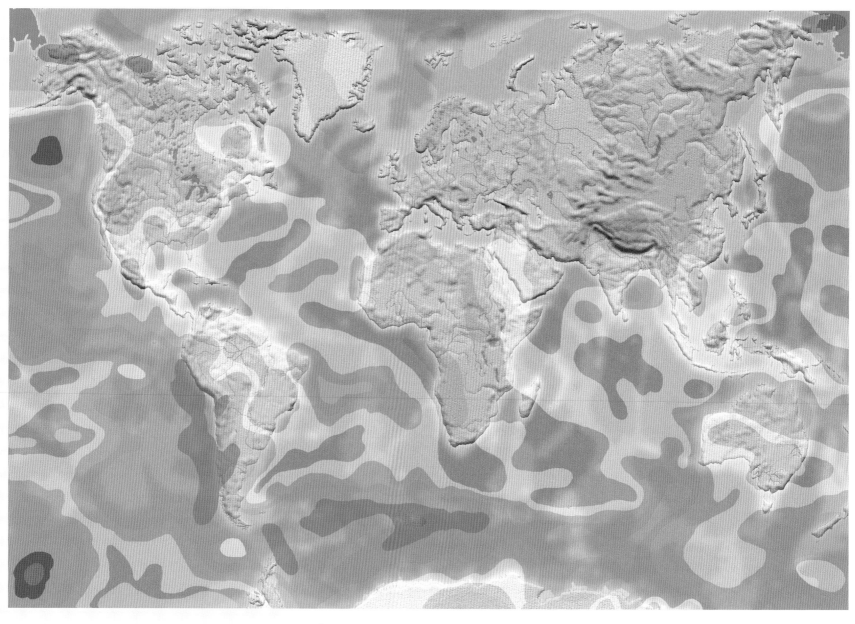

Le saviez-vous ?

● **Les régions arctiques** sont les plus durement frappées par le réchauffement enregistré depuis une trentaine d'années. Beaucoup de spécialistes pensent que la banquise pourra fondre entièrement durant l'été d'ici 2030. Bien sûr, cette banquise se reformera dès l'arrivée de l'automne.

Remarques

● Cette carte illustre le réchauffement climatique annuel moyen de la Terre sur les années 2005 à 2007.
● Les différences de températures sont calculées par rapport aux valeurs **moyennes** établies par l'Organisation Météorologique Mondiale sur la période 1970-1990.
● Cette carte a été établie à partir de données collectées par divers satellites météorologiques et climatologiques américains et européens, dont le satellite ENVISAT de l'Agence spatiale européenne, lancé en mars 2002.
● Les données manquent pour la plus grande partie du continent Antarctique au sud du 75e parallèle Sud.

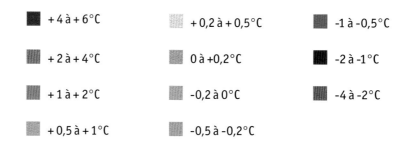

■ +4 à +6°C   ▨ +0,2 à +0,5°C   ▨ -1 à -0,5°C

▨ +2 à +4°C   ▨ 0 à +0,2°C   ■ -2 à -1°C

▨ +1 à +2°C   ▨ -0,2 à 0°C   ▨ -4 à -2°C

▨ +0,5 à +1°C   ▨ -0,5 à -0,2°C

Carte des zones de pollutions

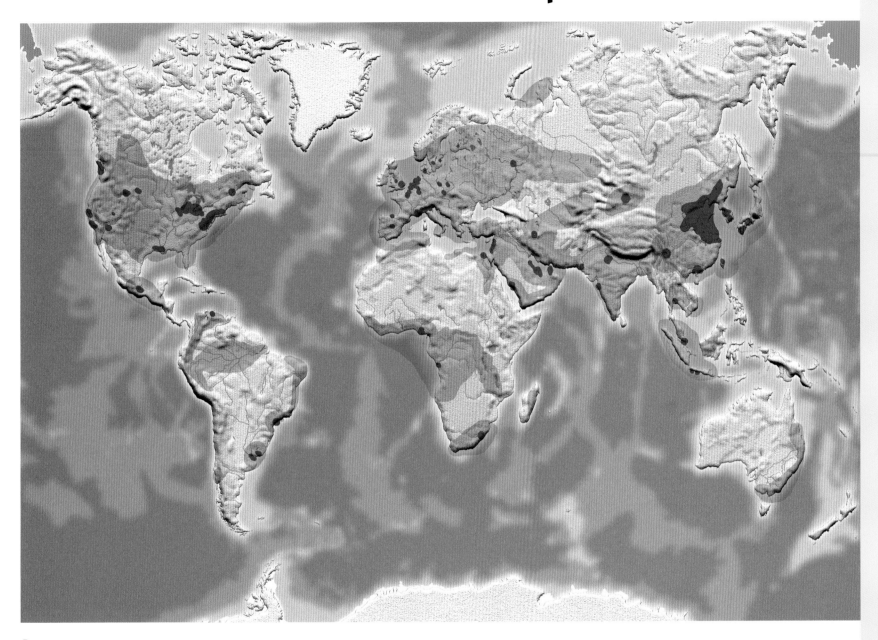

Remarque
- Cette carte montre les zones de la planète affectées par les gaz polluants de l'atmosphère : dioxyde de carbone, méthane, dioxyde d'azote, gaz soufrés, etc.
- La pollution au-dessus des forêts tropicales s'explique par les rejets de dioxyde de carbone et de méthane par les végétaux.
- Cette carte a été établie à partir de données collectées par divers satellites d'étude de l'environnement, dont le satellite ENVISAT de l'Agence spatiale européenne, lancé en mars 2002.

Concentration de gaz polluants faible (pollution légère)

Concentration de gaz polluants moyenne (pollution marquée)

Concentration de gaz polluants élevée (pollution forte)

Le saviez-vous ?

- Les **satellites** sont irremplaçables pour déceler et mesurer la pollution atmosphérique. Grâce à des capteurs sensibles aux gammes des ondes infrarouges et ultraviolettes, il est possible de suivre les gaz polluants sur une région ou un continent, et d'en établir au jour le jour la quantité selon l'altitude. Les satellites équipés de tels capteurs sont des satellites d'études de l'environnement. Le premier fut Nimbus-6, lancé en 1978.

- Les **satellites météorologiques** sont aussi mis à contribution. Ils peuvent mesurer la quantité de vapeur d'eau de l'atmosphère. Les spécialistes peuvent ainsi prévoir les zones de brouillards, qui retiennent les polluants.

Les hauts lieux de la biodiversité

Cette carte dresse la liste des endroits de la planète les plus riches en espèces végétales et animales. Ces régions constituent ce que les spécialistes appellent les "hauts lieux de la biodiversité". La biodiversité de la Terre est formée de l'ensemble des espèces végétales et animales. Ces hauts lieux renferment le plus grand nombre d'espèces, mais les animaux ne sont pas nécessairement plus nombreux que dans les autres régions.

Le saviez-vous ?

Actuellement, on connaît plus de 2,2 millions d'espèces d'animaux... et on en découvre chaque année des centaines ! Par ailleurs, plus de 600 000 espèces de végétaux ont été répertoriées. À cela il faut ajouter les bactéries...

La carte montre que la plupart des hauts lieux couvrent surtout deux types de milieux humides du globe. Le premier est constitué des forêts des régions équatoriales, appelées aussi forêts pluviales primaires (Amazonie, Congo, Nouvelle-Guinée), et des régions tropicales humides (Afrique occidentale, Asie du sud-est). Le second inclut les forêts tropicales et subtropicales humides de montagne, que l'on trouve dans les Andes ou l'Himalaya. Les chaînes de montagne des régions tempérées (Alpes, Carpates, Californie, etc.) sont également très riches grâce à la diversité de leurs milieux. Les plateaux frais et humides de l'Éthiopie, couverts de forêts et de prairies, sont uniques en Afrique.

D'une manière générale, en dehors des forêts tropicales, les zones les plus riches se rencontrent dans les régions de montagne. En effet, ces zones présentent le maximum de diversités physiques et climatiques sur un minimum de superficie. D'une part, les paysages y sont très divers. D'autre part, la variation très rapide de l'altitude entraîne des gradients (c'est-à-dire des variations) très importants des températures et des quantités de précipitations. Cette diversité géographique permet l'existence d'une très grande variété de milieux, de la forêt à la prairie et aux rochers nus, donc de végétaux et d'animaux aux besoins écologiques différents.

Au contraire, les déserts sont peu propices à la vie, à l'exception du désert de Namibie. Ce désert frais inclut une faune très particulière. Quant aux marais de l'Okavango (Afrique), ils forment une véritable île de milieux aquatiques cernée par une région aride.

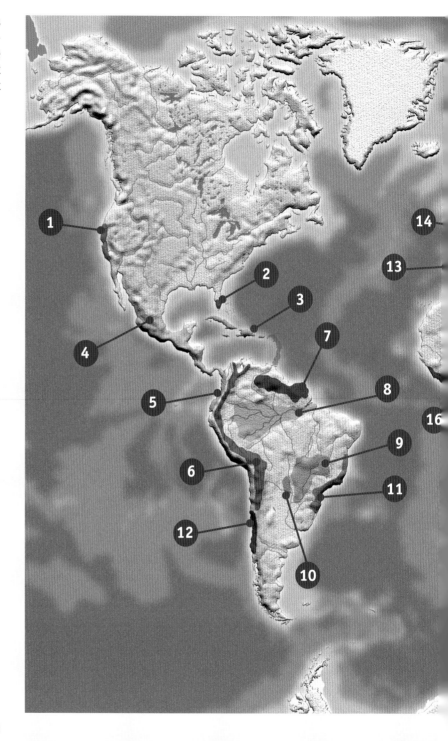

Les îles, justement, sont riches car les milieux y sont diversifiés. De plus, leur faune est souvent particulière, car elle a évolué sur place. Cela explique la richesse biologique de Madagascar ou de La Réunion.

Depuis une vingtaine d'années, les biologistes reconnaissent que les grands fonds des océans sont également très riches en formes de vie.

C'est lors du Sommet de la Terre, tenu à Rio de Janeiro en 1992, que le monde a pris conscience de la richesse de la biodiversité de la planète. Sur les 2,2 millions d'espèces animales connues, les vertébrés ne comptent qu'environ 57 300 espèces. Ces valeurs ne représentent pourtant qu'une petite partie de la diversité biologique réelle de la planète. Les naturalistes estiment que la Terre doit abriter au moins 10 millions d'espèces animales.

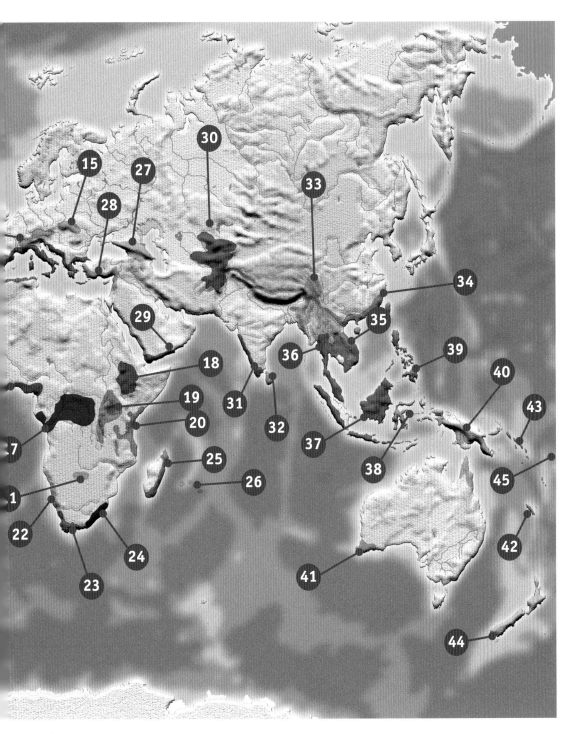

AFRIQUE

16 Forêts côtières d'Afrique occidentale

17 Forêt primaire du Bassin du Congo

18 Plateau éthiopien

19 Forêts de montagne de la Région des Grands Lacs

20 Forêts côtières d'Afrique orientale

21 Marais de l'Okavango

22 Désert frais de Namibie

23 Afrique australe méditerranéenne

24 Montagnes humides du Drakensberg

25 Forêts humides de Madagascar

26 Forêts de montagne des Îles Mascareignes

ASIE - PACIFIQUE

27 Chaîne du Caucase

28 Chaînes côtières d'Asie Mineure

29 Chaînes côtières d'Arabie

30 Chaînes de Turanie et d'Asie Centrale

31 Forêts de la chaîne des Ghâts Occidentales

32 Forêts de plaine et de montagne du Sri Lanka

33 Forêts humides de la Région Indo-Himalayenne

34 Chaînes côtières de Chine et Taiwan

35 Cordillère Annamitique

36 Forêts de plaine et d'altitude d'Asie du Sud-Est

37 Forêts primaires de la région de la Sonde

38 Forêts de la Wallacea

39 Forêts des Philippines

40 Forêts de plaine et de montagne d'Australasie

41 Massifs humides du sud-ouest de l'Australie

42 Forêts de Nouvelle-Calédonie

43 Forêts de Mélanésie

44 Forêts humides de Nouvelle-Zélande

45 Forêts de Polynésie

AMÉRIQUES

1 Forêts des chaînes de Californie

2 Forêts et marais de Floride méridionale

3 Forêts des Îles Caraïbes

4 Forêts de la Cordillère d'Amérique Centrale

5 Forêts côtières de Colombie / Équateur

6 Forêts humides versant occidental des Andes

7 Forêts du Massif des Guyanes

8 Forêt primaire du Bassin amazonien

9 Forêts du plateau du Mato Grosso

10 Marais du Pantanal

11 Forêt atlantique humide du Brésil

12 Forêts humides des chaînes du Chili central

EUROPE

13 Forêts et maquis de la Région méditerranéenne

14 Montagnes de l'Arc Alpin

15 Forêts des Carpates

Les origines des productions agricoles

Le saviez-vous ?

● **Le figuier** est la plus ancienne plante cultivée connue ! Cet arbre était déjà cultivé il y a 11 400 ans au Proche-Orient, soit plus de mille ans avant les premières cultures de céréales apparues dans la même région.

● **Le dromadaire** a probablement été domestiqué au Proche-Orient mais on ignore tout de ses origines. En effet, l'espèce est totalement inconnue à l'état sauvage. Ses ancêtres naturels ont même disparu avant la fin de la Préhistoire !

● **La tomate**, l'emblème de la cuisine italienne, est bien originaire d'Amérique du Sud. Elle fut importée en Europe par les Espagnols au cours du XVIe siècle. Rapidement, ils en tentèrent la culture en Sicile, alors possession de la couronne d'Espagne. La "pomme d'or" gagna ensuite la Péninsule.

● **Le bœuf** est un taureau castré, mais c'est aussi le nom zoologique de notre ruminant. Le bœuf domestique est un parent de l'aurochs, un grand bovidé sauvage bien connu des Gaulois, des Celtes et des autres peuples anciens. Il habitait les forêts de l'Europe et de l'Asie. L'aurochs sauvage pouvait atteindre une hauteur de 2 mètres au garrot. Il a survécu en Europe centrale jusqu'au XVIIe siècle.

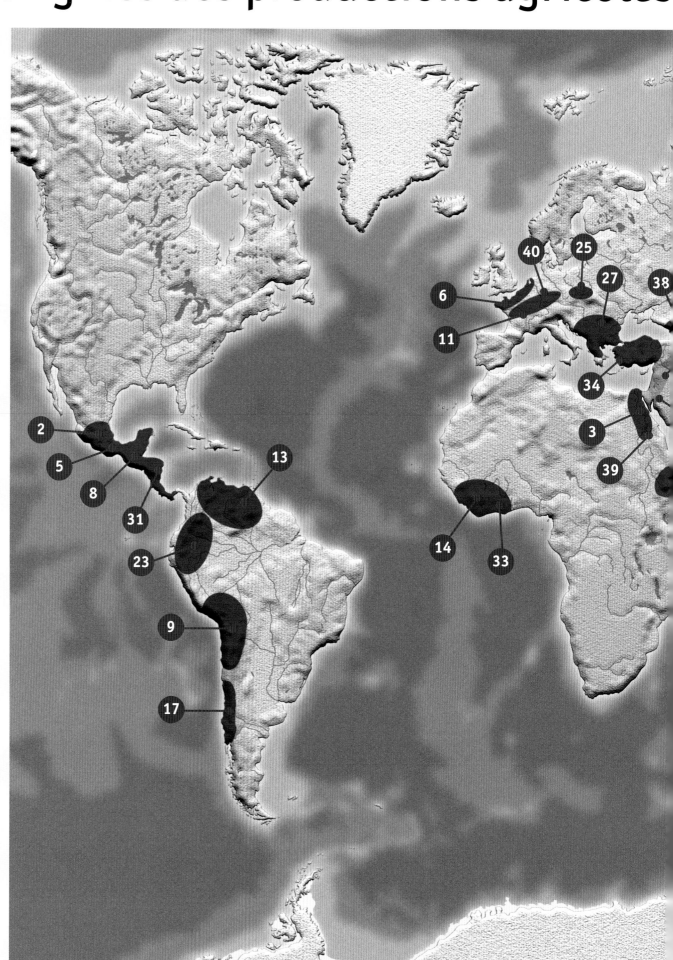

et des animaux domestiques

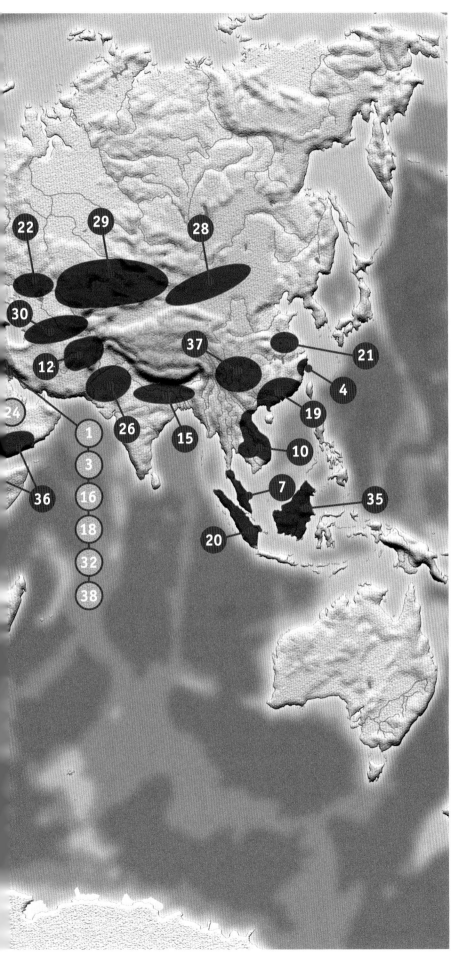

CÉRÉALES

1 Blé (Asie)

2 Maïs (Amériques)

3 Orge (Afrique, Asie)

4 Riz (Asie)

LÉGUMES

5 Arachide (Amériques)

6 Betterave (Europe)

7 Canne à sucre (Asie)

8 Haricot (Amériques)

9 Pomme de terre (Amériques)

10 Soja (Asie)

11 Chou (Europe)

12 Carotte (Asie)

FRUITS

13 Ananas (Amériques)

14 Banane (Afrique)

15 Citron (Asie)

16 Figue (Asie)

17 Fraise (Amériques)

18 Olive (Asie)

19 Orange (Asie)

20 Pamplemousse (Asie)

21 Poire (Asie)

22 Pomme (Asie)

23 Tomate (Amériques)

ANIMAUX

24 Âne (Asie)

25 Bœuf Aurochs (Europe)

26 Bœuf à bosse (Asie)

27 Canard (Europe)

28 Chameau (Asie)

29 Cheval (Asie)

30 Chèvre (Asie)

31 Dinde (Amériques)

32 Mouton (Asie)

33 Pintade (Afrique)

34 Porc (Asie)

35 Poule (Asie)

BOISSONS

36 Café (Afrique, Asie)

37 Thé (Asie)

38 Vigne (Europe, Asie)

FIBRES

39 Coton (Afrique)

40 Lin (Europe)

Croissant fertile

Remarque

Les régions figurant sur cette carte sont celles des premières cultures ou domestications connues, et non pas la région où les végétaux et animaux sauvages sont apparus.

Les États du monde

Remarques

● Cette carte inclut les 196 États souverains reconnus au 1ᵉʳ janvier 2010, et leur capitale politique admise à cette même date.
● Les pays sont identifiés par leur nom d'usage.
● Certains "États" ne sont pas unanimement reconnus par l'ONU ou par la communauté internationale. Leur liste figure à la suite de celle des États souverains.

LISTE DES 196 ÉTATS SOUVERAINS
RECONNUS (au 1ᵉʳ janvier 2010)   *Capitales

1 AFGHANISTAN (L') - Kaboul*
2 AFRIQUE DU SUD (L') - Pretoria
3 ALBANIE (L') - Tirana
4 ALGÉRIE (L') - Alger
5 ALLEMAGNE (L') - Berlin
6 ANDORRE (LA PRINCIPAUTÉ D') - (1) Andorre-la-Vieille
7 ANGOLA (L') - Luanda
8 ANTIGUA-ET-BARBUDA - Saint John's
9 ARABIE SAOUDITE (L') - Riyad
10 ARGENTINE (L') - Buenos Aires
11 ARMÉNIE (L') - Erevan
12 AUSTRALIE (L') - Canberra
13 AUTRICHE (L') - Vienne
14 AZERBAÏDJAN (L') - Bakou
15 BAHAMAS (LES) - Nassau
16 BAHREÏN - Manama
17 BANGLADESH (LE) - Dacca
18 BARBADE (LA) - Bridgetown
19 BELGIQUE (LA) - Bruxelles
20 BELIZE (LE) - Belmopan
21 BÉNIN (LE) - Porto Novo
22 BHOUTAN (LE) - Thimphu
23 BIÉLORUSSIE (LA) (2) - Minsk
24 BOLIVIE (LA) - La Paz
25 BOSNIE-HERZÉGOVINE (LA) - Sarajevo
26 BOTSWANA (LE) - Gaborone
27 BRÉSIL (LE) - Brasilia
28 BULGARIE (LA) - Sofia
29 BURKINA (LE) - Ouagadougou
30 BURUNDI (LE) - Bujumbura
31 CAMBODGE (LE) - Phnom Penh
32 CAMEROUN (LE) - Yaoundé
33 CANADA (LE) - Ottawa
34 CAP-VERT (LE) - Praia
35 CENTRAFRIQUE (LA) (3) - Bangui
36 CHILI (LE) - Santiago
37 CHYPRE (LA RÉPUBLIQUE DE) - Nicosie
38 COLOMBIE (LA) - Bogota
39 COMORES (LES) - Moroni
40 CONGO (LE) - Brazzaville
41 COOK (ÎLES) - Avarua
42 CORÉE DU NORD (LA) (4) - Pyongyang

43 CORÉE DU SUD (LA) (5) - Séoul
44 COSTA RICA (LE) - San José
45 CÔTE D'IVOIRE (LA) - Yamoussoukro
46 CROATIE (LA) - Zagreb
47 CUBA - La Havane
48 DANEMARK (LE) Copenhague
49 DJIBOUTI - Djibouti
50 DOMINIQUE (LA) - Roseau
51 ÉGYPTE (L') - Le Caire
52 EL SALVADOR - San Salvador
53 ÉMIRATS ARABES UNIS (LES) - Abou Dabi
54 ÉQUATEUR (L') - Quito
55 ÉRYTHRÉE (L') - Asmara
56 ESPAGNE (L') - Madrid
57 ESTONIE (L') - Tallinn
58 ÉTATS FÉDÉRÉS DE MICRONÉSIE (LES) - Palikir
59 ÉTATS-UNIS (LES) - Washington D.C.
60 ÉTHIOPIE (L') - Addis-Abeba
61 FÉDÉRATION DE MALAYSIA (LA) (6) - Kuala Lumpur
62 FÉDÉRATION DE RUSSIE (LA) (7) - Moscou
63 FIDJI (LES) - Suva
64 FINLANDE (LA) - Helsinki
65 FRANCE (LA) - Paris
66 GABON (LE) - Libreville
67 GAMBIE (LA) - Banjul
68 GÉORGIE (LA) - Tbilissi
69 GHANA (LE) - Accra
70 GRÈCE (LA) - Athènes
71 GRENADE (LA) - Saint-Georges
72 GUATEMALA (LE) - La Ciudad de Guatemala
73 GUINÉE (LA) - Conakry
74 GUINÉE BISSAU (LA) - Bissau
75 GUINÉE ÉQUATORIALE (LA) - Malabo
76 GUYANA (LE) - Georgetown
77 HAÏTI - Port-au-Prince
78 HONDURAS (LE) - Tegucigalpa
79 HONGRIE (LA) - Budapest
80 ÎLES MARSHALL (LES) - Delap-Uliga-Darrit
81 INDE (L') - New Delhi
82 INDONÉSIE (L') - Jakarta
83 IRAK (L') - Bagdad
84 IRAN (L') - Téhéran

85 IRLANDE (L') (8) - Dublin
86 ISLANDE (L') - Reykjavik
87 ISRAËL - Jérusalem
88 ITALIE (L') - Rome
89 JAMAÏQUE (LA) - Kingston
90 JAPON (LE) - Tokyo
91 JORDANIE (LA) - Amman
92 KAZAKHSTAN (LE) - Astana
93 KENYA (LE) - Nairobi
94 KIRGHIZISTAN (LE) - Bichkek
95 KIRIBATI (LES) - Tarawa South
96 KOWEÏT (LE) - Koweït
97 LAOS (LE) - Vientiane
98 LESOTHO (LE) - Maseru
99 LETTONIE (LA) - Riga
100 LIBAN (LE) - Beyrouth
101 LIBERIA (LE) - Monrovia
102 LIBYE (LA) - Tripoli
103 LIECHTENSTEIN (LE) - Vaduz
104 LITUANIE (LA) - Vilnius
105 LUXEMBOURG (LE) - Luxembourg
106 MACÉDOINE (LA) - Skopje
107 MADAGASCAR (LA) - Antananarivo
108 MALAWI (LE) - Lilongwe
109 MALDIVES (LES) - Malé
110 MALI (LE) - Bamako
111 MALTE - La Valette
112 MAROC (LE) - Rabat
113 MAURICE - Port-Louis
114 MAURITANIE (LA) - Nouakchott
115 MEXIQUE (LE) - Mexico
116 MOLDAVIE (LA) - Chisinau
117 MONACO (LA PRINCIPAUTÉ DE) - Monaco
118 MONGOLIE (LA) - Oulan-Bator
119 MONTÉNÉGRO (LE) - Podgorica
120 MOZAMBIQUE (LE) - Maputo
121 MYANMAR (LE) (9) - Nay Pi Daw
122 NAMIBIE (LA) - Windhoek
123 NAURU - Yaren

124 NÉPAL (LE) - Katmandou
125 NICARAGUA (LE) - Managua
126 NIGER (LE) - Niamey
127 NIGERIA (LE) - Abuja
128 NIUÉ - Alofi
129 NORVÈGE (LA) - Oslo
130 NOUVELLE-ZÉLANDE (LA) - Wellington
131 OUGANDA (L') - Kampala
132 OUZBÉKISTAN (L') - Tashkent
133 PAKISTAN (LE) - Islamabad
134 PALAOS (LES) (10) - Melekeok
135 PANAMA (LE) - Panamá
136 PAPOUASIE NOUVELLE-GUINÉE (LA) - Port Moresby
137 PARAGUAY (LE) - Asunción
138 PAYS-BAS (LES) - Amsterdam
139 PÉROU (LE) - Lima
140 PHILIPPINES (LES) - Manille
141 POLOGNE (LA) - Varsovie
142 PORTUGAL (LE) - Lisbonne
143 QATAR (LE) - Doha
144 RÉPUBLIQUE DÉMOCRATIQUE DU CONGO (LA) - Kinshasa
145 RÉPUBLIQUE DOMINICAINE (LA) - Saint Domingue
146 RÉPUBLIQUE POPULAIRE DE CHINE (LA) (11) - Beijing (Pékin)
147 RÉPUBLIQUE TCHÈQUE (LA) - Prague
148 ROUMANIE (LA) - Bucarest
149 ROYAUME-UNI (LE) - Londres
150 RWANDA (LE) - Kigali
151 SAINTE-LUCIE - Castries
152 SAINT-KITTS-ET-NEVIS - Basseterre
153 SAINT-MARIN - San Marino
154 SAINT-VINCENT-ET-LES-GRENADINES - Kingstown
155 SALOMON (LES) - Honiara
156 SAMOA (LES) - Apia
157 SAO TOMÉ E PRINCIPE - Sao Tomé
158 SÉNÉGAL (LE) - Dakar

159 SERBIE (LA) - Belgrade
160 SEYCHELLES (LES) - Victoria
161 SIERRA LEONE (LA) - Freetown
162 SINGAPOUR - Singapore
163 SLOVAQUIE (LA) - Bratislava
164 SLOVÉNIE (LA) - Ljubljana
165 SOMALIE (LA) - Mogadiscio
166 SOUDAN (LE) - Khartoum
167 SRI LANKA (LE) - Colombo
168 SUÈDE (LA) - Stockholm
169 SUISSE (LA) - Berne
170 SULTANAT D'OMAN (LE) - Mascate
171 SULTANAT DU BRUNEI (LE) - Bandar Seri Begawan
172 SURINAM (LE) - Paramaribo
173 SWAZILAND (LE) - Lobamba
174 SYRIE (LA) - Damas
175 TADJIKISTAN (LE) - Douchanbe
176 TAIWAN - Taipeh
177 TANZANIE (LA) - Dodoma
178 TOGO (LE) - Lomé
179 TONGA (LES) - Nuku'alofa
180 TCHAD (LE) - N'Djamena,
181 THAÏLANDE (LA) - Bangkok
182 TIMOR-LESTE (LE) (12) - Dili
183 TRINIDAD-ET-TOBAGO - Port d'Espagne
184 TUNISIE (LA) - Tunis
185 TURKMÉNISTAN (LE) - Ashkabat

186 TURQUIE (LA) - Ankara
187 TUVALU - Funafuti
188 UKRAINE (L') - Kiev
189 URUGUAY (L') - Montevideo
190 VANUATU (LE) - Port-Vila
191 VATICAN (LE) (13) - La Cité du Vatican
192 VENEZUELA (LE) - Caracas
193 VIÊT NAM (LE) - Hanoï
194 YÉMEN (LE) - Sanaa
195 ZAMBIE (LA) - Lusaka
196 ZIMBABWE (LE) - Harare

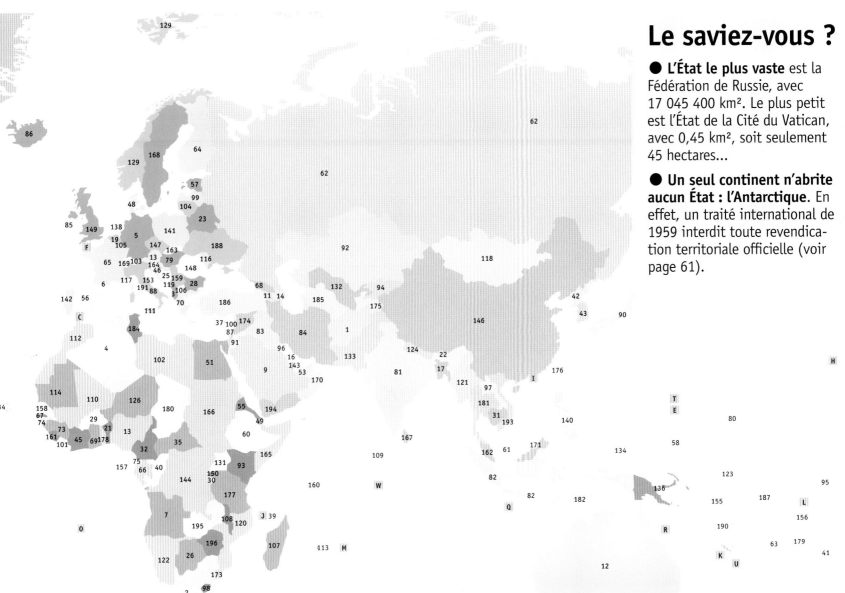

LISTE DES ÉTATS NON RECONNUS PAR L'ONU (ORGANISATION DES NATIONS UNIES)

L'ABKHAZIE - L'indépendance de cette province de la Géorgie a été proclamée le 26 août 2008, mais seule la Fédération de Russie l'a reconnue.
LE KOSOVO - Autoproclamé indépendant le 17 février 2008 et reconnu par 42 États, mais l'ONU n'avait pris aucune décision au 1er janvier 2010.
L'OSSÉTIE DU SUD - L'indépendance de cette province de la Géorgie a été proclamée le 26 août 2008, mais seule la Fédération de Russie l'a reconnue.
LA PALESTINE (formée de la Bande de Gaza et de la Cisjordanie) - Reconnue comme un État souverain par 97 pays mais pas par l'ONU.
LA RÉPUBLIQUE TURQUE DE CHYPRE DU NORD - Elle n'est reconnue que par la seule Turquie.

LISTE DES 53 TERRITOIRES ET DÉPENDANCES RECONNUS
(au 1er janvier 2010)

*Territoire inhabité   **État de tutelle

(1) ou simplement : ANDORRE
(2) ou : LE BELARUS
(3) ou : RÉPUBLIQUE CENTRAFRICAINE
(4) ou : RÉPUBLIQUE POPULAIRE DÉMOCRATIQUE DE CORÉE
(5) ou : RÉPUBLIQUE DE CORÉE
(6) ou : LA MALAISIE
(7) souvent simplement appelée : LA RUSSIE
(8) ou : L'ÉIRE
(9) ou : LA BIRMANIE
(10) ou : LE PALAU, OU LE BELAU
(11) souvent simplement appelée : LA CHINE
(12) ou : LE TIMOR ORIENTAL
(13) ou : L'ÉTAT DE LA CITÉ DU VATICAN

AKROTIRI ** - Royaume-Uni
ANGUILLA - Royaume-Uni
ANTILLES NÉERLANDAISES (LES) - Pays-Bas P
ARUBA - Pays-Bas
ASHMORE-ET-CARTIER (ÎLES)* - Australie
BERMUDES (LES) - Royaume-Uni A
BOUVET (ÎLE)* - Norvège
CAÏMANS (ÎLES) - Royaume-Uni
CHRISTMAS (ÎLE) - Australie Q
CLIPPERTON (ÎLE)* - France
COCOS (KEELING) (ÎLES) - Australie
DHEKELIA - Royaume-Uni
FALKLAND (ÎLES) - Royaume-Uni B
GÉORGIE DU SUD-ET-LES-ÎLES SANDWICH-DU-SUD* - Royaume-Uni
GIBRALTAR - Royaume-Uni
GROENLAND (LE) - Danemark D
GUADELOUPE (LA) - France V
GUERNESEY - Royaume-Uni F

GUAM (ÎLE DE) - États-Unis E
GUYANE FRANÇAISE (LA) - France G
HAWAII (ÎLES) - États-Unis H
HEARD ET MCDONALD (ÎLES)* - Australie
HONG KONG - République populaire de Chine I
ÎLES DE LA MER DE CORAIL (LES)* - Australie R
ÎLE DE MAN - Royaume-Uni
ÎLES MINEURES ÉLOIGNÉES DES ÉTATS-UNIS (LES) * - États-Unis
ÎLES VIERGES (LES) - États-Unis S
ÎLES VIERGES BRITANNIQUES (LES) - Royaume-Uni
JAN MAYEN (ÎLE)* - Norvège
JERSEY - Royaume-Uni F
MACAO - République populaire de Chine I
MARIANNES-DU-NORD (ÎLES) - États-Unis T
MARTINIQUE (LA) - France V
MAYOTTE - France J
MONTSERRAT - Royaume-Uni
NAVASSA (ÎLE)* - États-Unis

NORFOLK (ÎLE) - Australie U
NOUVELLE CALÉDONIE (LA) - France K
PITCAIRN (ÎLES) - Royaume-Uni
POLYNÉSIE FRANÇAISE (LA) - France L
PORTO RICO - États-Unis M
RÉUNION (LA) - France M
SAINT-BARTHÉLEMY - France V
SAINT-MARTIN - France V
SAINT-PIERRE ET MIQUELON - France N
SAINTE-HÉLÈNE - Royaume-Uni O
SAMOA AMÉRICAINES (ÎLES) - États-Unis
SVALBARD (ÎLES) - Norvège
TERRES AUSTRALES ET ANTARCTIQUES FRANÇAISES (LES)* - France
TERRITOIRES BRITANNIQUES DE L'OCÉAN INDIEN (LES)* - Royaume-Uni W
TOKELAU - Nouvelle-Zélande
TURQUES-ET-CAÏQUES (ÎLES) - Royaume-Uni
WALLIS-ET-FUTUNA (ÎLES) - France

LISTE DES TERRITOIRES DISPUTÉS ENTRE PLUSIEURS ÉTATS

CACHEMIRE   Inde et Pakistan
PARACELS (ÎLES)   Rép. pop. de Chine, Viêt Nam, Taiwan
SPRATLEY (ÎLES)   Rép. pop. de Chine, Viêt Nam, Taiwan, Philippines, Fédération de Malaisie

29

Les langues officielles et les religions

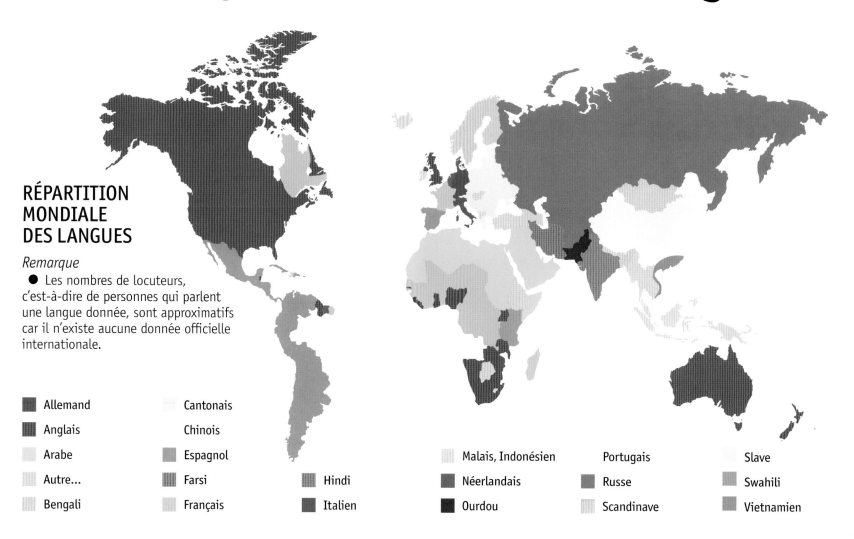

RÉPARTITION MONDIALE DES LANGUES

Remarque
- Les nombres de locuteurs, c'est-à-dire de personnes qui parlent une langue donnée, sont approximatifs car il n'existe aucune donnée officielle internationale.

- Allemand
- Anglais
- Arabe
- Autre...
- Bengali
- Cantonais
- Chinois
- Espagnol
- Farsi
- Français
- Hindi
- Italien
- Malais, Indonésien
- Néerlandais
- Ourdou
- Portugais
- Russe
- Scandinave
- Slave
- Swahili
- Vietnamien

Le saviez-vous ?

- **Si le mandarin** est la langue officielle de la République populaire de Chine, bien peu d'habitants utilisent cette langue dans leur vie quotidienne, en dehors de la région de Beijing (Pékin). Le mandarin est même peu compris dans les régions du sud-ouest de la Chine. Quant au sud de la Chine, **le cantonais** est pratiquement la langue "officielle".

- **Le hindi** est l'une des... 22 langues officielles de l'Inde ! C'est pourtant la langue du gouvernement et de l'administration, mais moins de 45 % des Indiens la manient couramment. Il est parfois plus commode pour deux Indiens de converser en... anglais !

- **L'anglais** est devenu la langue internationale des affaires, du tourisme et des sciences. Si 510 millions de personnes pratiquent cette langue comme langue maternelle ou deuxième langue, au moins 2,5 milliards de personnes peuvent s'exprimer en anglais avec plus ou moins de bonheur.

LES 15 LANGUES LES PLUS PARLÉES DANS LE MONDE
NOMBRE DE LOCUTEURS (MILLIONS)

LANGUES Langue maternelle et seconde langue		PRINCIPAUX PAYS OÙ LA LANGUE EST PARLÉE	NOMBRE (millions)
Chinois : mandarin	1	Chine (langue officielle), Taïwan, Singapour	1 200
Anglais	2	États-Unis, Royaume-Uni, Canada, Inde, Australie et de nombreux États du Pacifique, Afrique (est et sud)	510
Hindi	3	Espagne, Amérique latine	405
Espagne	4	Inde (langue officielle)	463
Français	5	France, Canada (Québec), Belgique (Wallonie), Suisse (ouest), Afrique (nord et ouest), Antilles, Océanie	290
Russe	6	Russie et pays de l'Ancienne URSS	285
Malais et dérivés	7	Indonésie, Malaisie, Thaïlande (sud)	250
Arabe	8	Afrique du Nord, Proche et Moyen-Orient	230
Portugais	9	Brésil, Portugal, Mozambique, Angola	218
Bengali	10	Bangladesh, Inde (nord-est)	210
Japonais	11	Japon	127
Allemand	12	Allemagne, Autriche, Suisse (nord, centre et est)	126
Punjabi	13	Inde (nord-ouest)	90
Vietnamien	14	Viêt Nam	84
Tamoul	15	Inde (sud), Sri Lanka	74

RÉPARTITION MONDIALE DES RELIGIONS (2009)

Remarque
● L'estimation du nombre de pratiquants d'une religion varie d'une source à l'autre, selon que l'on considère les personnes se proclamant croyantes ou celles se réclamant simplement de cette religion. Les valeurs données ici résultent de la prise en compte de plusieurs sources.

Religion protestante

Religion catholique

Religion orthodoxe

Religion musulmane

Religion hindouiste

Religion bouddhiste

Religion shintoïste

Religion animiste

Foyer du judaïsme

Foyer du sikhisme

Religion traditionnelle chinoise

		NOMBRE DE PRATIQUANTS DANS LE MONDE	% DES PRATIQUANTS
CHRÉTIENS		**2 022 millions**	**30,1 %**
Catholiques romains	1 020 millions		
Protestants	375 millions		
Orthodoxes	220 millions		
Autres chrétiens	327 millions		
Église anglicane	80 millions		
MUSULMANS		**1 512 millions**	**22,5 %**
Musulmans sunnites	1 252 millions		
Musulmans chiites	260 millions		
HINDOUISTES		**905 millions**	**13,5 %**
RELIGION TRADITIONNELLE CHINOISE		**397 millions**	**5,9 %**
(inclut les taoistes et confucianistes)			
BOUDDHISTES		**375 millions**	**5,6 %**
RELIGIONS TRIBALES et ANNIMISME		**355 millions**	**5,3 %**
SIKHS		**25 millions**	**0,4 %**
JUIFS		**15,5 millions**	**0,2 %**
SHINTOÏSTES		**4 millions**	**0,1 %**
NOUVEAUX MOUVEMENTS RELIGIEUX		**105 millions**	**1,6 %**
SANS RELIGION (agnostiques, athées)		**1 010 millions**	**14,8 %**
TOTAL		**6 725 millions**	**100,0 %**

Le saviez-vous ?

● **La religion chrétienne** est celle qui a connu le plus fort recul durant les dix dernières années. On comptait encore 2,1 milliards de chrétiens en 2005. Dans nombre de régions du globe, beaucoup de chrétiens se tournent vers les "nouveaux mouvements religieux". En revanche, la religion musulmane connaît une forte progression.

● **Les "nouveaux mouvements religieux"** désignent des croyances ou des émanations de religions traditionnelles apparues durant l'époque contemporaine. On y inclut donc les mormons, les pentecôtistes, les rastafaris, etc., mais aussi des mouvements à tendance sectaire.

● **Le nombre de croyants** (85,2 %) est très supérieur au nombre de non croyants. Ces derniers incluent les athées (qui ne croient en aucun dieu), les agnostiques (qui refusent toute croyance), et les personnes simplement sans confession. En Europe, le nombre de croyants déclarés avoisine les 70 à 75 %.

● **La religion traditionnelle chinoise**, qui ne porte pas de nom particulier, est une religion polythéiste qui ne doit pas être confondue avec **le bouddhisme**. Très pratiquée en Chine avant 1949, elle est maintenant surtout répandue à Taiwan et chez les Chinois de la diaspora.

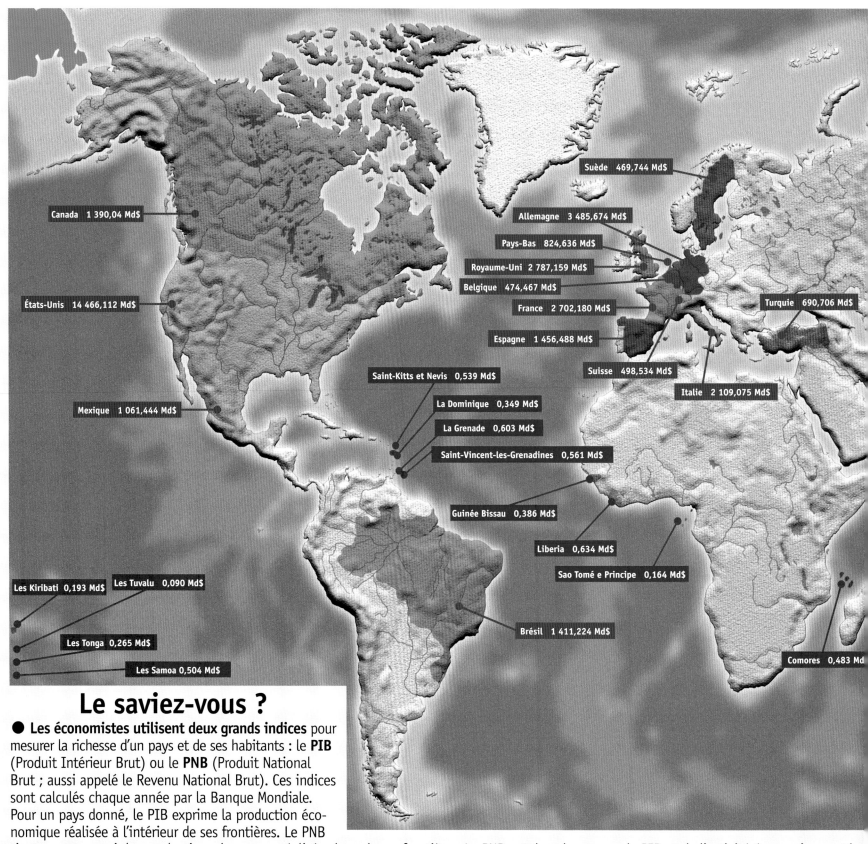

Suède   469,744 Md$

Canada   1 390,04 Md$

Allemagne   3 485,674 Md$

Pays-Bas   824,636 Md$

Royaume-Uni   2 787,159 Md$

Belgique   474,467 Md$

France   2 702,180 Md$

Turquie   690,706 Md$

États-Unis   14 466,112 Md$

Espagne   1 456,488 Md$

Suisse   498,534 Md$

Saint-Kitts et Nevis   0,539 Md$

Italie   2 109,075 Md$

La Dominique   0,349 Md$

Mexique   1 061,444 Md$

La Grenade   0,603 Md$

Saint-Vincent-les-Grenadines   0,561 Md$

Guinée Bissau   0,386 Md$

Liberia   0,634 Md$

Les Kiribati   0,193 Md$ Les Tuvalu   0,090 Md$

Sao Tomé e Principe   0,164 Md$

Les Tonga   0,265 Md$

Brésil   1 411,224 Md$

Comores   0,483 Md

Les Samoa 0,504 Md$

Le saviez-vous ?

● **Les économistes utilisent deux grands indices** pour mesurer la richesse d'un pays et de ses habitants : le **PIB** (Produit Intérieur Brut) ou le **PNB** (Produit National Brut ; aussi appelé le Revenu National Brut). Ces indices sont calculés chaque année par la Banque Mondiale. Pour un pays donné, le PIB exprime la production économique réalisée à l'intérieur de ses frontières. Le PNB tient compte aussi des productions de ce pays réalisées hors de ses frontières. Le PNB est donc la somme du PIB et de l'activité économique extérieure, par exemple la production de filiales installées sur un autre continent. Nous indiquons ici le PNB car, à l'heure de la mondialisation économique, le PNB représente mieux la richesse économique des États modernes.

● **Les PIB et PNB** sont toujours exprimés en dollars. Il n'est pas possible de les convertir en euro, car les taux de change des monnaies varient constamment. Le PNB par habitant est obtenu à partir de calculs complexes et n'est pas la division du PNB du pays par le nombre de ses habitant

(PNB) des États

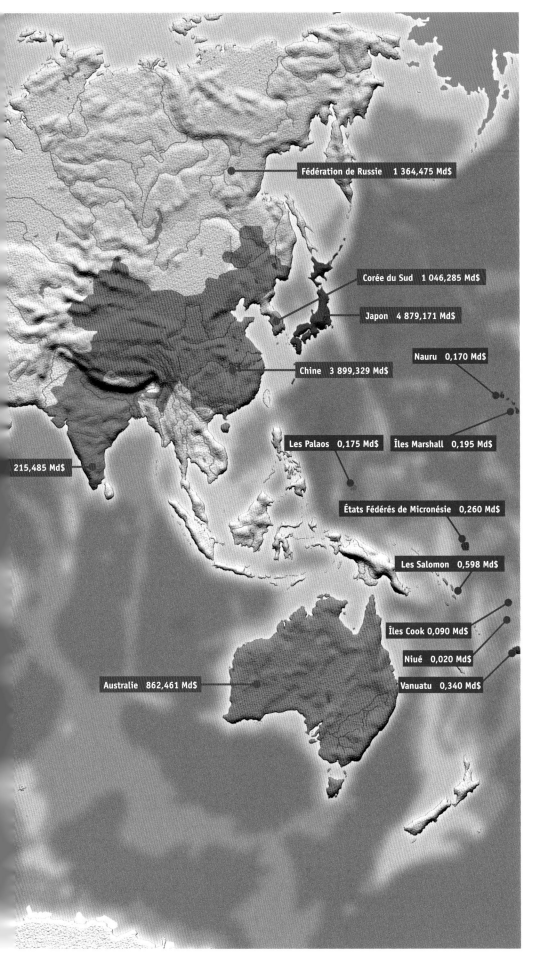

Fédération de Russie   1 364,475 Md$

Corée du Sud   1 046,285 Md$

Japon   4 879,171 Md$

Nauru   0,170 Md$

Chine   3 899,329 Md$

Les Palaos   0,175 Md$ Îles Marshall   0,195 Md$

215,485 Md$

États Fédérés de Micronésie   0,260 Md$

Les Salomon   0,598 Md$

Îles Cook 0,090 Md$

Niué   0,020 Md$

Australie   862,461 Md$ Vanuatu   0,340 Md$

PNB DES ÉTATS (2008)

Md$ PNB GLOBAL DES 20 PREMIERS PAYS
(en milliards de dollars)

Md$ PNB GLOBAL DES 20 DERNIERS PAYS
(en milliards de dollars)

PNB PAR HABITANT ET PAR AN (2008)

PNB / HABITANT : LES 20 PREMIERS PAYS*
(en dollars)

Liechtenstein	122 100
Qatar	121 400
Luxembourg	64 320
Norvège	58 810
Koweït	52 610
Sultanat du Brunei	50 200
Singapour	47 940
États-Unis	46 970
Suisse	46 460
Andorre (La Principauté d')	43 630
Pays-Bas (Les)	41 670
Saint-Marin	41 155
Suède	38 180
Bahreïn	37 800
Autriche	37 680
Danemark	37 380
Irlande	37 350
Canada	36 220
Royaume-Uni	36 130
Allemagne	35 940

PNB / HABITANT : LES 20 DERNIERS PAYS*
(en dollars par an)

Ouganda	1 140
Népal	1 120
Mali	1 090
Madagascar	1 040
Rwanda	1 010
Éthiopie	870
Malawi	830
Togo	820
Mozambique	770
Sierra Leone	750
Centrafrique	730
Niger	680
Erythrée	630
Guinée Bissau	530
Zimbabwe	490
Burundi	380
Afghanistan	350
Liberia	330
République dém. du Congo	290
Somalie	115

*Les valeurs de PNB globaux et par habitant de tous
les pays du monde figurent pages 140-141.

33

L'agriculture mondiale : les céréales

BLÉ

TOTAL MONDIAL*
689,946 millions de tonnes

TOTAL UNION EUROPÉENNE
150,338 millions de tonnes

% du total mondial

PRODUCTION MONDIALE
(millions de tonnes)

❶	Chine	112,463
❷	Inde	78,570
❸	États-Unis	68,026
❹	Russie	63,765
❺	France	39,002
❻	Canada	28,611
❼	Allemagne	25,989
❽	Ukraine	25,885
❾	Australie	21,397
❿	Pakistan	20,959

*Les statistiques mondiales
de production du blé figurent
page 144.

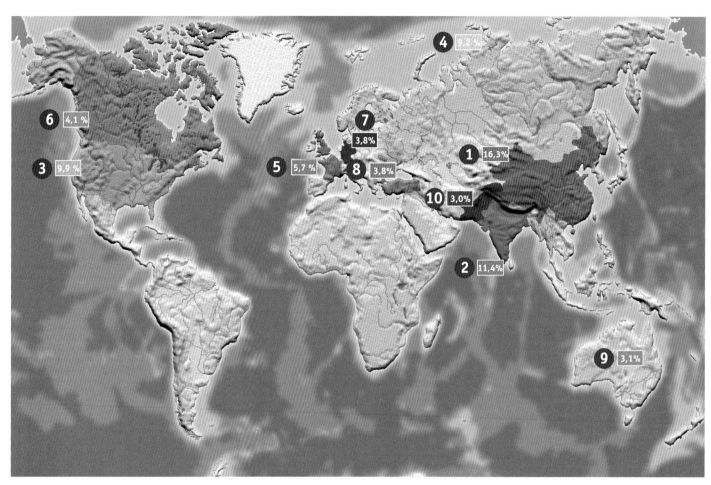

MAÏS

TOTAL MONDIAL*
822,713 millions de tonnes

TOTAL UNION EUROPÉENNE
62,853 millions de tonnes

% du total mondial

PRODUCTION MONDIALE
(millions de tonnes)

❶	États-Unis	307,384
❷	Chine	166,035
❸	Brésil	59,018
❹	Mexique	24,320
❺	Argentine	22,017
❻	Inde	19,290
❼	Indonésie	16,324
❽	France	16,012
❾	Afrique du Sud	11,597
❿	Ukraine	11,447

*Les statistiques mondiales
de production du maïs figurent
page 144.

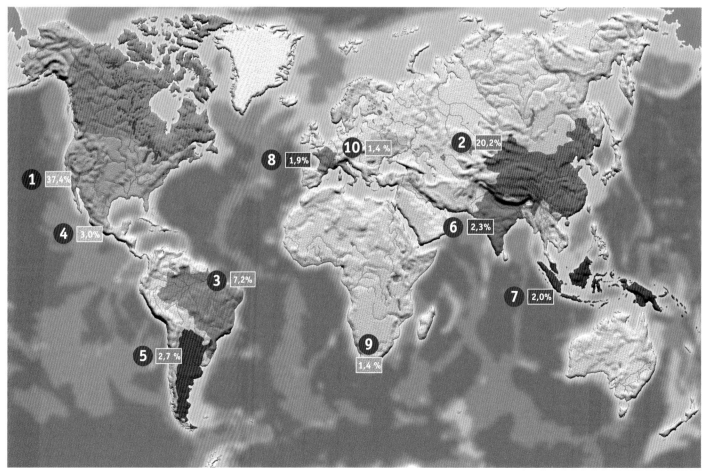

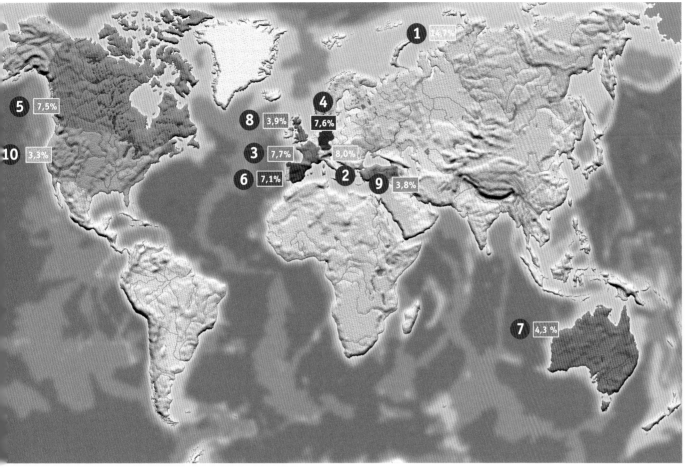

ORGE

TOTAL MONDIAL
157,645 millions de tonnes

TOTAL UNION EUROPÉENNE
65,662 millions de tonnes

▰ % du total mondial

PRODUCTION MONDIALE
(millions de tonnes)

❶	Russie	23,148
❷	Ukraine	12,611
❸	France	12,171
❹	Allemagne	11,967
❺	Canada	11,781
❻	Espagne	11,261
❼	Australie	6,820
❽	Royaume-Uni	6,144
❾	Turquie	5,923
❿	États-Unis	5,214

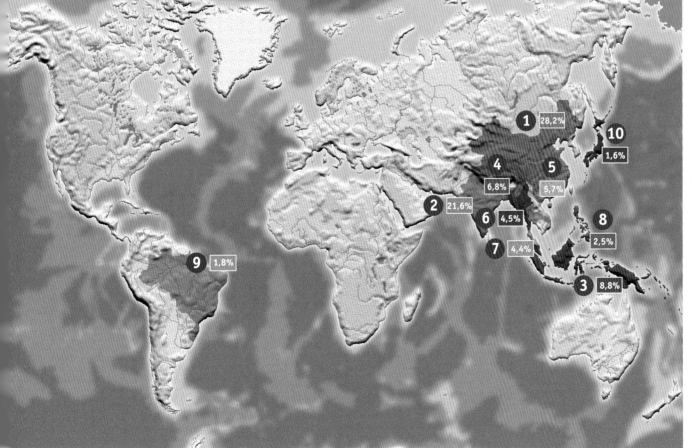

RIZ

TOTAL MONDIAL*
685,013 millions de tonnes

TOTAL UNION EUROPÉENNE
2,618 millions de tonnes

▰ % du total mondial

PRODUCTION MONDIALE
(millions de tonnes)

❶	Chine	193,354
❷	Inde	148,260
❸	Indonésie	60,251
❹	Bangladesh	46,905
❺	Viêt Nam	38,725
❻	Myanmar	30,500
❼	Thaïlande	30,467
❽	Philippines	16,816
❾	Brésil	12,100
❿	Japon	11,029

*Les statistiques mondiales
de production du riz figurent
page 145

35

L'agriculture mondiale : les autres cultures

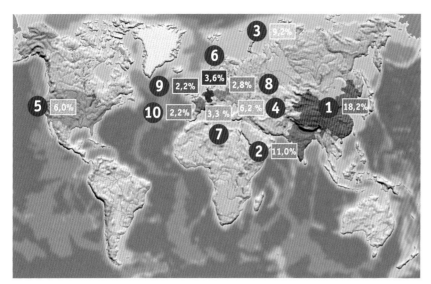

POMME DE TERRE

TOTAL MONDIAL 314,140 millions de tonnes   **TOTAL UE** 61,583 millions de tonnes

PRODUCTION MONDIALE (millions de tonnes)   % du total mondial

❶	Chine	57,059	❻	Allemagne	11,369
❷	Inde	34,463	❼	Pologne	10,462
❸	Russie	28,874	❽	Biélorussie	8,749
❹	Ukraine	19,545	❾	Pays-Bas	6,923
❺	États-Unis	18,722	❿	France	6,808

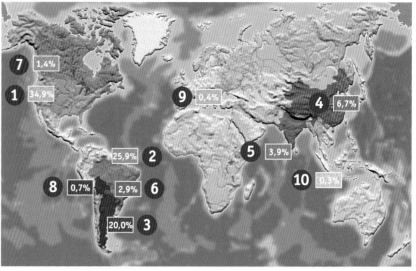

SOJA

TOTAL MONDIAL 230,953 millions de tonnes

PRODUCTION MONDIALE (millions de tonnes)   % du total mondial

❶	États-Unis	80,536	❻	Paraguay	6,808
❷	Brésil	59,917	❼	Canada	3,336
❸	Argentine	46,232	❽	Bolivie	1,596
❹	Chine	15,545	❾	Ukraine	0,813
❺	Inde	9,045	❿	Indonésie	0,777

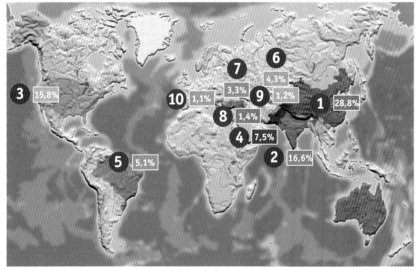

COTON (fibre)

TOTAL MONDIAL 26,452 millions de tonnes

PRODUCTION MONDIALE (millions de tonnes)   % du total mondial

❶	Chine	7,624	❻	Ouzbékistan	1,130
❷	Inde	4,400	❼	Turquie	0,865
❸	États-Unis	4,182	❽	Syrie	0,365
❹	Pakistan	1,982	❾	Turkménistan	0,310
❺	Brésil	1,357	❿	Grèce	0,300

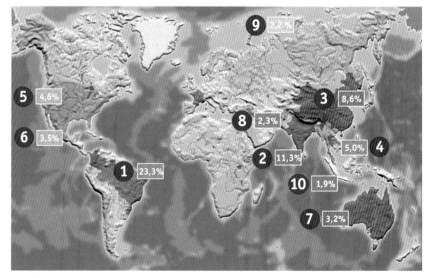

SUCRE

TOTAL MONDIAL 153,527 millions de tonnes   **TOTAL UE** 153,527 millions de tonnes

PRODUCTION MONDIALE (millions de tonnes)   % du total mondial

❶	Brésil	35,750	❻	Mexique	5,410
❷	Inde	17,305	❼	Australie	4,950
❸	Chine	13,161	❽	Pakistan	3,520
❹	Thaïlande	7,700	❾	Russie	3,350
❺	États-Unis	6,998	❿	Indonésie	2,960

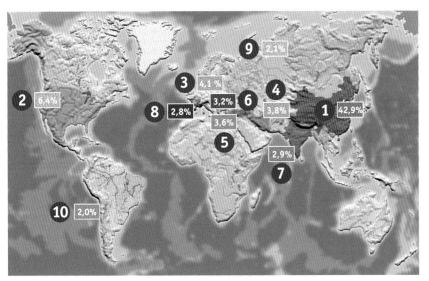

POMME

TOTAL MONDIAL 69,604 millions de tonnes   TOTAL UE 12,290 millions de tonnes

PRODUCTION MONDIALE (millions de tonnes)		% du total mondial	
❶ Chine	29,851	❻ Italie	2,208
❷ États-Unis	4,431	❼ Inde	2,001
❸ Pologne	2,831	❽ France	1,940
❹ Iran	2,660	❾ Russie	1,467
❺ Turquie	2,504	❿ Chili	1,370

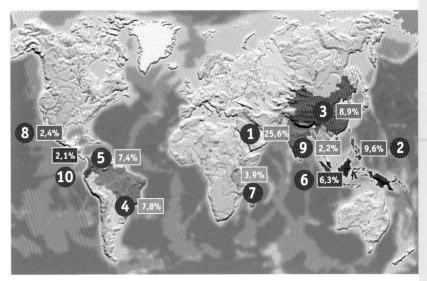

BANANE (y compris banane plantain)

TOTAL MONDIAL   90,706 millions de tonnes

PRODUCTION MONDIALE (millions de tonnes)		% du total mondial	
❶ Inde	23,205	❻ Indonésie	5,741
❷ Philippines	8,688	❼ Tanzanie	3,500
❸ Chine	8,043	❽ Mexique	2,159
❹ Brésil	7,117	❾ Thaïlande	2,010
❺ Équateur	6,701	❿ Costa rica	1,882

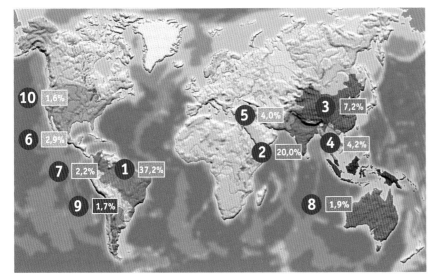

CANNE À SUCRE

TOTAL MONDIAL*   1 743,093 millions de tonnes

*Les statistiques mondiales de production de la canne à sucre figurent page 145.

PRODUCTION MONDIALE (millions de tonnes)		% du total mondial	
❶ Brésil	648,921	❻ Mexique	51,107
❷ Inde	348,188	❼ Colombie	38,500
❸ Chine	124,918	❽ Australie	33,973
❹ Thaïlande	73,502	❾ Argentine	29,950
❺ Pakistan	69,920	❿ États-Unis	27,603

Le saviez-vous ?

● **Les cultures** ne sont pas destinées qu'à l'alimentation. L'industrie consomme aussi des végétaux. L'éthanol, l'un des produits de base de la chimie, est issu de la betterave sucrière et de la canne à sucre. Grâce au développement des biocarburants, certaines cultures comme le maïs et la canne à sucre vont connaître un fort développement.

● **Certaines plantes tropicales,** comme le jatropha, un arbuste dont les fruits sont très riches en une huile d'excellente qualité, devraient jouer un rôle majeur dans les années à venir. Le jatropha pousse sur des terres arides. Sa culture pour la production de biocarburants permettrait de faire vivre d'innombrables agriculteurs des régions sèches d'Afrique et d'Inde.

● **La Chine figure dans le peloton de tête** des pays producteurs de la plupart des plantes cultivées. Pourtant, entre les hautes montagnes du sud-ouest, le désert et les terres arides de l'ouest, du nord et du centre et la place prise par les villes dans ce pays surpeuplé, seulement environ un dixième de la surface de la Chine est vraiment cultivable.

La production des boissons :

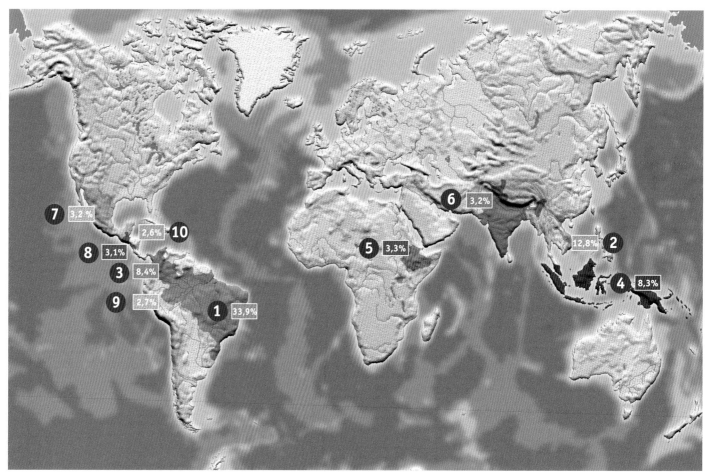

CAFÉ *

TOTAL MONDIAL
8 235,190 milliers de tonnes

[%] du total mondial

PRODUCTION MONDIALE
(milliers de tonnes)

1	Brésil	2 790,858
2	Viêt Nam	1 055,820
3	Colombie	688,680
4	Indonésie	682,938
5	Éthiopie	273,400
6	Inde	262,125
7	Mexique	265,817
8	Guatémala	254,800
9	Pérou	225,992
10	Honduras	217,951

*café vert, avant torréfaction

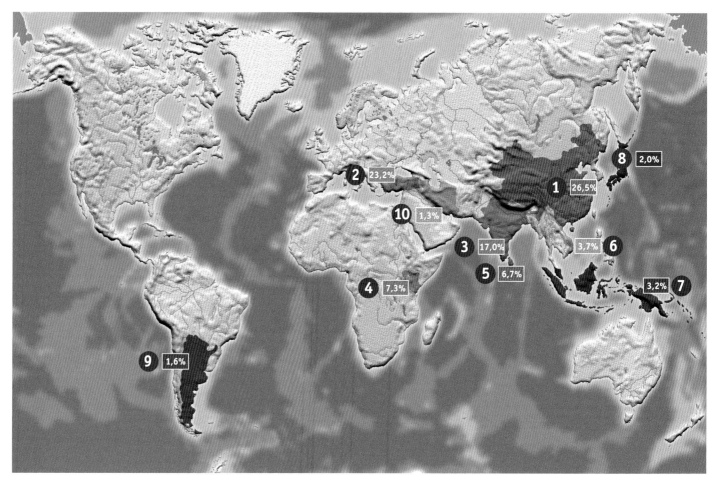

THÉ

TOTAL MONDIAL
4 735,961 milliers
de tonnes

[%] du total mondial

PRODUCTION MONDIALE
(milliers de tonnes)

1	Chine	1 257,384
2	Turquie	1 100,257
3	Inde	805,180
4	Kenya	345,800
5	Sri Lanka	318,470
6	Viêt Nam	174,900
7	Indonésie	150,851
8	Japon	94,100
9	Argentine	76,010
10	Iran	59,990

café, thé, vin, bière

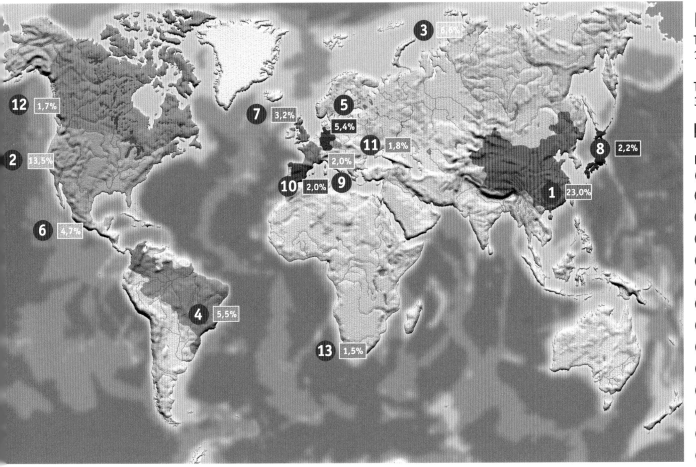

BIÈRE

TOTAL MONDIAL
1 739,145 millions d'hectolitres

TOTAL UE
394,785 millions d'hectolitres

▓ % du total mondial

PRODUCTION MONDIALE
(millions d'hectolitres)

❶ Chine	399,349
❷ États-Unis	235,150
❸ Russie	113,969
❹ Brésil	96,055
❺ Allemagne	93,574
❻ Mexique	82,343
❼ Royaume-Uni	55,025
❽ Japon	38,505
❾ Pologne	35,510
❿ Espagne	34,351
⓫ Ukraine	32,039
⓬ Canada	28,700
⓭ Afrique du Sud	26,530

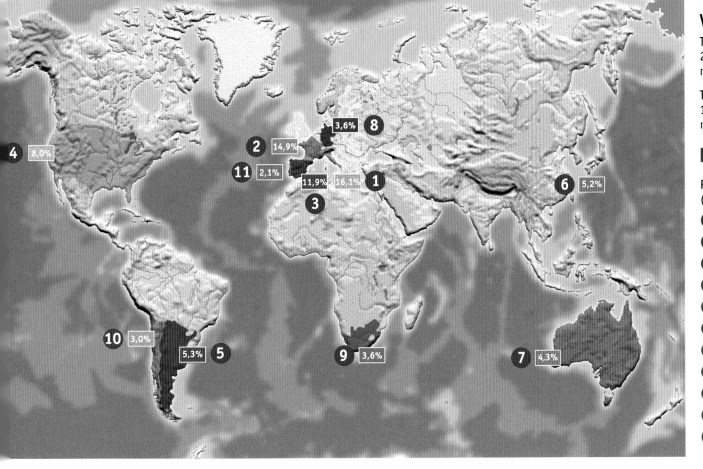

VINS

TOTAL MONDIAL
286,347
millions d'hectolitres

TOTAL UE
170,385
millions d'hectolitres

▓ % du total mondial

PRODUCTION MONDIALE
(millions d'hectolitres)

❶ Italie	48,405
❷ France	42,582
❸ Espagne	35,831
❹ États-Unis	24,155
❺ Argentine	15,972
❻ Chine	15,470
❼ Australie	13,070
❽ Allemagne	10,774
❾ Afrique du Sud	10,773
❿ Chili	8,938
⓫ Portugal	6,303

La pêche

PÊCHE PAR CAPTURE

Poissons + crustacés

TOTAL MONDIAL
90 063,851 milliers de tonnes

▓ % du total mondial

PRODUCTION MONDIALE
(tonnes)

1 Chine   14 659,036
2 Pérou   7 210,544
3 Indonésie   4 936,629
4 États-Unis   4 767,596
5 Japon   4 211,201
6 Inde   3 953,476
7 Chili   3 806,085
8 Russie   3 454,214
9 Philippines   2 499,634
10 Thaïlande   2 468,784
11 Norvège   2 378,950
12 Myanmar   2 235,580

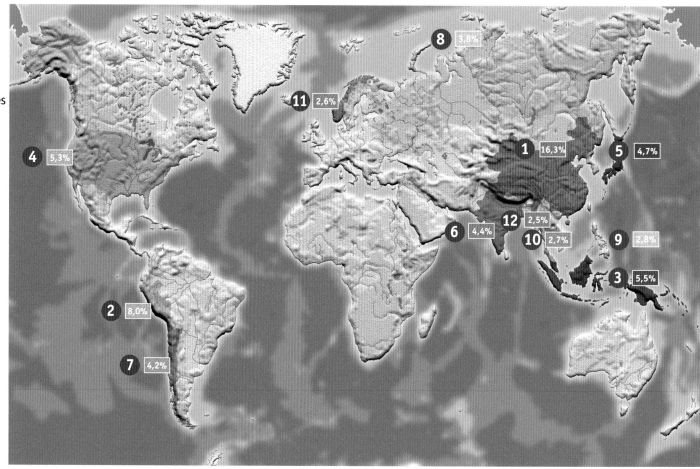

PÊCHE PAR AQUACULTURE

Poissons + crustacés

TOTAL MONDIAL
50 329,007 milliers de tonnes

▓ % du total mondial

PRODUCTION MONDIALE
(tonnes)

1 Chine   31 420,275
2 Inde   3 354,754
3 Viêt Nam   2 156,500
4 Indonésie   1 392,904
5 Thaïlande   1 390,031
6 Bangladesh   945,812
7 Norvège   830,190
8 Chili   829,842
9 Japon   765,846
10 Philippines   709,715

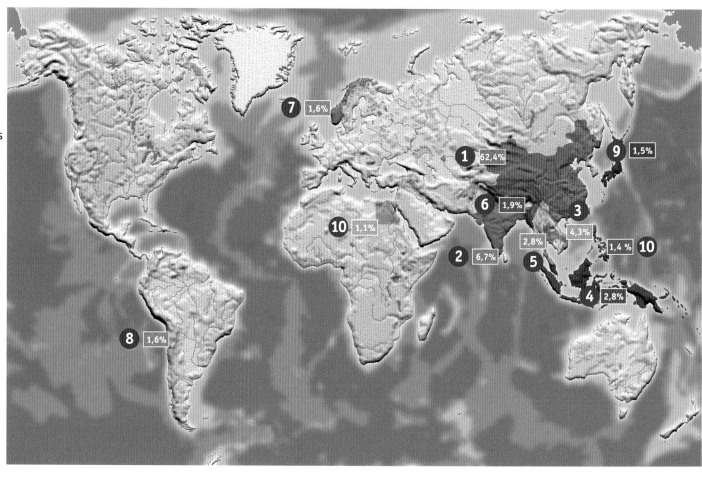

L'élevage

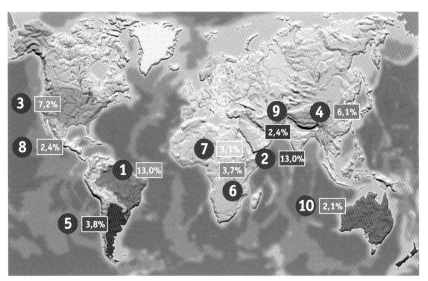

BOVINS

TOTAL MONDIAL*   1 347,473 millions de têtes
TOTAL UE*   90,500 millions de têtes

*Les statistiques mondiales de production du lait et de la viande bovine figurent page 146.

PRODUCTION MONDIALE 2008 (millions de têtes)		% du total mondial	
① Brésil	175,437	⑥ Éthiopie	49,298
② Inde	174,510	⑦ Soudan	41,420
③ États-Unis	96,669	⑧ Mexique	32,565
④ Chine	82,624	⑨ Pakistan	31,830
⑤ Argentine	50,755	⑩ Australie	28,055

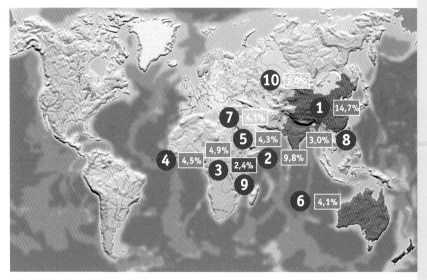

OVINS & CAPRINS

TOTAL MONDIAL   1 940,081 millions de têtes
TOTAL UE   118,055 millions de têtes

PRODUCTION MONDIALE (millions de têtes)		% du total mondial	
① Chine	285,813	⑥ Australie	79,518
② Inde	190,721	⑦ Iran	79,100
③ Soudan	94,200	⑧ Bangladesh	58,044
④ Nigeria	87,675	⑨ Éthiopie	46,901
⑤ Pakistan	83,853	⑩ Mongolie	38,332

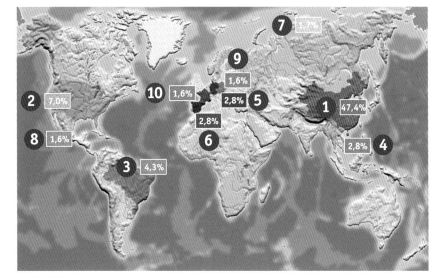

PORCS

TOTAL MONDIAL   941,282 millions de têtes
TOTAL UE   156,271 millions de têtes

PRODUCTION MONDIALE (millions de têtes)		% du total mondial	
① Chine	446,423	⑥ Espagne	26,290
② États-Unis	65,909	⑦ Russie	16,128
③ Brésil	40,005	⑧ Mexique	15,528
④ Viêt Nam	26,702	⑨ Pologne	15,425
⑤ Allemagne	26,687	⑩ France	14,806

Le saviez-vous ?

● **L'élevage est l'une des plus anciennes activités de l'humanité.** Dès 8 000 ans avant notre ère, des chèvres et des moutons étaient déjà domestiqués dans la région du Croissant Fertile, au Proche-Orient.

● **Les principaux pays producteurs de bovins** bénéficient de deux traits géographiques impératifs : de grands espaces ouverts, c'est-à-dire non boisés, et un climat relativement sec mais pas trop froid, permettant la formation de vastes prairies. Elles portent les noms de prairie en Amérique du Nord, de pampa en Amérique du Sud, ou de steppe en Russie.

● **Les chevaux sont encore largement élevés pour la boucherie.** En effet, la viande de cheval est maigre, tendre et succulente. La production mondiale s'est élevée à 5,3 millions de têtes en 2006. La Chine est le premier producteur mondial (1,751 million de têtes), suivie du Mexique et de l'Allemagne. La France arrive en quatrième position, avec environ 450 400 têtes.

Les matières premières métalliques

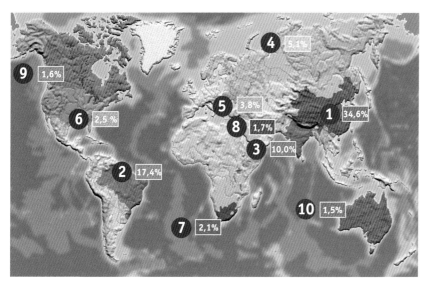

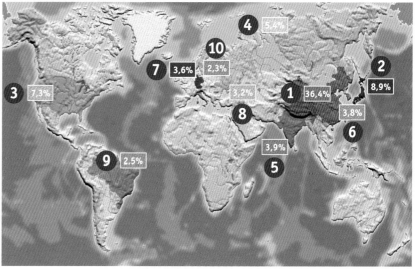

MINERAI DE FER

TOTAL MONDIAL   2 043,125 millions de tonnes

PRODUCTION MONDIALE (millions de tonnes)   **%** du total mondial

❶ Chine	707,073	❻ États-Unis	52,000
❷ Brésil	354,674	❼ Afrique du Sud	42,101
❸ Inde	204,185	❽ Iran	35,000
❹ Russie	105,000	❾ Canada	33,158
❺ Ukraine	77,900	❿ Australie	29,901

ACIER

TOTAL MONDIAL*   1 344,100 millions de tonnes

*Les statistiques mondiales de production de l'acier figurent page 143.

PRODUCTION MONDIALE (millions de tonnes)   **%** du total mondial

❶ Chine	489,560	❻ Corée du Sud	51,517
❷ Japon	120,203	❼ Allemagne	48,550
❸ États-Unis	98,181	❽ Ukraine	42,830
❹ Russie	72,220	❾ Brésil	33,782
❺ Inde	53,080	❿ Pologne	31,506

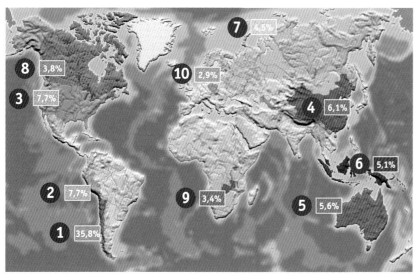

CUIVRE (brut, production minière)

TOTAL MONDIAL   15 505,150 milliers de tonnes

PRODUCTION MONDIALE (milliers de tonnes)   **%** du total mondial

❶ Chili	5 557,000	❻ Indonésie	796,899
❷ Pérou	1 190,281	❼ Russie	689,990
❸ États-Unis	1 188,250	❽ Canada	589,115
❹ Chine	946,000	❾ Zambie	523,435
❺ Australie	871,250	❿ Pologne	451,105

ALUMINIUM (brut)

TOTAL MONDIAL*   38 205,000 milliers de tonnes

*Les statistiques mondiales de production de l'aluminium figurent page 143.

PRODUCTION MONDIALE (milliers de tonnes)   **%** du total mondial

❶ Chine	12 558,600	❻ Brésil	1 654,800
❷ Russie	3 955,417	❼ Norvège	1 362,000
❸ Canada	3 082,625	❽ Inde	1 230,000
❹ États-Unis	2 554,000	❾ Afrique du Sud	898,950
❺ Australie	1 957,000	❿ Émirats Arabes Unis	889,548

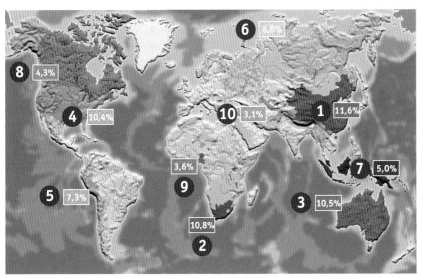

OR

TOTAL MONDIAL 2 340,0 tonnes

PRODUCTION MONDIALE (tonnes) ▮ % du total mondial

❶	Chine	270,9	❻	Russie	159,9
❷	Afrique du Sud	252,3	❼	Indonésie	117,8
❸	Australie	244,9	❽	Canada	101,7
❹	États-Unis	244,0	❾	Ghana	83,6
❺	Pérou	170,1	❿	Ouzbékistan	72,8

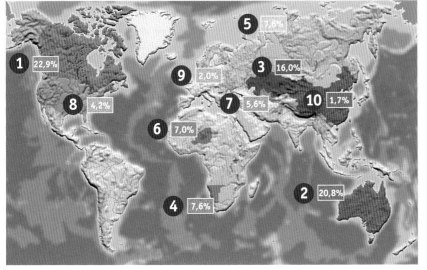

URANIUM

TOTAL MONDIAL 41 405 tonnes

PRODUCTION MONDIALE (tonnes) ▮ % du total mondial

❶	Canada	9 495	❻	Namibie	2 879
❷	Australie	8 603	❼	Ouzbékistan	2 320
❸	Kazakhstan	6 637	❽	États-Unis	1 744
❹	Niger	3 154	❾	Ukraine	846
❺	Russie	3 143	❿	Chine	712

Le saviez-vous ?

● **Les hommes du néolithique connaissaient les métaux natifs** comme l'or et le cuivre. Trop mous ou trop fragiles, ils ne pouvaient être utilisés pour fabriquer des outils ou des armes. Vers 2 000 ans av. J.-C, en Mésopotamie, une découverte fondamentale fut d'associer du cuivre et de l'étain fondus. Le résultat final donne un métal très résistant et dur, le bronze. Nos ancêtres avaient déjà inventé la métallurgie...

● **Il ne faut pas confondre le fer et l'acier.** L'acier est du fer pur auquel on ajoute entre 0,1 et 2,8 % de carbone. Le fer pur étant plutôt mou, il est indispensable de mélanger ce métal avec un élément non métallique pour obtenir un alliage extrêmement dur et résistant. Si on ajoute entre 3,0 et 6,5 % de carbone, on obtient de la fonte, encore plus dure mais trop cassante.

● **On remarquera que les pays producteurs de minerai de fer** diffèrent des principaux fournisseurs d'acier. L'élaboration de l'acier est une industrie lourde de transformation.

● **Ces cartes ne listent qu'une petite partie** de la production mondiale de métaux. Parmi ceux ne figurant pas sur ces pages, on peut signaler :
Le chrome : Production mondiale : 23,995 millions de tonnes (minerai et sels) - Premier producteur : Afrique du Sud (40,2 % du total mondial)
Le magnésium : Production mondiale : 836 870 tonnes - Premier producteur : Chine (78,8 % du total mondial)
Le nickel : Production mondiale : 1,632 million de tonnes - Premier producteur : Russie (18,4 % du total mondial)
Le plomb : Production mondiale : 3,600 millions de tonnes - Premier producteur : Chine (37,8 % du total mondial)
Le titane : Production mondiale : 6,600 millions de tonnes d'oxydes (**) - Premier producteur : Australie (42,7 % du total mondial)
Le zinc : Production mondiale : 10,895 millions de tonnes - Premier producteur : Chine (27,0 % du total mondial)

● **Le titane et le magnésium** entrent dans les alliages spéciaux employés dans les hautes technologies, par exemple la défense, l'aéronautique et le spatial.
La production d'argent, l'un des plus anciens métaux de l'humanité, est devenue marginale avec seulement 20 988 tonnes en 2008. La disparition des pellicules photographiques à base de sels d'argent va encore contribuer à la baisse de sa production.

* Le chrome est commercialisé sous la forme de sels pour l'industrie chimique (préparation de pigments pour les peintures) et la métallurgie. La production de chrome métal est faible, environ 26 000 tonnes par an seulement !
** Le titane est commercialisé sous forme de dioxydes. La production de titane métal est très floue et avoisinerait les 80 000 tonnes. En effet, le titane est un métal stratégique que très peu de pays produisent, et ils le font en toute discrétion.

Les matières premières énergétiques

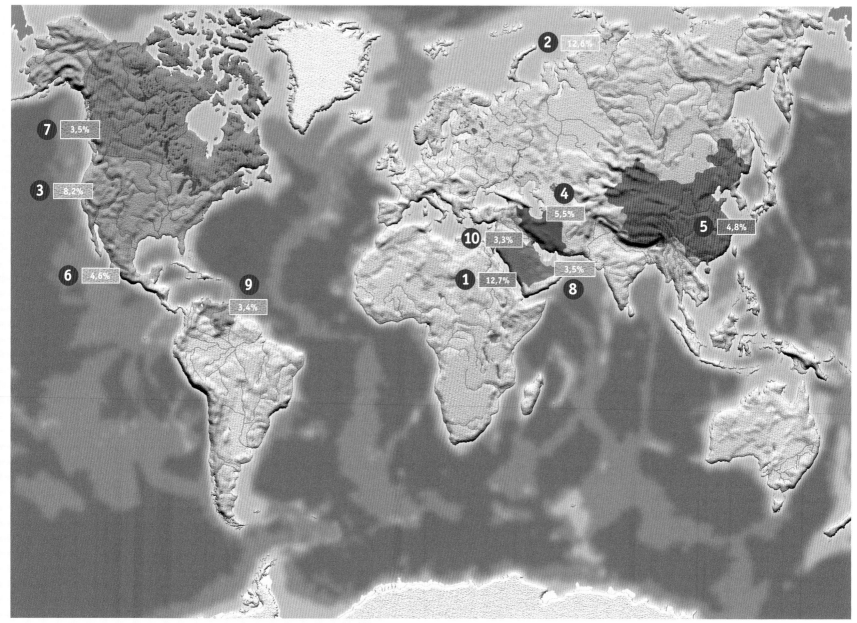

Le saviez-vous ?

● **Le pétrole constitue la première source d'énergie** dans le monde, avec 37,3 % du total mondial de la consommation d'énergie. Sa production est donnée soit en millions de tonnes, soit en millions de barils par jour.

● **Le baril** est l'unité de mesure mondiale pour le pétrole brut. Les raisons sont aussi historiques que pratiques. En effet, les premiers litres de pétrole de Pennsylvanie furent placés dans des tonneaux de vin, faute de récipient spécifique... Ces tonneaux contenaient 190 litres mais, pour des raisons de sécurité (transport en voiture à cheval puis bateau), ils ne furent remplis qu'avec 160 litres. La mesure s'est imposée, même si les États-Unis annoncent leur production en tonnes.

PÉTROLE BRUT

TOTAL MONDIAL   85,380 millions de barils / jour   -   3 885,110 millions de tonnes

PRODUCTION MONDIALE (2008)*   % du total mondial

❶ Arabie Saoudite	493,125 millions de tonnes	10,782 millions de barils / jour
❷ Russie	491,126 millions de tonnes	9,790 millions de barils / jour
❸ États-Unis	316,938 millions de tonnes	8,514 millions de barils / jour
❹ Iran	212,100 millions de tonnes	4,174 millions de barils / jour
❺ Chine	186,657 millions de tonnes	3,973 millions de barils / jour
❻ Mexique	179,760 millions de tonnes	3,186 millions de barils / jour
❼ Canada	137,300 millions de tonnes	3,350 millions de barils / jour
❽ Émirats Arabes Unis	135,910 millions de tonnes	3,046 millions de barils / jour
❾ Vénézuela	133,900 millions de tonnes	2,643 millions de barils / jour
❿ Koweït	129,600 millions de tonnes	2,741 millions de barils / jour

*Les statistiques mondiales de production du pétrole brut figurent page 142.

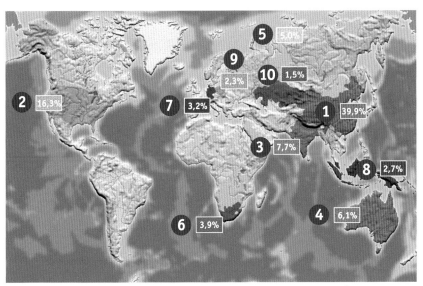

CHARBON (tous types, y compris le lignite)

TOTAL MONDIAL   6 357,125 millions de tonnes

PRODUCTION MONDIALE (millions de tonnes)   % du total mondial

1	Chine	2 536,000	**6**	Afrique du Sud	247,600
2	États-Unis	1 039,260	**7**	Allemagne	201,944
3	Inde	490,188	**8**	Indonésie	174,794
4	Australie	389,613	**9**	Pologne	145,851
5	Russie	315,000	**10**	Kazakhstan	94,370

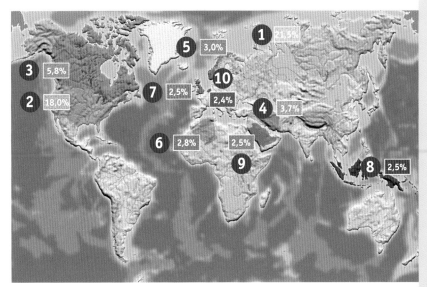

GAZ NATUREL

*Les statistiques mondiales de production du gaz naturel figurent page 142.

TOTAL MONDIAL*   3 033 milliards de mètres cube

PRODUCTION MONDIALE (milliards de mètres cube)   % du total mondial

1	Russie	651,015	**6**	Algérie	84,827
2	États-Unis	546,155	**7**	Royaume-Uni	76,856
3	Canada	174,429	**8**	Indonésie	76,703
4	Iran	111,900	**9**	Arabie Saoudite	74,420
5	Norvège	89,695	**10**	Pays-Bas	72,431

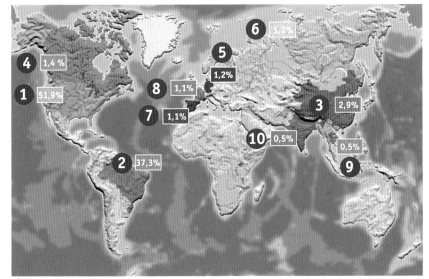

ÉTHANOL (biocarburant)

TOTAL MONDIAL   656,209 millions d'hectolitres
TOTAL UE   27,768 millions d'hectolitres

PRODUCTION MONDIALE (millions d'hectolitres)   % du total mondial

1	États-Unis	340,687	**6**	Russie	7,655
2	Brésil	244,999	**7**	Espagne	7,283
3	Chine	18,999	**8**	France	6,942
4	Canada	8,998	**9**	Thaïlande	3,399
5	Allemagne	8,120	**10**	Inde	3,001

Le saviez-vous ?

● **Le charbon** est un terme général et populaire pour désigner des matériaux organiques végétaux transformés en carbone suite à un processus de fossilisation. Un géologue parlera plutôt de houille pour les charbons noirs utilisés comme combustible. La houille est divisée en anthracite, charbon demi-gras, etc., selon la teneur en carbone, qui varie de 70 à 97 % de carbone. Le lignite est un charbon de moindre qualité (60 à 70 % de carbone). Enfin, la tourbe n'est pas totalement fossilisée ; elle est pauvre en carbone.

● **Le gaz naturel** est un combustible fossile qui, comme le pétrole, est rangé dans la catégorie des hydrocarbures. Les deux combustibles sont d'ailleurs presque toujours associés dans les gisements. La différence vient du fait que le gaz est composé de molécules plus légères que le pétrole, qui restent à l'état gazeux à la température ambiante. Le gaz naturel est surtout composé de méthane, d'éthane et de propane.

● **Le gaz de pétrole liquéfié**, ou GPL, qui propulse certains véhicules, est un mélange de butane et d'autres gaz issus de la distillation du pétrole. Il est maintenu liquide par la haute pression régnant dans le réservoir de stockage.

Les gisements de pétrole et de gaz naturel

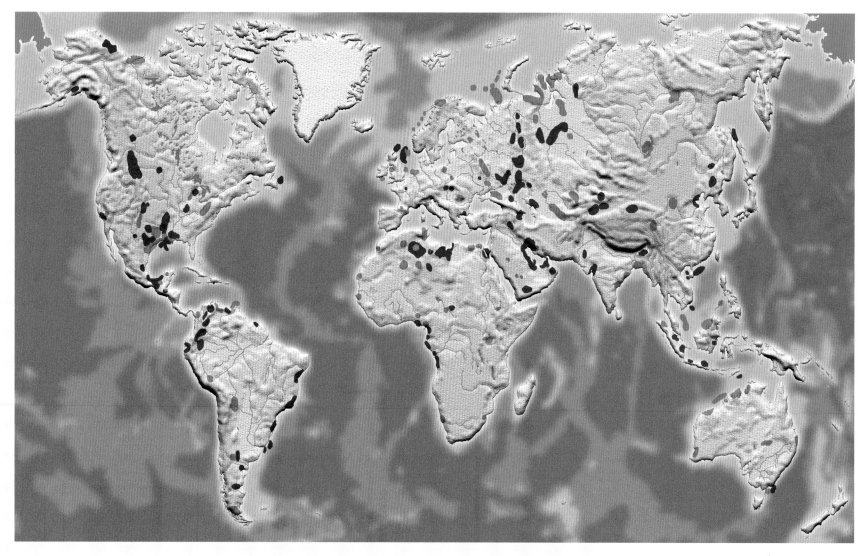

Le saviez-vous ?

● **On compte environ 30 000 gisements de pétrole** dans le monde. Leur superficie varie de quelques dizaines à quelques centaines de kilomètres carrés. Seulement 400 à 500 gisements sont considérés comme géants, c'est-à-dire avec des réserves supérieures à 70 millions de tonnes.

● **Les gisements de pétrole** ne se présentent surtout pas sous la forme de lacs, dans lesquels il suffirait de pomper le précieux or noir ! Il est emprisonné dans les pores de roches sédimentaires, c'est-à-dire calcaires. Tout l'art des géologues consiste à repérer les couches riches en pétrole mais aussi en gaz. En effet, c'est le gaz qui, lors du forage, va propulser vers la surface un mélange de boues et de roches pétrolifères. Lors de la remontée, le pétrole se sépare des roches et retrouve sa forme liquide. Il doit ensuite être lavé avant d'être raffiné.

● **Environ 40 % des réserves mondiales de pétrole** sont situées dans les pays du Moyen-Orient. Au total, en 2010 les réserves mondiales s'élèvent à 1 300 milliards de barils de pétrole brut (1 baril = 160,0 litres), soit environ 124 milliards de tonnes. Il faut y ajouter les réserves potentielles encore inconnues, qui varient de 275 à 1 470 milliards de barils de brut selon les experts. La pénurie est encore loin...

● **L'exploitation industrielle du pétrole** débuta en 1859 en Pennsylvanie. Cette année-là, les États-Unis produisirent 259 tonnes de pétrole brut contre 317 millions de tonnes en 2008...

GISEMENTS DE PÉTROLE ET DE GAZ NATUREL

Remarque
Cette carte dresse la liste des gisements connus en 2010. Toutefois, certains gisements indiqués peuvent ne pas être exploités temporairement ou être épuisés, c'est-à-dire ne plus être rentables commercialement.
Les gisements potentiels ou annoncés mais non encore exploités ne sont pas indiqués. Les contours sont approximatifs. Ils correspondent aux zones d'exploitations connues, et non aux limites des gisements géologiques proprement dits.

■ Pétrole

■ Gaz naturel

La production d'électricité

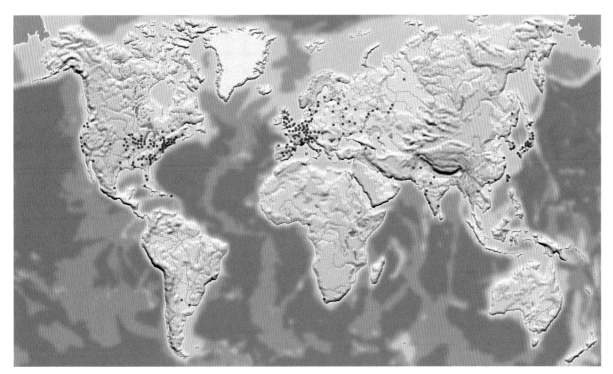

CENTRALES NUCLÉAIRES DU MONDE

On compte dans le monde 451 réacteurs dans 209 centrales nucléaires au 1er janvier 2010. Avec une capacité totale de 370 GW, ils fournissent environ 17 % de l'électricité mondiale.

Liste des pays ayant des réacteurs (au 1er janvier 2010) :

États-Unis	98 réacteurs	67 centrales
France	58 réacteurs	19 centrales
Japon	58 réacteurs	18 centrales
Russie	31 réacteurs	10 centrales
Canada	20 réacteurs	7 centrales
Corée du Sud	20 réacteurs	4 centrales
Royaume-Uni	19 réacteurs	9 centrales
Inde	19 réacteurs	7 centrales
Allemagne	16 réacteurs	12 centrales
Chine	15 réacteurs	5 centrales
Ukraine	15 réacteurs	4 centrales
Suède	10 réacteurs	4 centrales
Espagne	8 réacteurs	6 centrales
Belgique	7 réacteurs	2 centrales
Taïwan	6 réacteurs	3 centrales
Rép. Tchèque	6 réacteurs	2 centrales
Suisse	5 réacteurs	4 centrales
Slovaquie	5 réacteurs	2 centrales
Italie	4 réacteurs	4 centrales
Finlande	4 réacteurs	2 centrales
Hongrie	4 réacteurs	1 centrale
Argentine	2 réacteurs	2 centrales
Pakistan	2 réacteurs	2 centrales
Afrique du Sud	2 réacteurs	1 centrale
Brésil	2 réacteurs	1 centrale
Bulgarie	2 réacteurs	1 centrale
Indonésie	2 réacteurs	1 centrale
Mexique	2 réacteurs	1 centrale
Roumanie	2 réacteurs	1 centrale
Arménie	1 réacteur	1 centrale
Autriche	1 réacteur	1 centrale
Iran	1 réacteur	1 centrale
Israël	1 réacteur	1 centrale
Kazakhstan	1 réacteur	1 centrale
Pays-Bas	1 réacteur	1 centrale
Slovénie	1 réacteur	1 centrale

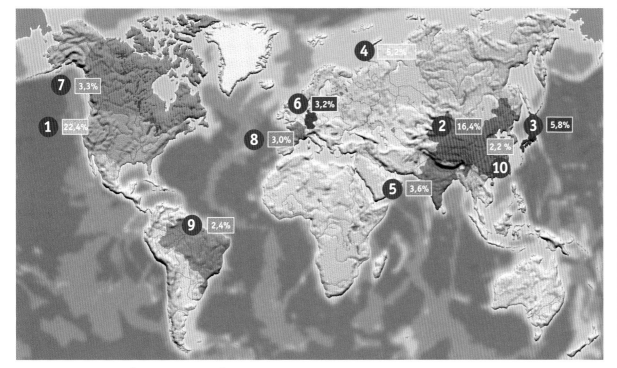

PRODUCTION ÉLECTRICITÉ

TOTAL MONDIAL   18 598,50 milliards de kWh (2008)

■ % ■ du total mondial

PRODUCTION MONDIALE (milliards de kWh)

①	États-Unis	4 166,51	⑥	Allemagne	594,66
②	Chine	3 042,31	⑦	Canada	612,60
③	Japon	1 082,24	⑧	France	549,12
④	Russie	964,21	⑨	Brésil	437,26
⑤	Inde	665,30	⑩	Corée du Sud	412,68

Le saviez-vous ?

● **Il ne faut pas confondre le watt (W)**, qui est une unité de mesure de puissance, avec le watt-heure (Wh), qui est une unité de mesure d'énergie. Un watt-heure correspond à la quantité d'énergie produite en 1 heure par une machine d'une puissance de 1 watt. Les puissances sont plutôt exprimées en kilowatts (kW) ou, pour un réacteur nucléaire ou un barrage, en mégawatts (MW), soit un million de watts.
Quant à l'énergie produite sur un an par un barrage ou une centrale, on parle en mégawatt-heure (MWh ; 1 MWh = 1 000 000 Wh), en gigawatt-heure (GWh ; 1 GWh = 1 000 MWh), ou, à l'échelle d'un pays, en terawatt-heure (TWh) ; 1 TWh est égal à 1 000 GWh, ou mille milliards de watts-heure.

LES CONTINENTS

L'Afrique

Le saviez-vous ?

Avec un total de 30 413 520 km² en incluant les îles de l'Atlantique et de l'océan Indien, ou 30 221 532 km² pour le continent proprement dit, l'Afrique couvre 5,96 % de la surface de la Terre et 20,4 % des terres émergées. Elle est le deuxième continent par sa superficie.

Dimensions : du nord (Cap Blanc, Tunisie) au sud (Cap des Aiguilles, Afrique du Sud), le continent mesure 8 010 km, et 7 440 km d'ouest (Cap Vert, Sénégal) en est (Cap Hafun, Somalie).

L'Afrique est souvent divisée en sept grandes zones géographiques : l'Afrique du Nord, le Sahara, l'Afrique occidentale, l'Afrique centrale, l'Afrique orientale ou Corne de l'Afrique, l'Afrique australe, et Madagascar et les îles des Mascareignes (La Réunion et Maurice).

Le plus haut sommet du continent est le Mont Kilimandjaro, avec 5 894 mètres. Le Mont Kenya est en deuxième position avec 5 199 mètres. L'altitude moyenne du continent africain est d'environ 600 mètres au-dessus du niveau de la mer.

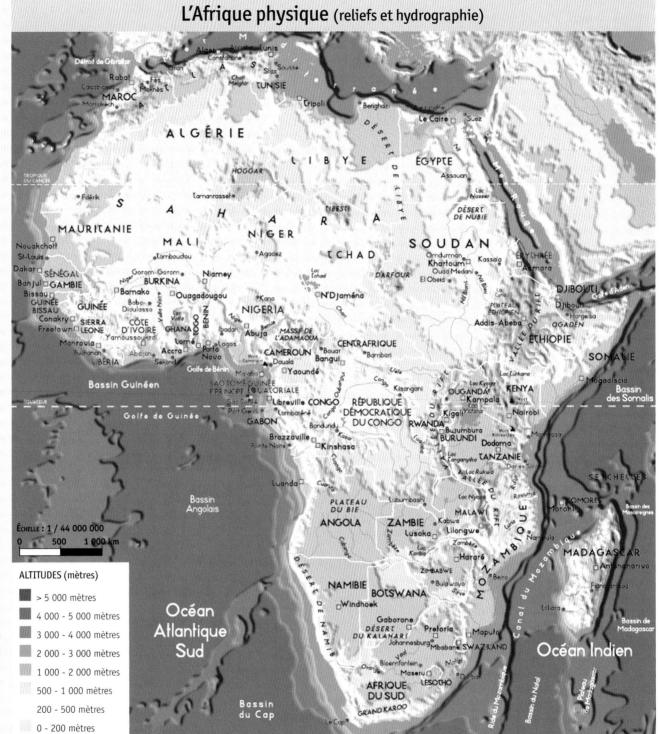

ALTITUDES (mètres)
- > 5 000 mètres
- 4 000 - 5 000 mètres
- 3 000 - 4 000 mètres
- 2 000 - 3 000 mètres
- 1 000 - 2 000 mètres
- 500 - 1 000 mètres
- 200 - 500 mètres
- 0 - 200 mètres

ÉCHELLE : 1 / 44 000 000
0   500   1 000 km

Au nord-est, le canal de Suez marque la limite du continent. Si l'Égypte est bien un pays africain, la péninsule du Sinaï est, pour les géographes, située en Asie.

Le continent africain est l'hôte de la plus vaste zone de déserts au monde, avec le Sahara et les déserts d'Afrique orientale et d'Afrique australe. À l'opposé, le bassin du Congo abrite la deuxième plus grande forêt pluviale primaire au monde.

Avec un cours de 6 718 kilomètres, le Nil est le second plus long fleuve du monde derrière l'Amazone. La source du Nil a été identifiée en avril 2006, comme étant située au cœur de la forêt de Nyungwe au Rwanda, à 2 428 m d'altitude. Un minuscule torrent alimente une série de ruisseaux puis un affluent de la rivière Kagera, qui se jette dans le lac Victoria, d'où s'écoule ensuite le Nil Blanc vers le nord. À Khartoum, il est rejoint par le Nil Bleu, qui prend sa source en Éthiopie.

L'Afrique politique

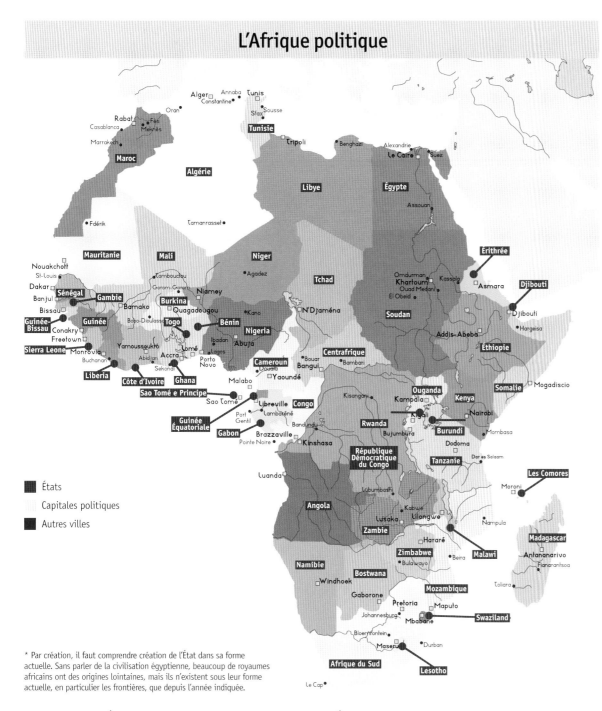

États
Capitales politiques
Autres villes

* Par création, il faut comprendre création de l'État dans sa forme actuelle. Sans parler de la civilisation égyptienne, beaucoup de royaumes africains ont des origines lointaines, mais ils n'existent sous leur forme actuelle, en particulier les frontières, que depuis l'année indiquée.

Le saviez-vous ?

● **À la fin 2009, la population africaine** était estimée à 996 222 000 habitants. L'Afrique est le deuxième continent au monde en nombre d'habitants.

● **L'origine de l'Éthiopie** remonte à la nuit des temps ! Il est impossible de déterminer la date de naissance de cette nation, née sous la forme d'un royaume puissant au moins 3 000 ans avant J.-C.

● **Le Soudan**, le plus vaste pays d'Afrique avec 2 505 813 km², est le dixième au monde en terme de superficie.

● **L'Afrique du Sud** a pour capitale administrative et politique **Pretoria**. Le parlement y étant installé, **Le Cap** est la capitale législative du pays, tandis que **Bloemfontein** en est sa capitale judiciaire. Enfin, **Johannesburg** est, de fait, la capitale économique de ce pays.

● **L'Érythrée** est le dernier État africain à avoir acquis son indépendance en 1993. Auparavant, elle constituait une province de l'Éthiopie.

LISTE DES ÉTATS DE L'AFRIQUE ET DE L'OCÉAN INDIEN (au 1ᵉʳ janvier 2010)

État	Population	Superficie (km²)	Date de création ou d'indépendance*	État	Population	Superficie (km²)	Date de création ou d'indépendance*	État	Population	Superficie (km²)	Date de création ou d'indépendance*
Afrique du Sud (L')	49 052 490	1 219 912	1910	Gambie (La)	1 782 895	11 300	1965	Nigeria (Le)	149 229 090	923 768	1960
Algérie (L')	34 178 255	2 381 741	1962	Ghana (Le)	23 832 495	238 540	1957	Ouganda (L')	32 369 560	236 040	1962
Angola (L')	12 799 300	1 246 700	1975	Guinée (La)	10 057 975	245 857	1958	Rép. Dém. du Congo (La)	68 692 550	2 345 420	1960
Bénin (Le)	8 791 835	112 622	1960	Guinée Bissau (La)	1 533 965	36 120	1974	Rwanda (Le)	10 473 285	26 338	1962
Botswana (Le)	1 990 875	600 372	1966	Guinée Équatoriale (La)	633 450	28 051	1968	Sao Tomé e Principe	212 680	1 001	1975
Burkina (Le)	15 746 235	274 200	1960	Kenya (Le)	39 002 775	582 640	1963	Sénégal (Le)	13 711 605	196 190	1960
Burundi (Le)	8 988 100	27 835	1962	Lesotho (Le)	2 130 820	30 355	1966	Seychelles(Les)	87 480	455	1976
Cameroun (Le)	18 879 305	475 440	1960	Liberia (Le)	3 441 790	111 370	1847	Sierra Leone (La)	6 440 055	71 740	1961
Cap-Vert (Le)	429 475	4 033	1975	Libye (La)	6 310 435	1 759 540	1951	Somalie (La)	9 832 020	637 657	1960
Centrafrique (La)	4 511 490	622 984	1960	Madagascar	20 653 560	587 042	1960	Soudan (Le)	41 087 825	2 505 813	1956
Comores (Les)	752 440	2 170	1975	Malawi (Le)	14 268 700	118 484	1964	Swaziland (Le)	1 123 915	17 363	1968
Congo (Le)	4 012 810	342 100	1960	Mali (Le)	12 666 990	1 240 010	1960	Tanzanie (La)	41 048 535	945 087	1964
Côte d'Ivoire (La)	20 617 070	322 462	1960	Maroc (Le)	35 260 580	710 860	1956	Tchad (Le)	10 329 210	1 284 000	1960
Djibouti	516 055	23 205	1977	Maurice	1 284 265	2 040	1968	Togo (Le)	6 019 880	56 785	1960
Égypte (L')	83 082 870	1 001 449	1922	Mauritanie (La)	3 129 485	1 030 700	1960	Tunisie (La)	10 486 340	163 610	1956
Érythrée (L')	5 647 170	121 320	1993	Mozambique (Le)	21 669 280	801 590	1975	Zambie (La)	11 862 740	752 614	1964
Éthiopie (L')	85 237 340	1 127 127	------	Namibie (La)	2 108 665	825 418	1990	Zimbabwe (Le)	11 392 630	390 580	1980
Gabon (Le)	1 514 995	267 667	1960	Niger (Le)	15 306 255	1 267 000	1960				

L'Amérique du Nord

Le saviez-vous ?

Les géographes ne reconnaissent que deux continents américains, l'Amérique du Nord et l'Amérique du Sud. L'Amérique Centrale n'est reconnue que sur des considérations géopolitiques (voir page ci-contre). Les biologistes reconnaissent aussi la région de l'Amérique Centrale comme une zone biologique distincte, mais ils y incluent la partie sud du Mexique.

Avec un total de 24 709 240 km² en incluant les îles américaines des régions arctiques et des Antilles, ou seulement 22 078 049 km² pour la seule partie continentale, l'Amérique du Nord couvre 4,84 % de la surface de la Terre et 16,6 % des terres émergées. Elle est le troisième continent par sa superficie.

Les nombreuses îles des Antilles sont géographiquement rattachées à l'Amérique du Nord, à l'exception de Trinidad-et-Tobago, qui appartient à l'Amérique du Sud. Les îles sont réparties entre les Grandes Antilles – Cuba, Porto Rico, Hispaniola et la Jamaïque – et les Petites Antilles pour toutes les autres.

Hispaniola est le nom géographique de la grande île qui est divisée entre les États de Haïti et Saint-Domingue.

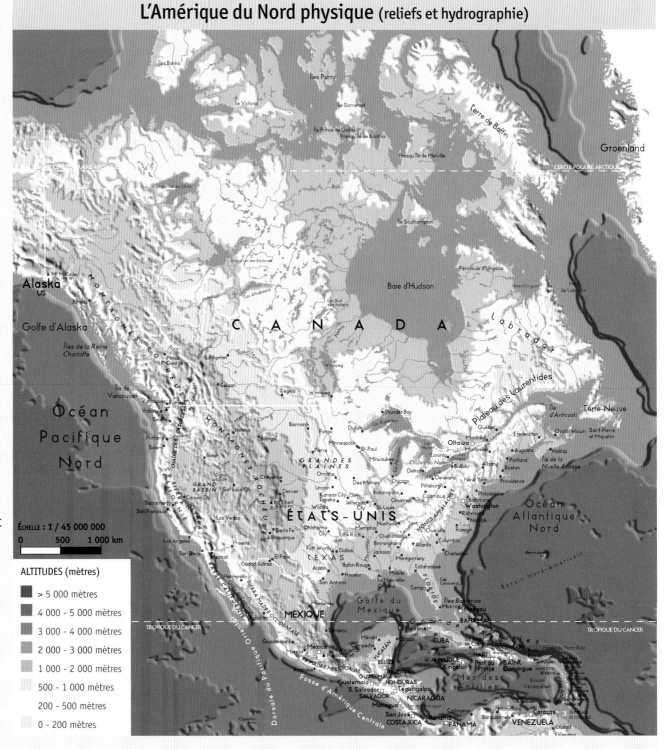

L'Amérique du Nord physique (reliefs et hydrographie)

ÉCHELLE : 1 / 45 000 000
0   500   1 000 km

ALTITUDES (mètres)

- \> 5 000 mètres
- 4 000 - 5 000 mètres
- 3 000 - 4 000 mètres
- 2 000 - 3 000 mètres
- 1 000 - 2 000 mètres
- 500 - 1 000 mètres
- 200 - 500 mètres
- 0 - 200 mètres

Le plus haut sommet des États-Unis, le Mont McKinley, culmine à 6 194 mètres. Il faut le chercher en Alaska, qui est l'un des États des États-Unis.

L'ouest des États-Unis est très montagneux. Ainsi environ 90 % de l'État du Colorado est situé à plus de 1 500 mètres d'altitude.

La Vallée de la Mort, zone de Californie connue pour son extrême aridité, est située à 85 mètres sous le niveau de la mer. Les hautes montagnes (jusqu'à 4 421 mètres) qui la bordent bloquent complètement les pluies provenant du Pacifique.

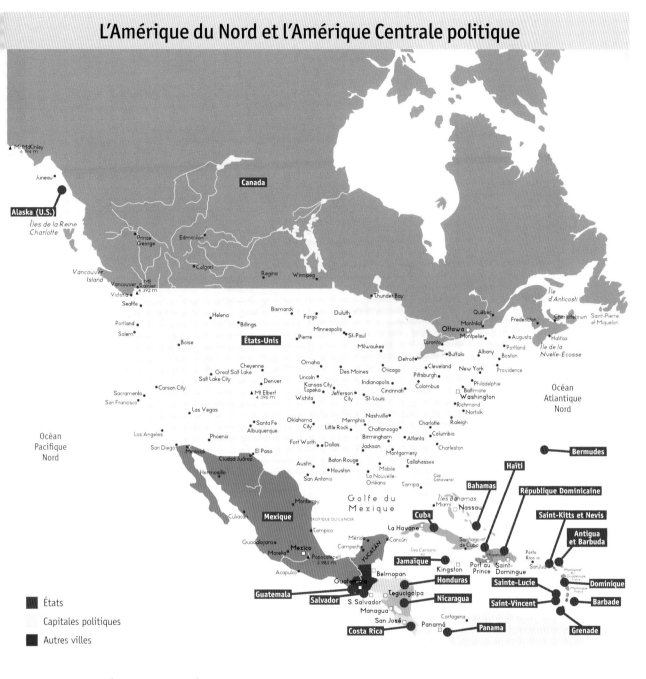

États

Capitales politiques

Autres villes

Le saviez-vous ?

● **L'Amérique du Nord**, au sens géographique, compte 22 États indépendants et 18 dépendances d'un État étranger.

● **Au sens géopolitique**, l'Amérique du Nord n'est composée que du Canada, des États-Unis et du Mexique. Sept autres États du continent nord-américain – Guatemala, Belize, Honduras, El Salvador, Nicaragua, Costa Rica et Panama – constituent l'Amérique Centrale.

● **À la fin 2009, la population totale des États indépendants d'Amérique du Nord** était estimée à 532 503 750 habitants, répartis ainsi :
- Amérique du Nord :
443 507 528 habitants
- Amérique Centrale :
52 068 100 habitants
- Antilles :
34 110 955 habitants

● **Le nom officiel des États-Unis** est, bien sûr, les "États-Unis d'Amérique". De même, le Mexique s'appelle officiellement les "États-Unis du Mexique". Les deux pays sont constitués d'États relativement autonomes.

LISTE DES ÉTATS D'AMÉRIQUE DU NORD, D'AMÉRIQUE CENTRALE ET DES ANTILLES (au 1er janvier 2010)

État	Population	Capitale	Superficie (km²)	Date de création ou d'indépendance (*)	État	Population	Capitale	Superficie (km²)	Date de création ou d'indépendance (*)
AMÉRIQUE DU NORD					**ANTILLES**				
Canada (Le)	33 487 210	Ottawa	9 984 670	1867	Antigua-et-Barbuda	85 635	Saint John's	443	1981
États-Unis (Les)	311 625 695	Washington D.C.	9 630 709(1)	1776	Bahamas (Les)	309 160	Nassau	13 940	1973
			7 882 900(2)		Barbade (La)	284 590	Bridgetown	431	1966
Mexique (Le)	111 211 790	Mexico	1 972 550	1810	Cuba	11 451 655	La Havane	110 860	1868
					Dominique (La)	72 660	Roseau	754	1978
AMÉRIQUE CENTRALE					Grenade (La)	90 740	Saint-Georges	344	1974
Belize (Le)	307 905	Belmopan	22 966	1981	Haïti	9 035 550	Port-au-Prince	27 750	1804
Costa Rica (Le)	4 253 880	San José	51 100	1821	Jamaïque (La)	2 825 930	Kingston	10 991	1962
El Salvador	7 185 220	San Salvador	21 040	1821	République Dominicaine (La)	9 650 055	Saint Domingue	48 730	1844
Guatemala (Le)	13 276 550	Guatemala (La Ciudad de)	108 890	1821	Sainte-Lucie	160 270	Castries	616	1979
Honduras (Le)	7 792 860	Tegucigalpa	112 090	1821	Saint-Kitts et Nevis	40 135	Basseterre	261	1983
Nicaragua (Le)	5 891 210	Managua	129 494	1821	Saint-Vincent et les Grenadines	104 575	Kingstown	389	1979
Panama (Le)	3 360 475	Panamá	78 200	1903					

(*) Par création, il faut comprendre création de l'État dans sa forme actuelle.
(1) Superficie totale des États-Unis, y compris Porto Rico, Guam, etc.
(2) Superficie des 48 « États contigus », hormis les îles Hawaii et l'Alaska.

L'Amérique du Sud

Le saviez-vous ?

L'Amérique du Sud est séparée de l'Amérique du Nord par l'Isthme de Panama.

Avec un total de 17 789 880 km², l'Amérique du Sud couvre 3,49 % de la surface de la Terre et 11,9 % des terres émergées. Elle est le quatrième continent par sa superficie.

L'Amérique du Sud compte très peu de grands lacs, à l'exception du lac Titicaca. Situé à 3 812 mètres d'altitude, le plus grand lac d'Amérique du Sud (58 000 km²) est aussi le plus haut lac navigable au monde.

La Cordillère des Andes borde la totalité de la façade occidentale de l'Amérique du Sud ; elle s'étire sur environ 7 250 kilomètres du nord au sud. Elle est le prolongement des Montagnes Rocheuses des États-Unis et des chaînes d'Amérique Centrale.

La Cordillère des Andes culmine au Mont Aconcagua, 6 962 mètres. Située dans l'ouest de l'Argentine, cette montagne est la plus haute du globe en dehors de l'Asie.

La Cordillère des Andes est une jeune chaîne de montagnes, qui résulte des mouvements des plaques tectoniques. Ils expliquent la fréquence des séismes dans la partie occidentale du continent, notamment en Colombie et au Pérou.

La froideur des eaux de la partie sud du Pacifique Sud, causée par de puissants courants marins originaires de l'Antarctique, empêche l'évaporation des eaux de surface. Ce phénomène explique l'extrême sécheresse des côtes occidentales du sud de l'Amérique du Sud.

L'Amérique du Sud physique (reliefs et hydrographie)

ÉCHELLE : 1/46 500 000
0   500   1 000 km

ALTITUDES (mètres)

- > 5 000 mètres
- 4 000 - 5 000 mètres
- 3 000 - 4 000 mètres
- 2 000 - 3 000 mètres
- 1 000 - 2 000 mètres
- 500 - 1 000 mètres
- 200 - 500 mètres
- 0 - 200 mètres

L'Amazone est long d'environ 6 805 kilomètres, ce qui en fait le premier fleuve au monde par sa longueur devant le Nil. De plus, par son débit colossal moyen de 219 000 mètres cube par seconde à son embouchure, l'Amazone est, de loin, le plus puissant fleuve au monde.

Au Pérou, dans la partie supérieure de son cours, l'Amazone est divisé entre le Rio Marañón et le Rio Ucayali. Ce dernier, un large torrent impétueux, prend sa source au volcan Nevado Mismi, à l'extrême sud du pays. Après le confluent avec le Marañón, au nord du Pérou, le fleuve prend le nom d'Amazone.

L'Amazone est le seul grand fleuve au monde qui ne soit enjambé par aucun pont !

L'Amérique du Sud politique

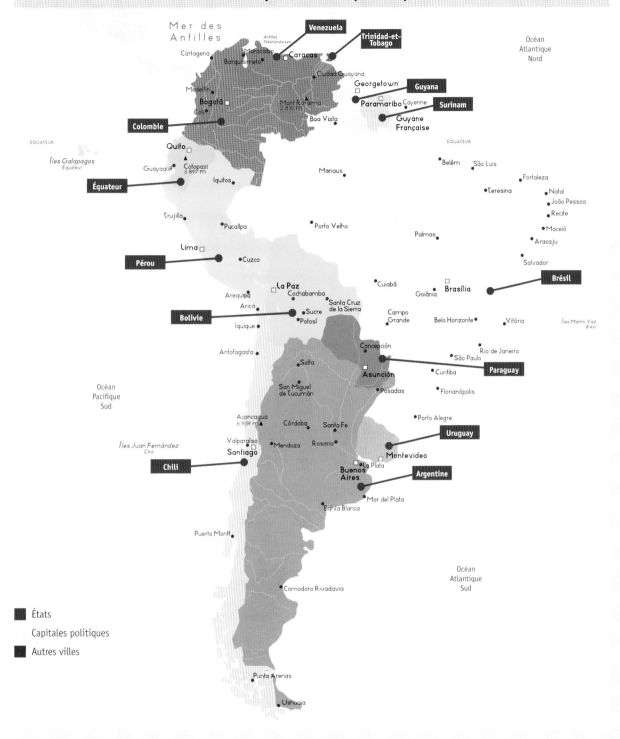

États
Capitales politiques
Autres villes

LISTE DES ÉTATS D'AMÉRIQUE DU SUD
(au 1er janvier 2010)

État	Population	Superficie (km²)	Date d'indépendance
Argentine (L')	40 913 585	2 766 890	1816
Bolivie (La)	9 775 250	1 098 580	1825
Brésil (Le)	198 739 270	8 514 877	1822
Chili (Le)	16 601 710	756 950	1810
Colombie (La)	45 644 025	1 138 910	1810
Équateur (L')	14 573 100	283 560	1822
Guyana (Le)	772 295	214 970	1966
Paraguay (Le)	6 995 660	406 750	1811
Pérou (Le)	29 546 965	1 285 220	1821
Surinam (Le)	481 270	163 270	1975
Trinidad-et-Tobago	1 229 960	5 128	1962
Uruguay (L')	3 494 385	176 220	1825
Venezuela (Le)	26 814 845	912 050	1811

Le saviez-vous ?

● **Les définitions** géographique et géopolitique de l'Amérique du Sud sont identiques.

● **L'Amérique du Sud** n'inclut que 13 États et 3 dépendances. Deux sont de petits archipels britanniques, le troisième est la Guyane Française, un département d'outre-mer de la France de 86 516 km² pour environ 239 750 habitants.

● **Si les îles des Antilles** sont géographiquement rattachées à l'Amérique du Nord, Trinidad-et-Tobago est considéré comme un État d'Amérique du Sud.

● **À la fin 2009, la population totale** des États indépendants d'Amérique du Sud était estimée à 395 582 320 habitants. L'Amérique du Sud est le cinquième continent au monde en nombre d'habitants.

● **L'Amérique du Sud** abrite de vastes États. Le Brésil et l'Argentine sont respectivement aux cinquième et huitième places mondiales par leur superficie. Quant au Chili, il s'étend du nord au sud sur 4 296 km.

● **Dans une grande partie du Brésil**, de la Bolivie et de la Colombie, la densité de population est très faible. En effet, ces régions sont couvertes par la forêt amazonienne. Certaines régions côtières sont au contraire densément peuplées.

● **Le Brésil est un État fédéral**. Sa capitale a longtemps été Rio de Janeiro. Sa capitale actuelle, Brasilia, fut édifiée de toute pièce et inaugurée en 1960. Son architecture est futuriste mais elle est située dans une zone isolée et aride.

L'Asie

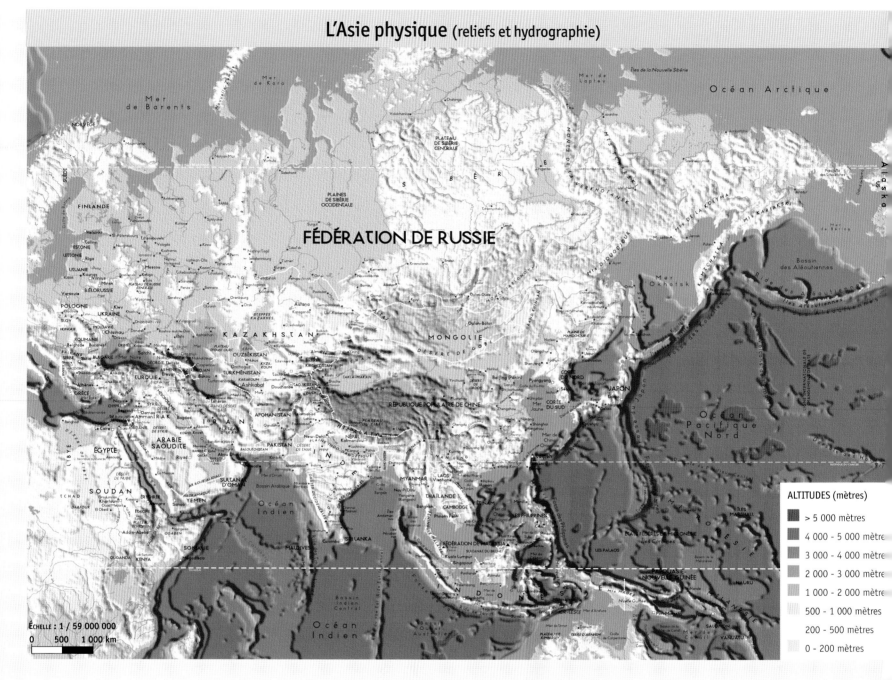

ALTITUDES (mètres)

- > 5 000 mètres
- 4 000 - 5 000 mètres
- 3 000 - 4 000 mètres
- 2 000 - 3 000 mètres
- 1 000 - 2 000 mètres
- 500 - 1 000 mètres
- 200 - 500 mètres
- 0 - 200 mètres

ÉCHELLE : 1 / 59 000 000

0   500   1 000 km

Le saviez-vous ?

● **Pour beaucoup de géographes**, l'Europe et l'Asie forment un super continent unique, l'Eurasie. Avec environ 54 190 000 km², l'Eurasie représente 10,6 % de la surface du globe.

● **L'Asie est le plus vaste** des continents. Sa superficie est de 43 810 582 km², soit 8,6 % de la surface du globe et 29,4 % des terres émergées.

● **La limite orientale** de l'Asie se situe en Indonésie, mais elle est plutôt floue. L'île de la Nouvelle-Guinée et ses îles satellites appartenant à l'Océanie (voir pages 58-59), le continent asiatique se termine par une ligne imaginaire reliant les îles Moluques et Timor ; ces îles sont en Asie.

● **Le centre de la Dzoungarie**, un bassin désertique de 380 000 km² situé à l'extrême ouest de la République populaire de Chine, est le point le plus continental du globe, c'est-à-dire le plus éloigné de tout océan.

● **L'Himalaya**, qui s'étire sur 2 400 kilomètres, est la chaîne montagneuse la plus élevée de la planète. Il inclut le Mont Everest, 8 844,50 m, le point culminant de la Terre. Au total, au moins 105 sommets de l'Himalaya dépassent les 7 000 mètres par rapport au niveau de la mer.

● **Le village d'Oïmiakon**, en Sibérie orientale, détient le record de la température la plus basse jamais enregistrée en dehors de l'Antarctique (voir page 20), avec -71,2°C le 26 janvier 1926.

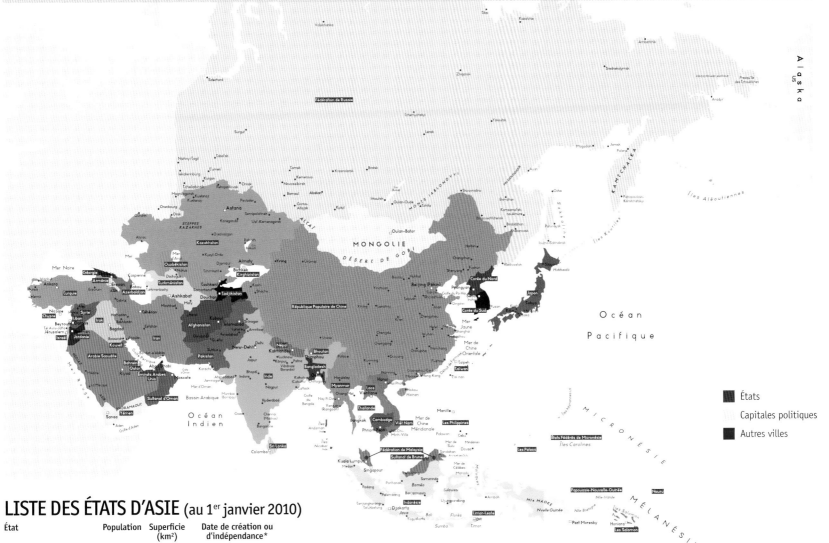

LISTE DES ÉTATS D'ASIE (au 1er janvier 2010)

État	Population	Superficie (km²)	Date de création ou d'indépendance*
Afghanistan (L')	26 396 500	647 500	1747 / 1919
Arabie Saoudite (L')	28 686 650	2 149 190	1932
Arménie (L')	2 967 005	29 743	1991
Azerbaïdjan (L')	8 238 675	86 600	1991
Bahreïn	727 785	665	1971
Bangladesh (Le)	156 050 885	144 010	1971
Bhoutan (Le)	691 145	47 000	1907
Cambodge (Le)	14 494 295	181 040	1953
Corée du Nord (La)	22 665 345	120 540	1945
Corée du Sud (La)	48 508 975	98 480	1945
Émirats Arabes Unis (Les)	4 798 495	83 580	1971
Fédération de Malaysia	25 715 820	329 750	1957 / 1963
Fédération de Russie (La)	140 041 250	17 045 400	862 / 1990
Partie asiatique	31 095 500	13 084 900	-----
Géorgie (La)	4 615 810	69 700	1991
Inde (L')	1 166 079 220	3 287 590	1947
Indonésie (L')	240 271 522	1 919 440	1945
Irak (L')	28 945 660	437 072	1932
Iran (L')	66 429 284	1 648 012	1916 / 1979
Israël	7 233 705	20 770	1948
Japon (Le)	127 078 680	377 845	660 av. J.-C.
Jordanie (La)	6 342 950	92 300	1946
Kazakhstan (Le)	15 399 440	2 717 305	1991
Kirghizistan (Le)	5 431 750	198 500	1991
Koweït (Le)	2 691 160	17 820	1961
Laos (Le)	6 834 950	236 800	1949
Liban (Le)	4 017 095	10 452	1943
Maldives (Les)	396 335	302	1965
Mongolie (La)	3 041 145	1 564 116	1921
Myanmar (Le) ou Birmanie	48 137 740	678 500	1948
Népal (Le)	28 563 380	147 182	1768
Ouzbékistan (L')	27 606 010	447 400	1991
Pakistan (Le)	176 242 950	803 940	1947

État	Population	Superficie (km²)	Date de création ou d'indépendance*
Philippines (Les)	97 976 603	300 000	1946
Qatar (Le)	833 285	11 437	1971
Rép. pop. de Chine (La)	1 346 227 905	9 598 094	221 av. J.-C. / 1949
Singapour	4 657 545	692,7	1965
Sri Lanka (Le)	21 324 795	65 610	1948
Sultanat d'Oman (Le)	3 418 085	212 460	1650
Sultanat du Brunei (Le)	388 190	5 770	1984
Syrie (La)	20 178 485	185 180	1946
Tadjikistan (Le)	7 349 145	143 100	1991
Taiwan (Le)	22 974 350	35 980	1949

État	Population	Superficie (km²)	Date de création ou d'indépendance*
Thaïlande (La)	65 905 410	514 000	1238
Timor-Leste (Le)	1 131 615	15 007	2002
Turkménistan (Le)	4 884 890	488 100	1991
Turquie (La)	76 805 525	780 580	1923
Viêt Nam (Le)	86 967 525	329 560	1945 / 1975
Yémen (Le)	23 822 785	527 970	1918 / 1990

*Lorsque deux dates sont indiquées, la première correspond à la formation de l'État, la deuxième à sa forme politique et territoriale actuelle. Ainsi, si la Chine remonte à 221 avant notre ère, la République populaire de Chine est née en 1949.

Le saviez-vous ?

● **Au 1er janvier 2010**, l'Asie compte 48 États. Ce nombre inclut Taiwan, mais exclut la Palestine, dont l'indépendance est contestée par l'ONU et plusieurs États de la communauté internationale.

● **À la fin 2009, la population de l'Asie** était de 4 121 242 000 habitants (avec la population de la seule partie asiatique de la Russie). L'Asie est le continent le plus peuplé.

L'Océanie

L'Océanie physique (reliefs et hydrographie)

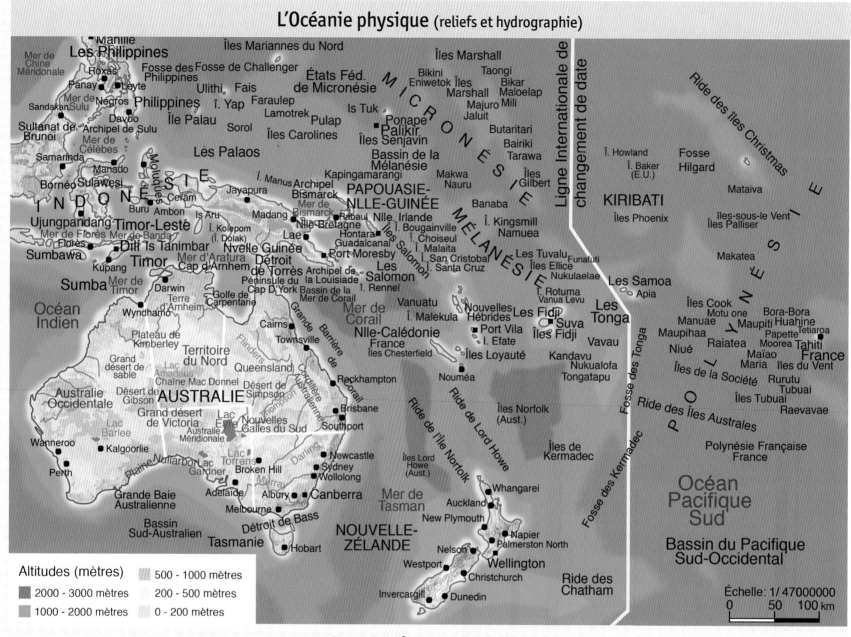

Altitudes (mètres)
- 2000 - 3000 mètres
- 1000 - 2000 mètres
- 500 - 1000 mètres
- 200 - 500 mètres
- 0 - 200 mètres

Échelle: 1/ 47000000
0   50   100 km

Le saviez-vous ?

● **L'Océanie comprend toutes les îles** situées à l'est d'une ligne reliant les Moluques à l'État de Timor. Elle se divise en deux entités distinctes. La première inclut l'Australie et les grandes îles proches, la Nouvelle-Guinée et les Îles Salomon. Cet ensemble forme l'Australasie. L'autre entité, l'Océanie proprement dite, comprend les milliers d'îles situées au nord et à l'est de l'Australasie, y compris les îles de Pâques et de Clipperton situées au large des côtes américaines. L'ensemble est rassemblé en un seul continent.

● **Les limites occidentales** de l'Océanie sont arbitraires. Toutes les îles situées à l'est de Timor sont incluses dans ce continent. La Nouvelle-Guinée appartient donc à l'Océanie, bien que cette île soit divisée entre un état asiatique, l'Indonésie, et un état de l'Océanie, la Papouasie Nouvelle-Guinée.

● **L'Océanie** ne couvre pas que l'océan Pacifique Sud. Les îles Hawaii appartiennent aussi à ce continent.

● **L'Océanie a une superficie** de 9 008 458 km², soit 1,77 % de la surface du globe et 6,0 % des terres émergées. L'Australie représente 85,3 % de l'ensemble de l'Océanie, qui compte pourtant environ 30 500 îles, îlots et atolls ! L'Océanie est le plus petit des continents en superficie.

● **Beaucoup d'archipels océaniens** sont orientés dans le sens sud-est – nord-ouest. Cela provient du mode de formation de nombreuses îles du Pacifique Central. En certains endroits, la croûte terrestre s'est percée à l'aplomb d'un point de l'écorce terrestre où le magma est en fusion. Le magma est remonté à la surface et a formé un volcan. Au fil du temps, la plaque tectonique pacifique a migré vers le nord-ouest. Les îles ainsi formées se sont déplacées dans une seule et même direction.

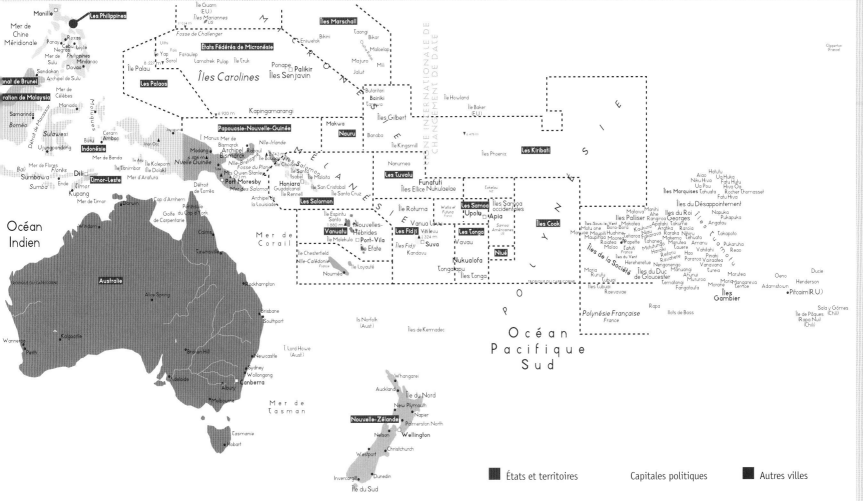

Légende : ■ États et territoires   ● Capitales politiques   ■ Autres villes

LISTE DES ÉTATS D'OCÉANIE

(au 1ᵉʳ janvier 2010)

État	Population	Superficie (km²)	Date de création ou d'indépendance*
Australie (L')	21 266 790	7 687 454	1901
États Fédérés de Micronésie (Les)	107 435	702	1986
Fidji (Les)	944 720	18 270	1970
Kiribati (Les)	112 855	811	1979
Îles Cook (Les)	11 870	236,7	1965
Îles Marshall	64 525	181	1986
Nauru	14 020	21	1968
Niué	1 398	260	1974
Nouvelle-Zélande (La)	4 214 840	268 680	1907
Palaos (Les)	20 795	458	1994
Papouasie Nouvelle-Guinée (La)	6 057 270	462 840	1975
Salomon (Les)	595 615	28 450	1978
Samoa (Les)	220 010	2 944	1962
Tonga (Les)	120 905	748	1970
Tuvalu (Les)	12 375	26	1978
Vanuatu (Le)	218 520	12 200	1980

* Par création, il faut comprendre création de l'État dans sa forme actuelle.

Le saviez-vous ?

● **Au 1ᵉʳ janvier 2010**, l'Océanie compte 16 États, auxquels s'ajoutent 15 territoires gérés par un autre État. La Nouvelle-Calédonie et la Polynésie Française sont des Pays d'outre-mer de la France ; Wallis-et-Futuna en est une Collectivité d'outre-mer (voir pages 136-137). Les îles Hawaii sont un État des États-Unis. Les autres territoires sont gérés par les États-Unis, le Royaume-Uni, la Nouvelle-Zélande, l'Australie et le Chili.

● **Sur des critères géographiques et ethnologiques**, l'Océanie est divisée entre Australasie à l'ouest, Mélanésie au centre, Micronésie au nord et Polynésie à l'est.

● **La population de l'Océanie** était de 33 983 943 habitants à la fin 2009. Cette valeur exclut la population des Îles Hawaii (1 288 298 habitants). L'Océanie est à la dernière place des continents en nombre d'habitants.

● **L'Australie est un État fédéral**, divisé en six États et deux territoires. L'État d'Australie-Occidentale (Western Australia) a une superficie de 2 645 615 km², soit plus de quatre fois la superficie de la France métropolitaine...

● **Niué est l'État indépendant** le moins peuplé au monde, en dehors de la Cité du Vatican.

● **Jusqu'au 30 juillet 1980**, le Vanuatu s'appelait les Nouvelles-Hébrides. Ce territoire était géré conjointement par la France et le Royaume-Uni.

Les régions polaires

Le saviez-vous ?

L'Arctique ne constitue pas un continent. Cette région comprend l'océan Arctique, d'une superficie de 14,056 millions de km², ses nombreuses îles et les franges côtières septentrionales de sept pays : la Norvège, la Suède, la Finlande, la Fédération de Russie, les États-Unis (Alaska), le Canada, et le Danemark (Groenland).

Le Cercle polaire arctique, situé à la latitude de 66°34', ne constitue pas la limite théorique de l'Arctique. Sa limite méridionale, située plus au sud, correspond à la ligne formée par les localités ayant une température moyenne annuelle de 0°C.

Le Groenland est la plus grande île du monde. Sa superficie est de 2 166 086 km². C'est un territoire autonome du Danemark depuis 1975 ; mais, en juillet 1982, ses habitants ont décidé de ne plus faire partie de l'Union européenne !
Fin 2009, sa population est de 57 595 personnes. Plus de 80 % de la surface de l'île est couverte d'épais glaciers d'eau douce, dont l'épaisseur peut atteindre 3 000 mètres.

Une partie de l'océan Arctique est gelée en permanence ; c'est la banquise. Au cœur de l'hiver, la superficie de la banquise atteint près de 15 millions de km². En été, la banquise fond ; elle régresse vers le pôle et ne couvre plus qu'environ 5 millions de km².

Depuis quelques années, la région du pôle Nord se réchauffe (voir page 22) et la superficie estivale de la banquise diminue. Durant l'été 2008, elle ne couvrait plus que 4,11 millions de km².

Les cercles polaires marquent la limite de la zone de la nuit perpétuelle en hiver et du jour perpétuel en été. Au-delà du Cercle polaire arctique, durant six mois le Soleil ne se lève pas, ou ne se couche pas, selon la saison !

Le Nunavut est un territoire autonome du Canada (hachuré en rouge sur la carte). Il couvre une partie du nord-ouest du pays et les nombreuses îles situées entre ses côtes et le Groenland. Il a été créé en 1999 pour les Inuits, anciennement appelés Esquimaux.
Ce territoire de 2 093 190 km² compte 32 185 habitants. Sa capitale est Iqaluit.

Hormis les Inuits, les rives de l'Arctique sont habitées par de nombreux peuples, dont les Iakoutes et les Lapons.
Au total, la région Arctique compte 3 685 000 habitants, dont 1 980 000 dans la Fédération de Russie.

L'Arctique (reliefs et hydrographie)

ALTITUDES (mètres)

- > 5 000 mètres
- 4 000 - 5 000 mètres
- 3 000 - 4 000 mètres
- 2 000 - 3 000 mètres
- 1 000 - 2 000 mètres
- 500 - 1 000 mètres
- 200 - 500 mètres
- 0 - 200 mètres

ÉCHELLE : 1 / 37 500 000
0   500   1 000 km

L'Antarctique

Map labels:
OCÉAN INDIEN — AUSTRALIE — OCÉAN INDIEN
Mer de Davis — Banquise de l'Ouest — Banquise de Shackleton — Terre de Wilkes
Baie de MacKenzie — Côte de Léopold et Astrid — Côte de la Reine Marie — Baie de Porpoise
Cap Poinsett — Tasmanie
Cap Alden — Côte de Mawson
Molodiojnaïa (Russie) — Haut-Plateau d'Amérique 2 792 m — ▲3 800 m — ▲3 175 m — Terre Adélie — FRANCE — AUSTRALIE
Antarctique Oriental — Cap d'Urville — Cap Denison
Pén. du Russe — Larsen — Showa (Japon)
Côte de la Princesse Ragnhild
Iles Balleny
NORVÈGE — Mts Sör Rondane 3 425 m — Georg Forster (Allem.) — A N T A R C T I Q U E — Terre Victoria — NOUVELLE-ZÉLANDE
Banquise de Fimbul — Terre de la Reine Maud — Plateau Polaire — Mts Churchill ▲3 914 m — Mont Erebus — Détroit de McMurdo
Côte de la Princesse Astrid — Pôle Sud — CHAÎNE ANTARCTIQUE — Côte de la Reine Maud — Cap Adare 4 163 m
Côte de la Princesse Martha — Chaîne de Shackleton — Monts Pensacola — Banquise de Ross — Ile Roosevelt — Mer de Ross
OCÉAN ATLANTIQUE SUD — Banquise de Riiser Larsen — Terre de Coats — Banquise de Filchner — Ile Berkner
Cap Norvégia — Ysby Bay (R.U.) — Drougalski (Russie) — Plateau Holick-Kenyon — Plateau Rockefeller — NOUVELLE-ZÉLANDE
Iles Sandwich du Sud (R.U.) — Mer de Weddell — Banquise de Ronne — Massif Vinson 4 892 m — Terre Marie Byrd — Banquise de Getz — OCÉAN PACIFIQUE SUD
GÉORGIE DU SUD (R.U.) — Grytviken — ARGENTINE — Terre d'Ellsworth — Antarctique Occidental — Terre Eights
ROYAUME-UNI — Péninsule Antarctique — Alexandre — Côte Byrd — Mer d'Amundsen
Iles Orcades du Sud — Mer de Bellingshausen — Ile Thurston
Ile Eléphant — Archipel Palmer — Rothera (R.U.) — Banquise d'Abbot
Iles Shetland du Sud — Base Adélaïde — San Martin (Arg.)

ÉCHELLE : 1 / 36 000 000
0   500   1 000 km

Bases de la Péninsule Antarctique
1 Arctowski (Pologne)
2 Bellingshausen (Fédération de Russie)
3 Jubany (Arg.)
4 Rodolfo Marsh (Chili)
5 Great Wall
6 Arturo Prat
7 Ferraz

● **L'Antarctique** est un véritable continent, avec un socle rocheux. Il se distingue ainsi de la région Arctique, dont la seule surface solide est la banquise. Le sommet de l'Antarctique est le massif Vinson, qui culmine à 4 892 mètres au-dessus du niveau de la mer.

● **Le Mont Erebus**, situé sur la presqu'île de Ross, est un volcan très actif qui culmine à 3 794 mètres.

● **La superficie** du continent Antarctique est de 13 900 000 km², à laquelle s'ajoute la banquise qui se forme sur l'océan Antarctique. Comme dans l'Arctique, sa surface varie selon la saison.

● **Environ 98 % du continent** sont recouverts d'une couche de glace dont l'épaisseur moyenne est de 1 600 mètres, mais qui peut dépasser 3 500 mètres en certains endroits !

● **Seulement 280 000 km²** ne sont pas recouverts par la calotte glaciaire, soit 2 % de la surface du continent. Ces régions côtières sont constituées de roches couvertes de mousses et de lichens.

● **L'Antarctique est le continent** le plus froid mais aussi le plus sec ! Au pôle Sud, il tombe moins de 100 millimètres de précipitations par an ! L'Antarctique est le plus grand désert de la Terre.

● **Dès le XVIIᵉ siècle**, les grands navigateurs se sont mis à la recherche d'une hypothétique « Terre australe » mentionnée dans des légendes. L'Antarctique ne fut découvert qu'en 1820 par une expédition russe.

● **L'Antarctique est inhabité**, sauf par des expéditions scientifiques installées dans des bases conçues pour la vie dans ce monde inhospitalier, comme la station franco-italienne Concordia.

● **L'Antarctique est le seul continent** à ne posséder aucun territoire politique, ni sous forme d'État souverain, ni de dépendance. En effet, depuis le Traité sur l'Antarctique, signé le 1ᵉʳ décembre 1959, toute possession territoriale officielle est interdite. Sept nations (Argentine, Australie, Chili, France, Norvège, Nouvelle-Zélande et Royaume-Uni) revendiquent un territoire. Ces revendications sont officieuses et ne sont pas reconnues par la communauté internationale.

● **Le territoire revendiqué** par la France est la Terre-Adélie, d'une superficie voisine de 482 000 km². Elle couvre 354 kilomètres de côtes. Depuis 1956, la Terre Adélie abrite l'importante base polaire de Dumont-d'Urville.

L'Europe physique

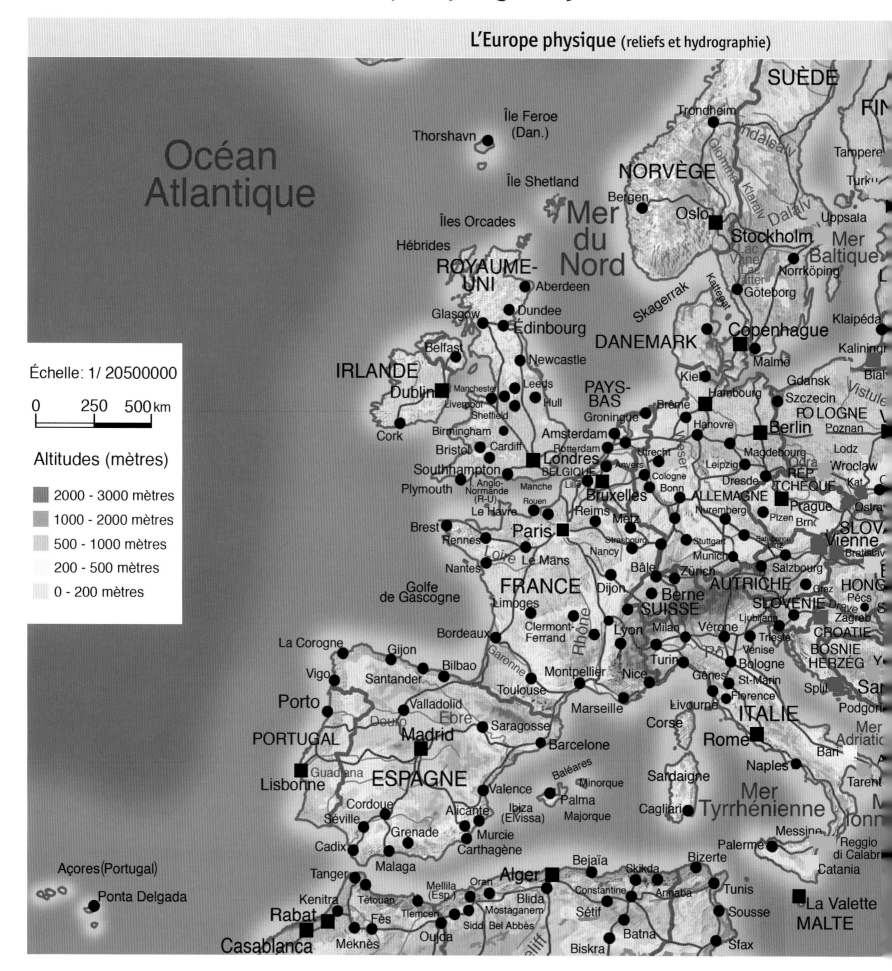

Océan
Atlantique

Échelle: 1/ 20500000

0   250   500 km

Altitudes (mètres)

2000 - 3000 mètres
1000 - 2000 mètres
500 - 1000 mètres
200 - 500 mètres
0 - 200 mètres

SUÈDE
FIN
Île Feroe
(Dan.)
Thorshavn
Trondheim
Tampere
NORVÈGE
Turku
Île Shetland
Bergen
Oslo
Uppsala
Îles Orcades
Mer
du
Nord
Stockholm
Mer
Baltique
Hébrides
Norrköping
ROYAUME-
UNI
Aberdeen
Göteborg
Klaipéda
Glasgow
Dundee
Édinbourg
DANEMARK
Copenhague
Kaliningr
Belfast
Newcastle
Malmö
Kiel
Bial
IRLANDE
Leeds
PAYS-
BAS
Hambourg
Gdansk
Szczecin
POLOGNE
Dublin
Manchester
Brême
Berlin
Poznan
Liverpool
Hull
Groningue
Hanovre
Lodz
Cork
Sheffield
Amsterdam
Magdebourg
Wroclaw
Birmingham
Rotterdam
Utrecht
Leipzig
RÉP.
Kat
Bristol
Cardiff
Anvers
Cologne
Dresde
TCHÈQUE
Southhampton
Londres
Bonn
Nuremberg
Prague
Ostra
Plymouth
I. Anglo-
Normande
(R-U)
BELGIQUE
Lille
Bruxelles
ALLEMAGNE
Plzen
Brno
SLOV
Manche
Rouen
Reims
Metz
Nancy
Vienne
Le Havre
Strasbourg
Stuttgart
Ratisbonne
Bratislav
Brest
Rennes
Paris
Munich
Salzbourg
HONG
Nantes
Loire
Le Mans
Bâle
Zürich
AUTRICHE
Graz
Pécs
FRANCE
Dijon
Berne
SLOVENIE
Golfe
de Gascogne
Limoges
SUISSE
Milan
Vérone
Ljubljana
Zagreb
CROATIE
La Corogne
Gijon
Bordeaux
Clermont-
Ferrand
Lyon
Turin
Trieste
Venise
BOSNIE
HERZÉG
Vigo
Bilbao
Montpellier
Nice
Gênes
Bologne
St-Marin
Split
Sar
Porto
Santander
Toulouse
Marseille
Livourne
ITALIE
Podgori
Valladolid
Corse
Florence
Mer
Adriati
PORTUGAL
Madrid
Saragosse
Rome
Bari
Lisbonne
Guadiana
ESPAGNE
Barcelone
Naples
Tarent
Cordoue
Valence
Baléares
Minorque
Palma
Sardaigne
Cagliari
Mer
Tyrrhénienne
M
Ionn
Séville
Alicante
Ibiza
(Elvissa)
Majorque
Açores (Portugal)
Grenade
Murcie
Messine
Cadix
Carthagène
Palerme
Reggio
di Calabri
Ponta Delgada
Malaga
Bejaïa
Bizerte
Catania
Tanger
Alger
Skikda
Tunis
La Valette
Kenitra
Mellila
(Esp)
Oran
Constantine
Annaba
Sousse
MALTE
Rabat
Tétouan
Blida
Sétif
Casablanca
Tlemcen
Mostaganem
Siddi Bel Abbès
Batna
Sfax
Meknès
Oujda
Biskra

Le saviez-vous ?

● **L'Europe n'est pas nettement séparée** de l'Asie. Beaucoup de géographes ne reconnaissent d'ailleurs qu'un super continent, l'Eurasie, d'autant que la plus grande partie des continents européen et asiatique repose sur une seule plaque tectonique majeure.

● **Par convention**, le continent européen s'étend vers l'est jusqu'à l'Oural ; les flancs occidentaux de cette chaîne de montagnes peu élevées sont en Europe. Traditionnellement, le fleuve Oural, qui se jette dans la mer Caspienne, prolongeait vers le sud la limite orientale de l'Europe. Toutefois, cette région appartient au Kazakhstan, une ancienne république de l'URSS indépendante depuis 1991. Ce pays est considéré comme un pays asiatique. Il est donc maintenant admis que la frontière du Kazakhstan marque la limite de l'Europe au sud de l'Oural. Au sud-est, le Caucase marque une autre frontière naturelle de l'Europe. Les pays transcaucasiens, c'est-à-dire situés au sud de cette chaîne de montagnes, comme la Géorgie, l'Arménie et l'Azerbaïdjan, autres anciennes républiques de l'URSS, sont donc en Asie.

● **La superficie de l'Europe**, au sens géographique, est de 10 387 500 km^2, soit 2,04 % de la surface du globe et 2,9 % des terres émergées.

● **Le Mont Blanc,** sur la frontière franco-italienne, culmine à 4 810,45 mètres au-dessus du niveau de la mer. Cette dernière valeur date de novembre 2009. En deux ans, la variation de l'épaisseur de la couche de glace au sommet de la montagne en a réduit son altitude de 45 centimètres. La partie rocheuse du mont Blanc, le cœur de la montagne, culmine à 4 792 mètres...

● **Le Mont Blanc** n'est certainement pas le plus haut sommet d'Europe. Le point culminant de l'Europe se trouve sur le flanc nord de la chaîne du Caucase, dans la Fédération de Russie. En effet, le Mont Elbrouz, situé dans la République autonome de Kabardino-Balkarie, culmine à 5 642 mètres. Le Mont Dykhtau, voisin de l'Elbrouz, atteint les 5 203 mètres. Le Mont Blanc n'est donc que le plus haut sommet d'Europe occidentale.

● **Il ne faut pas confondre** le Mont Elbrouz du Caucase avec les Monts Elbourz, ou Monts Alborz, situés au nord de l'Iran.

● **La tectonique des plaques** explique la formation d'une série de montagnes européennes orientées ouest-est, comprenant les Pyrénées, les Alpes et les Carpates. Elles sont dues à la collision entre les plaques africaine et européenne il y a entre 20 et 30 millions d'années.

● **Le fleuve le plus long du continent** est la Volga, avec un cours de 3 702 kilomètres. Le second est le Danube, avec 2 902 kilomètres. Le Rhin, le plus long des fleuves d'Europe occidentale, a un cours de 1 321 kilomètres, suivi par la Loire, avec 1 012 kilomètres. Plusieurs fleuves d'Ukraine ou de la partie européenne de la Russie, comme le Dniepr ou le Don, sont beaucoup plus longs.

● **L'Europe** possède plus de 40 000 kilomètres de côtes ouvertes sur l'océan Atlantique et plusieurs mers.

● **La plus grande partie** de l'Europe occidentale est située dans la zone du climat tempéré. Malgré les latitudes assez élevées de l'Europe, comprises entre les 36 et 72 parallèles nord, le climat est largement adouci par l'influence du Gulf Stream, un puissant courant de l'Atlantique Nord. Prenant sa source au large des Bahamas, il arrose de ses eaux chaudes les côtes occidentales du continent.

L'Europe politique

Le saviez-vous ?

● **Il ne faut pas confondre** Europe et Union européenne (voir pages 66-67). L'Europe est beaucoup plus vaste que l'Union. En effet, l'Europe s'étend vers l'ouest jusqu'à l'Islande. Vers l'est, le continent se prolonge jusqu'à l'Oural et la frontière du Kazakhstan ; vers le sud-est, le Caucase marque sa frontière avec l'Asie.

● **Au 1er janvier 2010,** l'Europe compte 45 États. Ce nombre inclut la République de Chypre, mais exclut le Kosovo, dont l'indépendance est contestée par l'ONU, plusieurs États de l'Union européenne, la Serbie et la Fédération de Russie.

● **La population de l'Europe** était de 705 979 305 habitants à la fin 2009 (avec la population de la seule partie européenne de la Russie). L'Europe est à la cinquième place des continents en nombre d'habitants.

● **La Fédération de Russie** est partagée entre l'Europe et l'Asie. Sa partie européenne s'arrête à l'Oural et au Caucase. Au-delà de l'Oural s'étend sa vaste partie asiatique. Parmi ses anciennes républiques, l'Ukraine, la Biélorussie, la Moldavie et les trois pays Baltes – Estonie, Lituanie et Lettonie – sont tous des États européens. Les anciennes républiques d'Asie centrale (Kazakhstan, Turkménistan, Tadjikistan, Ouzbékistan et Kirghizistan) sont situées géographiquement et politiquement en Asie. Il en est de même pour les anciennes républiques transcaucasiennes de l'URSS, la Géorgie, l'Arménie et l'Azerbaïdjan, malgré les liens culturels et historiques très forts de l'Arménie avec l'Europe.

● **Une petite partie occidentale** du Kazakhstan peut être considérée comme étant géographiquement située en Europe, car elle est à l'ouest de la ligne tracée par l'Oural. Ce pays est néanmoins asiatique.

● **Le cas de la Turquie est plus simple.** Certes, une petite partie du pays, la région d'Istanbul, est située en Europe. C'est d'ailleurs le seul lien géographique qui rattache ce pays à l'Europe. En effet, l'Anatolie, soit 97 % de son vaste territoire, est située en Asie. Par ailleurs, sa capitale, Ankara, est dans la partie asiatique et sa langue n'appartient pas au groupe des langues indo-européennes.

Les États de l'Europe

Mer de Norvège

CERCLE POLAIRE ARCTIQUE

ISLANDE
VATNAJÖKULL
Reykjavik
Hvannadalshnúkur 2119 m

NORVÈGE

SCANDINAVIE

Îles Féroé
Danemark

Îles Shetland
RU

SUÈDE
Galdhøpiggen 2469 m

FINLANDE

Golfe de Botnie

Océan Atlantique Nord

Îles Orcades
RU

Oslo

Stockholm

Helsinki

Tallinn
ESTONIE

Ben Nevis 1343 m
ÉCOSSE

Mer Baltique

LETTONIE
Riga

Mer du Nord

DANEMARK
Copenhague

LITUANIE
Vilnius

FÉD. DE RUSSIE

Minsk

ULSTER
ROYAUME-UNI

PAYS-BAS

Berlin

POLOGNE
Varsovie

BIÉLORUSSIE

Dublin

ANGLETERRE
PAYS DE GALLE
Amsterdam

IRLANDE
Londres

BELGIQUE
Bruxelles
Luxembourg
LUXEMBOURG

ALLEMAGNE

Prague
RÉP. TCHÈQUE

CARPATES

UKRAINE

La Manche

Paris
FRANCE

Vienne
AUTRICHE
Berne
LIECHTENSTEIN Vaduz
SUISSE

SLOVAQUIE
Bratislava
Budapest

MOLDAVIE
Chisin

Golfe de Gascogne

MASSIF CENTRAL

Mt Blanc 4810 m

SLOVÉNIE
HONGRIE
Ljubljana
Zagreb

ROUMANIE

Bucarest

SAINT-MARIN
CROATIE
BALKANS
Sarajevo
Belgrade

Hendaye
ANDORRE
CANTABRIQUES
PYRÉNÉES
Andorre-la-V.

MONACO

Corse

CITÉ DU VATICAN
Rome

BOSNIE-HERZEG.
MONTÉNÉGRO
Mer Adriatique
SERBIE
Skopje
ALBANIE
MACÉDOINE
Tirana

BULGARIE
Sofia
Moussala 2925 m

Anka

PORTUGAL
Lisbonne

Madrid
ESPAGNE
Sa. MORENA

Îles Baléares

Sardaigne

ITALIE

ANATOLIE

GRÈCE
Athènes

Mer Égée

Nico
CHYPRE

Açores Portugal

Mulhacén 3482 m

Alger

Tunis

Sicile
Etna 3323 m

La Valette
MALTE

Crète

Détroit de Gibraltar

Rabat

Madère
Portugal

MAROC

Djebel Toubkal 4165 m

ALGÉRIE

TUNISIE

Tripoli

LIBYE

Méditerranée

ÉGYPTE
Le Caire

LISTE DES ÉTATS D'EUROPE
(au 1er janvier 2010)

État	Population	Superficie (km²)	Date de création ou d'indépendance*
Albanie (L')	3 639 460	28 748	1912
Allemagne (L')	82 329 760	357 027	843 / 1990
Andorre (La Principauté d')	83 890	463	780
Autriche (L')	8 210 280	83 868	1918
Belgique (La)	10 414 336	30 528	1830
Biélorussie (La)	9 648 535	207 600	1990
Bosnie-Herzégovine (La)	4 613 415	51 130	1992
Bulgarie (La)	7 204 687	110 910	1908
Chypre (La République de)	796 740	9 250	1960
Croatie (La)	4 489 410	56 542	1991
Danemark (Le)	5 606 970	2 210 579 (1) 43 094 (2)	Vers 980
Espagne (L')	46 661 950	505 990 (1) 496 535 (2)	1512
Estonie (L')	1 299 375	45 126	1991
Fédération de Russie (La)	140 041 250	17 045 400	862 / 1990
Partie européenne	108 945 750	3 960 500	---
Finlande (La)	5 250 275	338 148	1917
France (La)	65 465 227	670 922 (1) 549 087 (2) (3)	843
Grèce (La)	10 737 430	131 944	1821
Hongrie (La)	9 905 595	93 030	1918
Irlande (L')	4 203 205	70 278	1919
Islande (L')	306 694	103 012	1944
Italie (L')	58 126 215	301 318	1861
Lettonie (La)	2 231 505	64 489	1991
Liechtenstein (Le)	34 765	160	1806
Lituanie (La)	3 555 180	65 290	1990
Luxembourg (Le)	491 775	2 586	1815
Macédoine (La)	2 066 720	25 333	1991
Malte	405 165	316	1964
Moldavie (La)	4 320 750	33 846	1991
Monaco (La Principauté de)	32 965	1,95	1297
Monténégro (Le)	672 180	13 802	2006
Norvège (La)	4 662 660	386 701 (1) 324 220 (2)	1905
Pays-Bas (Les)	17 046 120	42 679 (1) 41 526 (2)	1648
Pologne (La)	38 482 920	312 682	1918
Portugal (Le)	10 707 924	92 391 (1) 89 242 (2)	1139
République Tchèque (La)	10 211 905	78 866	1918 / 1993
Roumanie (La)	22 215 425	237 508	1877
Royaume-Uni (Le)	61 853 610	262 776 (1) 244 820 (2)	1707
Saint-Marin	30 325	61,4	366 / 1600
Serbie (La)	9 184 120	88 361	1166 / 2006
Slovaquie (La)	5 463 050	48 845	1918 / 1993
Slovénie (La)	2 005 695	20 273	1918 / 1990
Suède (La)	9 059 655	449 964	1523
Suisse (La)	7 604 470	41 288	1291
Ukraine (L')	45 700 395	603 698	env. 860 / 1991
Vatican (Le)	826	0,44	1929

(*) Par "création", il faut comprendre la création de l'État dans sa forme actuelle. Des pays comme l'Italie ou la Grèce ont une histoire millénaire, mais ils n'existent sous leur forme actuelle, en particulier leurs frontières, que depuis l'année indiquée. Dans certains cas, deux dates sont indiquées. La première correspond à la formation de l'État, la deuxième à sa forme politique et territoriale actuelle. Ainsi, si la Russie remonte à 862, la Fédération de Russie est née en 1990, à la suite de la chute de l'URSS et de l'indépendance de ses anciennes républiques ; (1) Superficie totale du pays, y compris ses territoires d'outre-mer ; (2) Superficie de la métropole ; (3) Pour la France, la métropole inclut aussi les îles côtières et la Corse.

Le saviez-vous ?

● **Chypre ne devint indépendante** qu'en 1960, Malte en 1964 seulement. Quant au Groenland, il se sépara du Danemark en 1975 pour prendre le statut de territoire autonome. Sa position géographique l'associe plutôt au continent nord-américain.

● **En 1965**, l'Europe comptait 35 États souverains. Ce nombre resta stable jusqu'en 1990. La réunification de l'Allemagne et l'éclatement de l'ancienne URSS, puis de la Yougoslavie, ont fortement accru le nombre d'États européens.

● **L'Abkhazie, la Tchétchénie, l'Ossétie du Sud et le Haut-Karabakh** sont des territoires situés sur le flanc nord du Caucase, donc en Europe, qui revendiquent leur indépendance. Ils ne sont toutefois pas reconnus comme des États souverains. Enfin, la "République turque de Chypre du Nord" n'est qu'une possession de la Turquie, non reconnue par la communauté internationale.

● **Les Îles Féroé** appartiennent au Danemark. Bien que largement autonomes, elles ne constituent pas un État européen souverain.

● **Bien que l'île de Chypre** soit située dans la partie orientale de la Méditerranée, et donc géographiquement en Asie, la République de Chypre appartient à l'Europe ; elle est même membre de l'Union européenne. Elle est historiquement et culturellement proche de la Grèce, qui est évidemment un pays européen.

● **Les liens culturels et historiques** d'Israël avec l'Europe sont très forts. Cet État, fondé en 1948, appartient néanmoins au continent asiatique. Toutefois, Israël est associé à l'Europe pour de nombreuses manifestations culturelles et sportives.

● **La Principauté d'Andorre** est un État européen unique. Elle est gouvernée selon le système du paréage, c'est à dire de l'association de deux dirigeants. Andorre est ainsi gouvernée par deux coprinces, l'évêque de la ville espagnole d'Urgel et le président de la République française. Au 1er janvier 2010, ses coprinces sont respectivement Monseigneur Joan Enric Vives i Sicília et M. Nicolas Sarkozy.

L'Union européenne

LES ÉTAPES DE LA CONSTRUCTION DE L'EUROPE

État	Année d'adhésion
Communauté Économique Européenne (CEE) (25 mars 1957 - 31 octobre 1993)	
"EUROPE DES SIX"	
Allemagne (1)	Membre fondateur
Belgique	Membre fondateur
France	Membre fondateur
Italie	Membre fondateur
Luxembourg	Membre fondateur
Pays-Bas	Membre fondateur
"EUROPE DES NEUF"	
Danemark	1973
Irlande	1973
Royaume-Uni	1973
"EUROPE DES DIX"	
Grèce	1981
"EUROPE DES DOUZE"	
Espagne	1986
Portugal	1986

(1) Il s'agissait alors de la République fédérale d'Allemagne.

État	Année d'adhésion
Union européenne (UE) (à partir du 1ᵉʳ novembre 1993)	
"EUROPE DES QUINZE"	
Autriche	1995
Finlande	1995
Suède	1995
"EUROPE DES VINGT-CINQ"	
Estonie	2004
Hongrie	2004
Lettonie	2004
Lituanie	2004
Malte	2004
Pologne	2004
République de Chypre	2004
République Tchèque	2004
Slovaquie	2004
Slovénie	2004
"EUROPE DES VINGT-SEPT"	
Bulgarie	2007
Roumanie	2007

Les États de l'Union européenne en 2009

Le saviez-vous ?

Peu après la fin de la Seconde Guerre mondiale, les États européens ont tenté de se rapprocher pour éviter tout nouveau risque de guerre. Le 9 mai 1950, le ministre français des Affaires étrangères, M. Robert Schuman, appelle à la création d'un espace économique unique pour les échanges du charbon et de l'acier. Ce discours est considéré comme l'acte fondateur de l'Europe.

Le traité créant la Communauté européenne du charbon et de l'acier (CECA) est signé à Paris le 18 avril 1951. Cette première communauté économique regroupe les six pays fondateurs de l'Europe : la France, la Belgique, le Luxembourg, les Pays-Bas, la République fédérale d'Allemagne et l'Italie. On commence à parler du principe d'une Europe unie.

Les États membres de la CECA décident d'étendre la coopération économique. La Communauté Économique Européenne (CEE) est née officiellement le 25 mars 1957, par la signature du Traité de Rome.

Le 1ᵉʳ novembre 1993, l'Union européenne (UE) remplace la Communauté Économique Européenne. Les parties membres ne considèrent plus cette entité comme étant principalement économique. L'UE devient une entité supranationale politique, économique et culturelle.

La CEE était fréquemment appelée le "Marché commun". Une autre façon de désigner la CEE puis l'UE est de donner le nombre de pays membres. On parlait ainsi d'Europe des Six, d'Europe des Douze, etc. Depuis le 1ᵉʳ janvier 2007, l'Union européenne est l'Europe des Vingt-sept...

Plusieurs traités – Acte unique européen (1986), Traité de Maastricht (1992), Traité d'Amsterdam (1997), Traité de Nice (2001) et Traité de Lisbonne (2007 ; entré en vigueur le 1ᵉʳ décembre 2009) – ont renforcé les institutions européennes et accru le rôle de l'UE sur les politiques individuelles des États.

Le Traité de Maastricht, ou Traité sur l'Union européenne, signé le 7 février 1992, a lancé la création de l'Union européenne.

L'Union européenne politique

Légende de la carte :
- Europe des Vingt-sept
- Zone Euro
- Pays candidats
- ⭐ Conseil de l'Union européenne
- ★ Parlement européen

L'UNION EUROPÉENNE
(au 1er janvier 2010)

État	Population	Régime politique	Monnaie
Allemagne (L')	82 329 760	République fédérale	Euro
Autriche (L')	8 210 280	République fédérale	Euro
Belgique (La)	10 414 336	Monarchie constitutionnelle	Euro
Bulgarie (La)	7 204 687	République	Nouveau lev
Chypre (La République de)	796 740	République parlementaire	Euro
Danemark (Le) (1)	5 500 510 (3)	Monarchie constitutionnelle	Couronne danoise
Espagne (L') (1)	46 661 950	Monarchie constitutionnelle	Euro
Estonie (L')	1 299 375	République parlementaire	Couronne estonienne
Finlande (La)	5 250 275	République parlementaire	Euro
France (La) (1)	64 667 374 (2)	République	Euro
Grèce (La)	10 737 430	République parlementaire	Euro
Hongrie (La)	9 905 595	République parlementaire	Forint
Irlande (L')	4 203 205	République	Euro
Italie (L')	58 126 215	République parlementaire	Euro
Lettonie (La)	2 231 505	République parlementaire	Lats
Lituanie (La)	3 555 180	République parlementaire	Litas
Luxembourg (Le)	491 775	Monarchie constitutionnelle	Euro
Malte	405 165	République	Euro
Pays-Bas (Les) (1)	16 715 995 (3)	Monarchie constitutionnelle	Euro
Pologne (La)	38 482 920	République parlementaire	Zloty
Portugal (Le) (1)	10 707 924	République parlementaire	Euro
République Tchèque (La)	10 211 905	République parlementaire	Couronne tchèque
Roumanie (La)	22 215 425	République parlementaire	Leu
Royaume-Uni (Le) (1)	61 381 180 (3)	Monarchie parlementaire	Livre sterling
Slovaquie (La)	5 463 050	République parlementaire	Euro
Slovénie (La)	2 005 695	République parlementaire	Euro
Suède (La)	9 059 655	Monarchie constitutionnelle	Couronne suédoise

(1) Les départements et territoires suivants sont membres de l'UE :
Espagne : Les Canaries
France : Martinique, Guadeloupe, Guyane et La Réunion (les DOM ; voir pages 134-135)
Portugal : Les Açores et Madère.
Sont exclus de l'UE :
Danemark : le Groenland
France : tous les pays et collectivités d'outre-mer (com) (voir pages 136-137).
Pays-Bas : Antilles Néerlandaises et Aruba.
Royaume-Uni : toutes les dépendances des Antilles et de l'Atlantique Sud ; voir page 29.

(2) Avec les DOM membres de l'Union européenne, mais hormis les 797 853 habitants et 31 967 km² des COM (voir pages 136-137).

(3) Partie métropolitaine membre de l'UE seulement.

Le saviez-vous ?

● **Au 1er janvier 2010**, l'Union européenne compte 27 États membres. Les deux membres les plus récents sont entrés dans l'UE le 1er janvier 2007.

● **L'Union européenne compte une population totale** de 498 235 110 habitants. Sa superficie totale est de 4 420 175 km². Enfin, elle est la première puissance économique au monde par son PNB global, 17 286,21 milliards de dollars, loin devant les États-Unis.

● **Trois pays** ont posé leur candidature pour rejoindre l'Union : la Croatie, la Macédoine et le Monténégro.

● **L'Union européenne n'est pas une fédération.** Cette entité politique supranationale, c'est-à-dire regroupant des États indépendants, est régie par une série de traités et dirigée par le Conseil de l'Union européenne et le Parlement européen.

● **Depuis le 4 mai 2000**, l'Union européenne a une devise, *In varietate concordia*, qui est rédigée en latin. Elle signifie "Unie dans la diversité".

● **L'Union européenne est la troisième entité politique au monde** par le nombre de ses habitants.

● **Les institutions de l'UE sont éclatées :** le Conseil de l'Union européenne est installé à Bruxelles, le Parlement européen siège à Strasbourg, et la Cour de justice européenne délibère à Luxembourg.

● **L'euro est la monnaie de l'Union européenne.** Il fut officiellement mis en service le 1er janvier 1999 pour les opérations comptables et économiques. Les pièces et les billets furent mis en circulation dans onze pays le 1er janvier 2002. Le 28 février 2002, l'euro supplanta les monnaies historiques de l'Europe (franc, lire, deutschemark, peseta, etc.).

● **La "zone euro"** est l'ensemble des 16 pays qui ont l'euro comme monnaie nationale (au 1er janvier 2010). Elle s'étendra en 2011 avec l'Estonie et en 2012 avec la Bulgarie.

● **Quatre États non membres de l'UE** ont adopté l'euro comme monnaie officielle – Monaco, Saint-Marin et le Vatican – ou bien comme monnaie d'usage, pour la Principauté d'Andorre.

L'Europe historique : de l'Empire

Le saviez-vous ?

● **Les premiers États d'Europe** sont apparus en Grèce ; ils formaient les cités de la Grèce antique. Ces cités étaient indépendantes les unes des autres, et souvent rivales, par exemple Athènes et Sparte. Ensuite, la République romaine, puis l'Empire romain à partir de 31 avant J.-C., ont dominé l'Europe occidentale et orientale pendant plus de quatre siècles.

● **La Gaule était composée** de multiples peuples d'origine celte. Comme dans nombre d'autres régions du Bassin méditerranéen, la culture orale de ces peuples fut remplacée par la langue et la culture de Rome. Les conquêtes de Rome expliquent pourquoi plusieurs pays d'Europe parlent des langues d'origine latine.

● **En 395, l'Empire romain** est partagé en deux, l'Empire romain d'Occident et l'Empire romain d'Orient. À partir de l'an 410, les invasions des tribus barbares vont ruiner la cité. La civilisation décline car les Barbares deviennent de plus en plus nombreux. Le dernier empereur, Romulus Augustule, est déposé en 476. L'Empire romain d'Occident s'effondre. L'Empire romain d'Orient deviendra l'Empire byzantin et durera jusqu'en 1453.

● **Vers 475, les Francs** arrivent de Germanie. Leur roi est Childéric Ier. À sa mort en 481, son fils Clodovegh, latinisé en Clovis, lui succède. Il prend le contrôle de presque toute la Gaule, fonde un vaste royaume franc, puis se fait baptiser dans la cathédrale de Reims. L'Occident chrétien est né.

● **Charlemagne était grand** (entre 1,95 et 2,05 mètres), imposant et charismatique. Contrairement à la légende, il ne portait pas de barbe, encore moins fleurie. De plus, il ne s'appelait pas ainsi, mais simplement Carolus en latin, la langue des érudits de l'époque. Couronné empereur d'Occident le jour de Noël de l'an 800, il fut surnommé Carolus Magnus, Charles le Grand. Son nom fut francisé en Charlemagne.

L'Empire romain : de César à l'apogée de l'Empire (IIIe siècle)

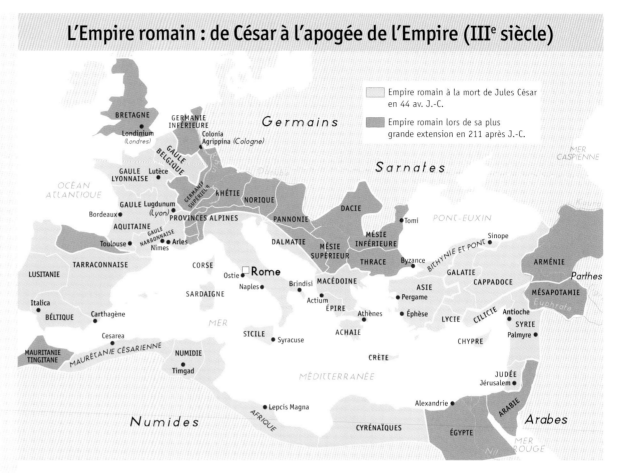

Empire romain à la mort de Jules César en 44 av. J.-C.

Empire romain lors de sa plus grande extension en 211 après J.-C.

L'Empire carolingien à la fin du règne de Charlemagne (814)

romain à la Renaissance

L'Europe en 843 : le partage de l'Empire carolingien par le traité de Verdun

Royaume de Charles le Chauve   Royaume de Lothaire   Royaume de Louis le Germanique

L'Europe au XIIIe siècle (1223) : mort de Philippe II dit Philippe Auguste

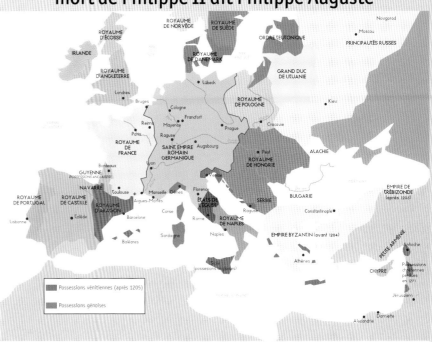

Possessions vénitiennes (après 1205)

Possessions génoises

L'Europe en 1492 : le début de la Renaissance

Possessions des Habsbourg

Limites du Saint-Empire romain germanique

Possessions de Venise

Le saviez-vous ?

● **Après la mort de Charlemagne en 814**, son seul fils survivant, Louis Ier Le Pieux, lui succède mais l'Empire carolingien subit rapidement de nombreuses attaques. À la mort de Louis en 840, l'Empire carolingien doit être partagé entre ses trois fils. Les querelles entre les petits-fils de Charlemagne, aussi vives que nombreuses, sont réglées par la signature du Traité de Verdun, le 8 ou 11 août 843. L'empire est divisé en trois parties. Sa partie occidentale prend le nom de Francie Occidentale, dont le premier roi est Charles II Le Chauve ; elle deviendra la France. La "Francie Orientale" deviendra le Saint-Empire romain germanique.

● **Dès 840**, les Vikings lancent des assauts contre les restes de l'Empire d'Occident. Les villes côtières puis fluviales de Francie Occidentale sont assaillies et pillées. En 845, les Vikings attaquent Paris ; la ville sera attaquée ou assiégée à cinq reprises jusqu'en 866. Le royaume est ravagé. En 911, Charles III Le Simple signe le Traité de Saint-Clair-sur-Epte, qui accorde un vaste territoire de la Francie aux Vikings. Il deviendra la Normandie, le "pays des hommes du Nord".

● **La plupart des grands royaumes** d'Europe occidentale existaient à la fin du Moyen Âge, fixée arbitrairement à 1492, même si leurs frontières différaient par rapport aux États modernes. La situation était beaucoup plus confuse en Europe centrale et orientale... Les guerres des XVIe et XVIIe siècles allaient sans cesse bouleverser les nations et les frontières.

L'Europe historique : de Louis XIV

Le saviez-vous ?

● **Le règne de Louis XIV** a profondément marqué l'Europe du XVIIe siècle, tant par sa longévité (72 ans officiellement, 54 ans dans les faits) que par le développement économique et commercial du royaume. En 1643, Louis XIV n'a que 5 ans. Le royaume de France compte déjà parmi les grands royaumes d'Europe. Sa population, d'environ 19,8 millions d'habitants, en fait le plus peuplé des puissances européennes. La mort prématurée de son père, Louis XIII, l'un des plus grands rois de France, place le jeune Louis sur le trône. Sa mère, Anne d'Autriche, assurera la régence jusqu'en 1661. À la mort du cardinal de Mazarin, Louis XIV, 23 ans, entamera alors son règne de monarque absolu.

● **Les frontières** des royaumes et des empires d'Europe ont beaucoup varié au gré des guerres et des alliances, tout au long du XVIIe siècle. En effet, le règne de Louis XIV est marqué par une longue période de guerres contre ses voisins européens. De ce fait, la victoire du roi de France sur les Pays-Bas espagnols en 1668 permet à la France de récupérer Lille et la Flandre. La Franche-Comté revient à la France en 1678 seulement. Le royaume de Louis XIV est alors à son apogée politique ; il est pourtant moins étendu que la France actuelle.

● **Au XVIIIe siècle**, le règne de Louis XIV a également connu son lot de conflits européens. La guerre de Sept Ans (1756-1763), perdue par la France contre la Prusse et l'Angleterre, a affecté l'Europe centrale et surtout les colonies françaises, mais n'a pas eu d'influence sur les frontières du royaume.

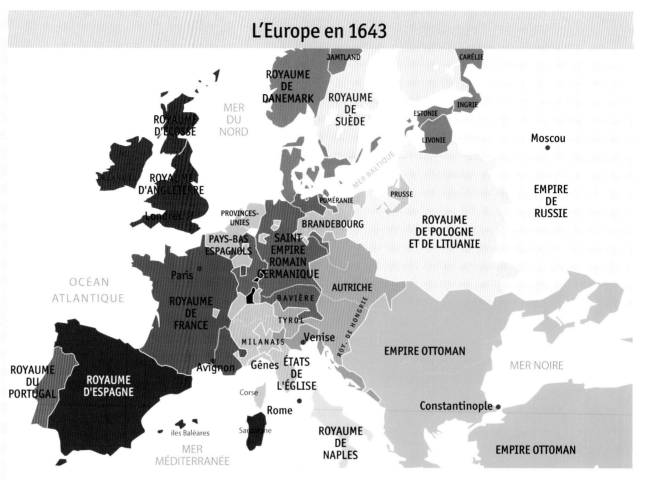

L'Europe en 1643

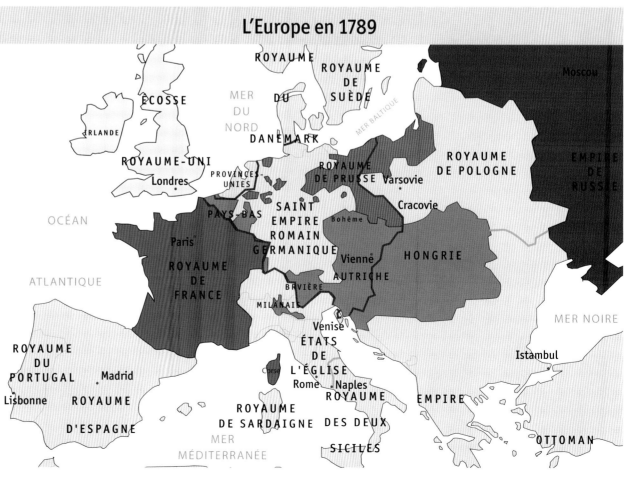

L'Europe en 1789

à Napoléon Ier

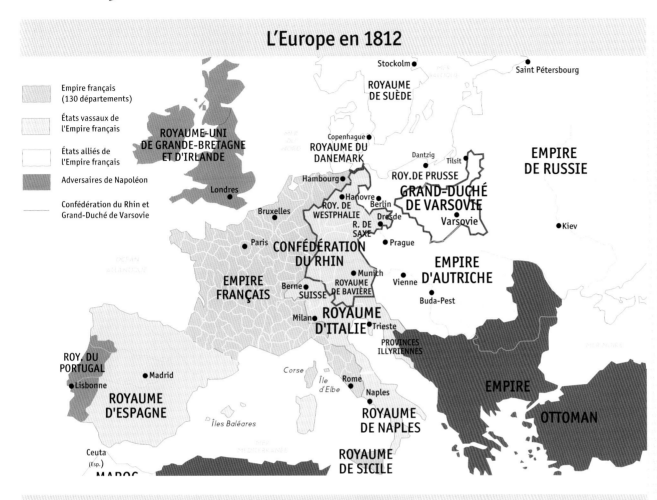

L'Europe en 1812

Empire français
(130 départements)

États vassaux de
l'Empire français

États alliés de
l'Empire français

Adversaires de Napoléon

Confédération du Rhin et
Grand-Duché de Varsovie

Stockolm
Saint Pétersbourg
ROYAUME
DE SUÈDE
ROYAUME-UNI
DE GRANDE-BRETAGNE
ET D'IRLANDE
Copenhague
ROYAUME DU
DANEMARK
Dantzig
Tilsit
EMPIRE
DE RUSSIE
Hambourg
ROY. DE PRUSSE
GRAND-DUCHÉ
DE VARSOVIE
Londres
Hanovre
Berlin
Bruxelles
ROY. DE
WESTPHALIE
Dresde
R. DE
SAXE
Varsovie
Kiev
Paris
CONFÉDÉRATION
DU RHIN
Prague
EMPIRE
FRANÇAIS
Berne
Munich
SUISSE
ROYAUME
DE BAVIÈRE
Vienne
EMPIRE
D'AUTRICHE
Buda-Pest
Milan
ROYAUME
D'ITALIE
Trieste
PROVINCES
ILLYRIENNES
ROY. DU
PORTUGAL
Madrid
Corse
Île
d'Elbe
Romé
EMPIRE
Lisbonne
Naples
ROYAUME
D'ESPAGNE
Îles Baléares
ROYAUME
DE NAPLES
OTTOMAN
Ceuta
(Esp.)
ROYAUME
DE SICILE
MAROC

L'Europe en 1815

Stockolm
Saint Pétersbourg
ROYAUME
DE SUÈDE
ROYAUME UNI
DE GRANDE-BRETAGNE
ET D'IRLANDE
ROY. DU
DANEMARK
EMPIRE
DE
RUSSIE
Londres
HANOVRE
ROYAUME DE PRUSSE
Berlin
ROY. DES
PAYS-BAS
Varsovie
Waterloo
CONFÉDÉRATION
Paris
GERMANIQUE
SAXE
ROYAUME
DE
FRANCE
SUISSE
BAVIÈRE
Turin
LOMBARDIE
VÉNÉTIE
EMPIRE D'AUTRICHE
PIÉMONT
ROYAUME DU
PORTUGAL
Madrid
Corse
Île
d'Elbe
ÉTATS
DE
L'ÉGLISE
Lisbonne
Rome
ROYAUME
D'ESPAGNE
iles Baléares
SARDAIGNE
EMPIRE
Ceuta
(Esp.)
ROYAUME
DES
DEUX-SICILES
OTTOMAN
MAROC
Sicile

Le saviez-vous ?

● **L'un des actes politiques majeurs du règne de Louis XV** aura été la signature du traité de Versailles (15 mai 1768), qui a obligé la République de Gênes à céder la Corse au roi de France. L'île est ainsi devenue française, un an seulement avant la naissance de Napoléon Bonaparte le 15 août 1769.

● **Les départements français** ont été créés en 1790, dès le début de la Révolution française, pour renforcer l'administration du pays.
La France en comptait initialement 83. À la suite des guerres napoléoniennes, la France comptera 130 départements en 1811... La France atteint alors la plus grande superficie de toute son histoire.
Les territoires de pays actuels comme la Belgique et les Pays-Bas, ainsi qu'une bonne partie de l'Italie, sont alors français.

● **La défaite de Napoléon à Waterloo** le 18 juin 1815 marque la fin de l'Empire.
Le congrès de Vienne et le traité de Paris du 20 novembre 1815 ramènent la France à ses frontières datant du début du règne de l'Empereur.
Elles ne différaient guère des frontières actuelles, et vont rester stables jusqu'à la Guerre franco-allemande de 1870.
En 1871, l'Empire allemand annexe l'Alsace et une partie de la Lorraine. Ces deux régions reviendront dans la République française en 1919.

L'Europe contemporaine

Le saviez-vous ?

● **La fin de la Première Guerre mondiale**, marquée par la défaite de l'Allemagne et de l'Empire d'Autriche-Hongrie (ou Empire Austro-hongrois), modifie considérablement la carte politique de l'Europe d'avant 1914. Le Traité du Trianon, signé le 4 juin 1920, a scellé le sort de ce vaste empire constitué d'une multitude de minorités. L'empire est divisé en huit et aboutit à la création de nouveaux États : l'Autriche, la Hongrie, la Tchécoslovaquie, la Yougoslavie. Par ailleurs, la Roumanie récupère une partie des territoires orientaux de l'empire déchu ; l'Italie fait de même avec le sud du Tyrol. Enfin, la Pologne devient indépendante de l'Empire de Russie.
Ce remodelage politique ne va pas sans tensions au sein des nouveaux États, mais ces frontières vont rester stables jusqu'en 1938.

● **Les frontières des États** d'Europe occidentale vont rester stables après 1918. Elles ne changeront plus jusqu'à notre époque.

● **Dès 1938**, le chancelier Adolf Hitler se lance dans une politique de conquêtes territoriales pour annexer à l'Allemagne les territoires de l'ancien Empire d'Autriche-Hongrie peuplés en majorité de peuples de culture germanique. Le 13 mars 1938, l'Autriche est officiellement annexée par l'Allemagne et devient une province du Reich, l'État allemand dirigé par A. Hitler. Cette annexion est connue sous le nom allemand d'Anschluss. Puis, une partie de la Tchécoslovaquie est annexée en septembre 1938 et mars 1939. Les puissances occidentales protestent mais ne réagissent pas. L'invasion de la partie orientale de la Pologne, le 1er septembre 1939, déclenche la Seconde Guerre mondiale.

● **Après la guerre**, la Conférence de Yalta, du nom d'une ville de Crimée, tente d'instaurer un nouvel ordre politique en Europe, la "Déclaration sur l'Europe libre". Cette conférence n'a pas livré l'Europe orientale à l'URSS, mais a néanmoins permis à Staline d'imposer de force le régime de l'URSS à tous les pays occupés par l'Armée rouge depuis la fin de la guerre. La Guerre froide commence, l'Europe est à nouveau divisée par le "Rideau de fer" entre les puissances occidentales et les pays de l'Est. L'Allemagne est partagée selon cette division, entre la République fédérale d'Allemagne et la République démocratique allemande. Cette situation va durer de 1945 à 1990, une longue période sans guerre mais avec de vives tensions entre les pays occidentaux et le bloc de l'Est, durant laquelle les frontières ne changeront plus.

● **Bien que dirigée par un régime communiste**, la Yougoslavie s'est très tôt, dès 1948, démarquée des positions de l'URSS.

● **L'Albanie** s'est enfermée dans un régime communiste progressivement inspiré par les idées du président Mao. Le pays a été complètement isolé jusqu'en 1990.

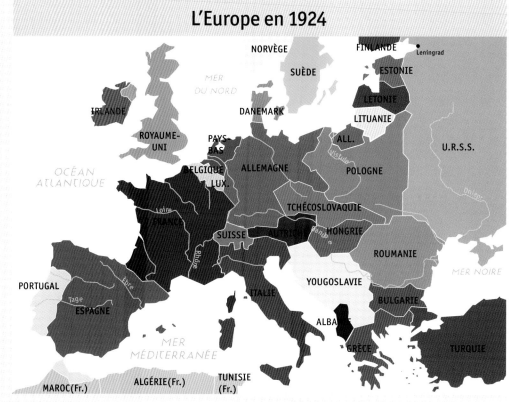

L'Europe en 1914

L'Europe en 1924

L'Europe en 1939

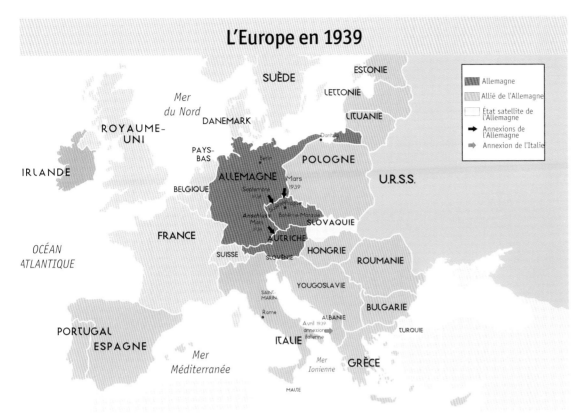

SUÈDE
ESTONIE
LETTONIE
LITUANIE

Mer du Nord
DANEMARK
ROYAUME-UNI
PAYS-BAS
IRLANDE
Berlin
POLOGNE
ALLEMAGNE
U.R.S.S.
BELGIQUE
Dantzig
Mars 1939
Septembre 1938
SLOVAQUIE
FRANCE
Bohême-Moravie
Anschluss Mars 1938
AUTRICHE
HONGRIE
ROUMANIE
SUISSE
SLOVÉNIE
OCÉAN ATLANTIQUE
SAINT-MARIN
YOUGOSLAVIE
Rome
BULGARIE
PORTUGAL
ESPAGNE
Avril 1939 annexion italienne
ALBANIE
TURQUIE
ITALIE
Mer Méditerranée
Mer Ionienne
GRÈCE
MALTE

Allemagne
Allié de l'Allemagne
État satellite de l'Allemagne
Annexions de l'Allemagne
Annexion de l'Italie

L'Europe en 1989

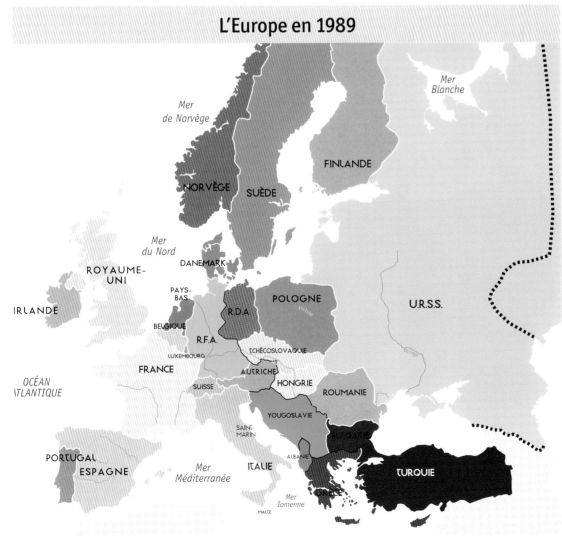

Mer Blanche

Mer de Norvège

FINLANDE

NORVÈGE
SUÈDE

Mer du Nord
DANEMARK
ROYAUME-UNI
PAYS-BAS
IRLANDE
R.D.A.
POLOGNE
U.R.S.S.
BELGIQUE
Vistule
R.F.A.
LUXEMBOURG
TCHÉCOSLOVAQUIE
Danube
FRANCE
AUTRICHE
SUISSE
HONGRIE
ROUMANIE
OCÉAN ATLANTIQUE
SAINT-MARIN
YOUGOSLAVIE
BULGARIE
PORTUGAL
ALBANIE
ESPAGNE
Mer Méditerranée
ITALIE
TURQUIE
GRÈCE
Mer Ionienne
MALTE

ANNÉE 1989 : L'EUROPE BOULEVERSÉE

Après la Seconde Guerre mondiale, l'Europe est divisée essentiellement en deux blocs : l'Europe occidentale est alliée aux États-Unis, tandis que l'Europe centrale et orientale tombe sous l'emprise de l'URSS. La Suisse reste neutre. De 1946 à 1989, la situation n'évoluera pas. Durant cette période de la Guerre froide, l'URSS dirige d'une poigne de fer les "démocraties populaires" d'Europe de l'Est. Toute tentative de liberté est durement réprimée par le régime communiste, comme en Hongrie en 1956 et en Tchécoslovaquie en 1968. L'URSS est ainsi séparée du monde occidental par ses "alliés socialistes".

Dans la nuit du 12 au 13 août 1961, la ville de Berlin, alors entièrement enclavée dans la République démocratique allemande, est divisée par une séparation, qui prend vite le nom de Mur de Berlin, ou Mur de la honte. Initialement érigé en grillages et fil de fer barbelés, le mur se transforme rapidement en un double ouvrage de béton, avec des miradors et des points de contrôle. Le Mur est long de 43,1 kilomètres. Il divise des rues, des places, des quartiers, séparant des familles.

Les habitants du secteur soviétique de Berlin sont définitivement isolés de ceux des secteurs américains, britanniques et français, instaurés après la défaite de l'Allemagne d'Hitler. L'immigration massive de l'Est vers l'Ouest libre n'est plus possible ; pas moins de 3,5 millions d'Allemands de l'Est avaient fui leur pays depuis 1949... Environ 1 100 personnes seront abattues entre 1961 et 1989 pour avoir tenté de franchir le Mur de la honte.

Dès 1985, une certaine libéralisation du régime soviétique est sensible. Il n'en fallait pas plus pour que le 9 novembre 1989, la foule de Berlin Est ouvre une brèche dans le Mur. Les redoutables soldats est-allemands ne réagissent pas. Le mur tombe petit à petit, les citoyens de l'Est passent à l'Ouest. Moins de deux ans après, l'Allemagne est réunifiée, l'URSS s'effondre, ses anciennes « républiques » deviennent indépendantes, le régime communiste est mort. Une autre Europe est née.

73

Les langues en Europe

Le saviez-vous ?

L'Europe compte 35 langues officielles, telles que le français, l'allemand, l'anglais, auxquelles s'ajoutent au moins 228 langues régionales. Certaines ont un statut officiel, mais la plupart ne sont pas considérées comme langues officielles d'une région.

Il ne faut pas confondre ces langues régionales, parfois riches d'une littérature majeure, comme l'occitan, avec des dialectes ; ces derniers ne sont que des formes locales et orales d'une langue nationale ou régionale.

La majorité des langues parlées en Europe est issue de la famille des langues indo-européennes. On y range les langues romanes (ou langues latines), grecques, germaniques et slaves. Le hongrois, le finnois (parlé en Finlande), l'estonien et le lapon, ne sont pas des langues indo-européennes. Elles appartiennent à la famille des langues finno-ougriennes.
Le turc appartient aux langues altaïques (langues parlées en Asie centrale). Le maltais est une langue dérivée de l'arabe, du groupe des langues sémitiques. Enfin, la langue basque est une langue isolée, qui constitue une famille distincte.

Les langues romanes ou latines comprennent, pour les langues officielles nationales, l'italien, le français (langue d'oïl), l'espagnol (le castillan), le portugais, le roumain, et le romanche. À ces langues, il faut ajouter de très nombreuses autres langues, dont les plus répandues ou connues sont l'occitan (la langue d'oc, qui comprend notamment le provençal), le catalan, le corse, le sarde, le piémontais, le picard, etc.

Toutes les langues romanes sont issues du latin vulgaire, la langue parlée par les marchands et surtout par les soldats romains, et non du latin classique.

Le texte des Serments de Strasbourg, signés les 14 ou 15 février 842, en conclusion d'une alliance militaire entre deux petits-fils de Charlemagne, est le premier document écrit en roman, c'est-à-dire en français primitif.

L'ordonnance de Villers-Cotterêts, promulguée vers le 15 août 1539 par François Ier, a fait du français la langue officielle exclusive du royaume, en lieu et place du latin. Cette dernière restera encore longtemps la langue des médecins, des savants et des juristes.

Si le hongrois, le finnois et l'estonien sont issus de langues parlées dans l'est de l'Asie centrale, l'origine du basque reste inconnue ! Très ancienne, elle semble issue de la région du Caucase, voire de l'est de l'Inde. Elle aurait été apportée par un peuple arrivé en Europe au moins 2 000 ans avant notre ère.

Répartition des langues en Europe

Langues romanes :
- français
- italien
- castillan (espagnol)
- portugais
- roumain
- catalan
- romanche
- galicien
- corse
- sarde

Langues anglo-saxonnes et germaniques :
- allemand
- néerlandais
- anglais
- suédois
- norvégien
- danois
- alsacien

Langues slaves :
- russe
- polonais
- tchèque
- slovaque
- serbo-croate
- ukrainien
- biélorusse
- bulgare

Autres langues :
- finnois
- gaélique
- balte
- grec
- turc
- hongrois
- albanais
- lapon
- basque

Mer de Norvège

NORVÈGE

Mer du Nord

DANEMARK

ROYAUME-UNI

IRLANDE

PAYS-BAS

ALLEMAGNE

BELGIQUE

OCÉAN ATLANTIQUE

FRANCE

SUISSE

PORTUGAL

ESPAGNE

Mer Méditerranée

TUNISIE

ALGÉRIE

Mer
de Barents

Mer
Blanche

SUÈDE

FINLANDE

ESTONIE

FÉDÉRATION DE RUSSIE

LETTONIE

Mer
Baltique

FÉD. DE
RUSSIE

LITUANIE

BIÉLORUSSIE

POLOGNE

RÉPUBLIQUE
TCHÈQUE

SLOVAQUIE

UKRAINE

UTRICHE

HONGRIE

MOLDAVIE

LOVÉNIE

CROATIE

ROUMANIE

BOSNIE-
HERZÉGOVINE

SERBIE

MONTÉNÉGRO

BULGARIE

Mer Noire

TALIE

MACÉDOINE

ALBANIE

GRÈCE

TURQUIE

Mer
Ionienne

Le saviez-vous ?

● **L'allemand**, parlé en Allemagne, en Autriche, dans la plus grande partie de la Suisse et du Luxembourg, ainsi que dans quelques régions d'Europe centrale, devance le français (France, Belgique, Monaco et Suisse, plus l'extrême nord-ouest de l'Italie) en nombre de locuteurs, c'est-à-dire de personnes pratiquant couramment cette langue. Ainsi, 23,3 % des Européens parlent l'allemand en langue maternelle ou langue d'usage, contre 18,6 % qui parlent le français. Ensuite, viennent l'anglais, 15,9 %, et l'italien, 15,5 %.

● **Aux langues fixées sur un territoire géographique**, représentées sur la carte, il faut ajouter la langue des Roms, peuple de nomades dont les origines se retrouvent au nord de l'Inde, et le yiddish, mélange d'allemand, de slave et d'hébreu, langue parlée par les Juifs d'Europe centrale, de Russie et d'Ukraine. On estime qu'entre 800 000 et 1 million de personnes parlent le yiddish en Europe, dont environ 100 000 en France.

● **Le celte est une langue** évidemment très ancienne, puisque les Celtes sont arrivés en Europe occidentale vers 1 300 ans avant notre ère. Leur langue s'est diversifiée dans la région Atlantique, pour donner naissance au gaélique, actuellement la première langue d'Irlande, et aux différentes variantes que sont le gaélique du Pays de Galles (le gallois), le gaélique d'Écosse, le mannois (parlé sur l'île de Man) et le breton. D'autres langues d'origine celte sont maintenant éteintes.

● **Pas moins de 21 langues et dialectes** sont répertoriés en Allemagne, 14 en Espagne, dont beaucoup font office de langue officielle pour une ou plusieurs provinces (catalan, basque, galicien, etc.), 12 au Royaume-Uni, et 25 en France.

● **En France**, seul le français a le statut de langue officielle, mais le breton, le basque, le catalan, l'occitan, le picard, l'alsacien et le corse sont encore très pratiqués. Nombre de panneaux routiers sont traduits en breton, langue également enseignée dans des établissements publics.

● **Le nombre de langues parlées dans un État** ne dépend pas de sa superficie. Certes, la Russie compte environ 60 langues, contre une seule au Liechtenstein. Toutefois, la Suisse compte quatre langues officielles (l'allemand, le français, l'italien et le romanche).

● **Le minuscule État de la Cité du Vatican** ne compte aussi pas moins de quatre langues officielles : l'italien pour la vie quotidienne, le français pour les relations internationales, l'allemand des membres de la Garde suisse, et enfin le... latin, comme langue ecclésiastique et juridique. Le latin n'est donc pas tout à fait une langue morte !

● **Malgré sa diversité culturelle**, l'Europe ne compte que 3 % des langues parlées dans le monde. Par exemple, l'Océanie est riche d'environ 1 320 langues...

L'Europe

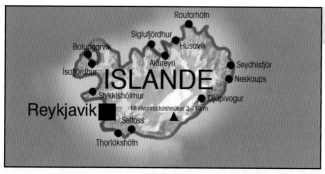

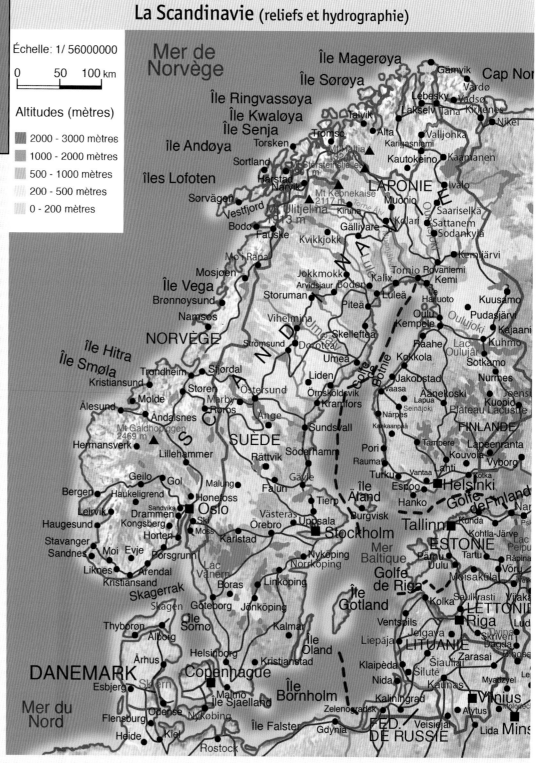

La Scandinavie (reliefs et hydrographie)

Échelle: 1/ 56000000

0   50   100 km

Altitudes (mètres)

- 2000 - 3000 mètres
- 1000 - 2000 mètres
- 500 - 1000 mètres
- 200 - 500 mètres
- 0 - 200 mètres

Le saviez-vous ?

La Scandinavie est la région septentrionale de l'Europe. Sur des critères géographiques et culturels, elle inclut les États suivants : le Danemark, la Suède et la Norvège ; dans un sens plus récent, les géographes y ajoutent la Finlande. L'Islande est culturellement associée à la Scandinavie.

La Péninsule scandinave ne doit pas être confondue avec la Scandinavie. Sur le plan purement géographique, la péninsule Scandinave n'inclut que les territoires correspondant à la Suède, la Norvège et une partie de la Finlande.

Les roches de la Péninsule scandinave sont très anciennes. Elles datent de l'Ère primaire, environ -450 à -420 millions d'années. Ce "bouclier scandinave" s'est formé suite à un mouvement de l'écorce terrestre.

Bien que territoire du Danemark, le Groenland est exclu de la Scandinavie. Sa position le place plutôt en Amérique du Nord.

Le Cap Nord marque le point le plus septentrional de l'Europe, à la latitude de 71°10′15″ nord. Il est situé sur une petite île appartenant à la Norvège.

Les côtes de la Norvège sont extrêmement découpées en une multitude de fjords, de baies encaissées et d'îles. Si la longueur du littoral norvégien est d'environ 2 520 km, il monte à plus de 83 000 km si on inclut la longueur totale du littoral des 50 000 îles des côtes norvégiennes !

Sur une superficie totale de 338 148 km², la Finlande compte 33 672 km² de lacs, soit 10 % de surface du pays. La Finlande est le "Pays des mille lacs".

La Scandinavie, au sens du Danemark, de la Suède et de la Norvège, est le territoire des Vikings, qui ont conquis une bonne partie de l'Europe au Moyen Âge. Le traité de Saint-Clair-sur-Epte, signé le 11 juillet 911 entre le roi franc Charles III le Simple et le chef viking Rollon, a donné une partie du royaume franc aux "Hommes du Nord". C'est l'actuelle Normandie.

Le Danemark, la Suède et la Norvège sont tous des monarchies constitutionnelles et des royaumes.

La Suède et le Danemark comptent parmi les plus anciens États d'Europe. La Norvège n'est devenue indépendante de la Suède qu'en 1905.

Entre 1808 et 1917, la Finlande était sous domination de la Russie.

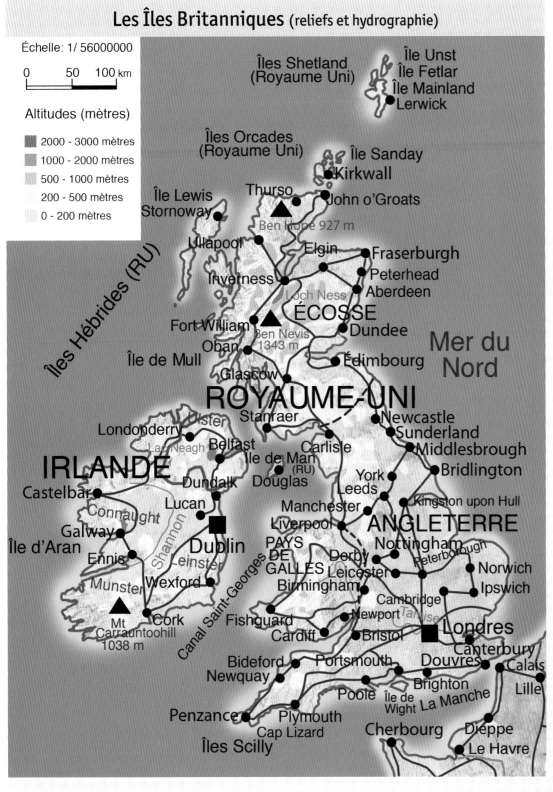

Les Îles Britanniques (reliefs et hydrographie)

Échelle: 1/ 56000000

0   50   100 km

Altitudes (mètres)

- 2000 - 3000 mètres
- 1000 - 2000 mètres
- 500 - 1000 mètres
- 200 - 500 mètres
- 0 - 200 mètres

Îles Shetland (Royaume Uni)
Île Unst
Île Fetlar
Île Mainland
Lerwick

Îles Orcades (Royaume Uni)
Île Sanday
Kirkwall
Thurso
John o'Groats
Île Lewis
Stornoway
Ben Hope 927 m
Ullapool
Elgin
Fraserburgh
Inverness
Peterhead
Loch Ness
Aberdeen
ÉCOSSE
Fort William
Ben Nevis 1343 m
Dundee
Oban
Île de Mull
Édimbourg
Glasgow
Mer du Nord
ROYAUME-UNI
Ulster
Stranraer
Newcastle
Londonderry
Sunderland
Lough Neagh
Belfast
Carlisle
Middlesbrough
IRLANDE
Île de Man (RU)
Bridlington
Castelbar
Dundalk
Douglas
York
Leeds
Connaught
Lucan
Manchester
Kingston upon Hull
Galway
Liverpool
ANGLETERRE
Île d'Aran
Shannon
Dublin
PAYS DE GALLES
Nottingham
Peterborough
Ennis
Leinster
Derby
Norwich
Munster
Wexford
Leicester
Ipswich
Birmingham
Mt Carrauntoohill 1038 m
Cork
Fishguard
Cambridge
Canal Saint-Georges
Cardiff
Newport
Tamise
Londres
Bristol
Canterbury
Bideford
Portsmouth
Douvres
Calais
Newquay
Brighton
Lille
Penzance
Poole
Île de Wight
La Manche
Cherbourg
Dieppe
Plymouth
Cap Lizard
Le Havre
Îles Scilly
Îles Hébrides (RU)

LISTE DES ÉTATS ET NATIONS DES ILES BRITANNIQUES
(au 1er janvier 2010)

État Nations	Population	Superficie (km²)
ROYAUME-UNI	61 853 610 (*)	244 820
Angleterre	51 446 800	130 395
Écosse	5 155 680	78 775
Pays-de-Galles	2 993 100	20 779
Ulster	1 775 600	13 845
IRLANDE	4 203 205	70 278

(*) y compris les territoires d'outre-mer (voir page 29). La partie européenne située sur les Îles Britanniques compte 61 381 110 habitants.

Le saviez-vous ?

● **Il ne faut pas confondre** Angleterre, Grande-Bretagne, Îles Britanniques, et Royaume-Uni. Ce dernier nom est le nom de l'État, royaume dont le nom complet est "Royaume-Uni de Grande-Bretagne et d'Irlande du Nord". Il regroupe quatre "nations" disposant d'une certaine autonomie : l'Angleterre, le Pays de Galles, l'Écosse, et l'Ulster (Irlande du Nord). La Grande-Bretagne est le nom de l'île principale des Îles Britanniques, archipel qui inclut aussi l'Irlande (au sens d'île) et d'autres petites îles, comme l'Île de Man, les Shetland et les Hébrides.

● **Les Îles Britanniques** comptent environ 5 595 îles. Elles couvrent une superficie totale de 315 137 km². Cette superficie se divise en 229 949 km² pour la Grande-Bretagne, 81 638 km² pour l'Irlande et la différence pour les diverses petites îles de l'archipel.

● **Bien que la Grande-Bretagne** soit la neuvième île au monde et la première île d'Europe par sa superficie, elle est relativement basse. Le plus haut sommet de l'île est le Mont Ben Nevis, en Écosse, qui culmine à 1 344 mètres.

● **Le Royaume-Uni** fut officiellement créé le 1er mai 1707 par l'union politique des royaumes d'Angleterre et d'Écosse et de la principauté de Galles. La République d'Irlande devint indépendante du Royaume-Uni en 1922.

● **La devise du Royaume-Uni**, "Dieu et mon droit", qui est également celle de l'Angleterre, est rédigée en français.

● **Chacune des nations composant le Royaume-Uni** dispose d'un parlement et d'un Premier ministre. Elles sont relativement autonomes pour leurs affaires intérieures.

● **Les Îles Anglo-Normandes** et l'Île de Man sont des "dépendances de la Couronne", c'est à dire qu'elles appartiennent directement au pouvoir royal britannique (mais pas au souverain en personne !). Toutefois, ces îles sont largement autonomes et n'appartiennent pas à l'Union européenne.

L'Europe

Le saviez-vous ?

Le Benelux est l'association économique et culturelle de trois États, la Belgique, les Pays-Bas et le Luxembourg. Son nom est formé d'après les premières lettres du nom de chacun des pays dans leur langue nationale, BElgique-NEderland-LUXembourg. Cette association fut créée en 1944, pour renforcer le poids économique de ces petits pays en Europe.

Les pays du Benelux sont tous des monarchies. La Belgique et les Pays-Bas sont des royaumes sous le régime de la monarchie constitutionnelle; le Luxembourg est un grand-duché.

L'importance politique et économique des États du Benelux est considérable. En Belgique, Bruxelles abrite la Commission européenne, qui est le gouvernement de l'Union européenne et le Conseil de l'Union européenne. Bruxelles est aussi le siège de l'OTAN (Organisation du Traité de l'Atlantique Nord). Au total la ville accueille 120 institutions internationales. Aux Pays-Bas, Rotterdam est le premier port maritime européen et le troisième port mondial. Quant au Luxembourg, la petite ville de Luxembourg est l'une des principales places financières au monde.

Cette région de l'Europe est réputée pour son absence de relief. Le point culminant de la Belgique est à 694 mètres (Mont Botrange), tandis que le Luxembourg ne dépasse pas 560 mètres à la colline de Kneiff. Enfin, les Pays-Bas culminent à 321 mètres au Mont Vaalser.

Environ 41 % de la superficie des Pays-Bas est située sous le niveau de la mer à marée haute, et 20 % supplémentaires sont à son niveau. Un gigantesque système de digues et d'écluses protège le pays depuis le XIVe siècle.

Hollande ou Pays-Bas ? La Hollande ne constitue qu'une région de l'État des Pays-Bas. Toutefois, comme la Hollande abrite de grandes villes comme Amsterdam et Rotterdam, elle est souvent assimilée, à tort, avec le pays.

Amsterdam est bien la capitale du royaume des Pays-Bas, bien que le gouvernement siège à La Haye. Cette petite ville abrite aussi la plupart des administrations, et plusieurs instances internationales, comme la Cour de justice internationale.

Malgré une longue histoire, la Belgique ne devint indépendante des Pays-Bas que le 4 octobre 1830, après une révolution sanglante.

Quant au Luxembourg, si ses origines remontent à l'an 963, il connut une histoire tumultueuse jusqu'au XIXe siècle. Longtemps partie des Pays-Bas avec les régions de l'actuelle Belgique, le Grand-Duché devint indépendant une première fois en 1815, puis définitivement en 1867.

Le Benelux (reliefs et hydrographie)

Mer du Nord

Îles Frisonnes
Île Schiermonnikoog
Île Ameland
Île Terschelling
Île Vlieland
Île Texel

Groningue
Harlingen
Assen
Zaanstad
Haarlem
HOLLANDE
Amsterdam
La Haye
PAYS-BAS
Rotterdam
Dordrecht
Breda
Eindhoven
Anvers
Maastricht
Bruges
Gand
Tournai
Bruxelles
Cologne
BELGIQUE
Liège
Lille
Mons
Namur
Ardennes
Luxembourg
St-Quentin
LUXEMBOURG

Échelle: 1/ 56000000

0   50   100 km

Altitudes (mètres)

2000 - 3000 mètres	500 - 1000 mètres
1000 - 2000 mètres	200 - 500 mètres
	0 - 200 mètres

L'Allemagne et la Suisse (reliefs et hydrographie)

Échelle: 1/ 56000000

0   50   100 km

Altitudes (mètres)

2000 - 3000 mètres
1000 - 2000 mètres
500 - 1000 mètres
200 - 500 mètres
0 - 200 mètres

Le saviez-vous ?

● **La moitié nord de l'Allemagne** est une partie de la grande plaine qui couvre le nord de l'Europe occidentale. Le point culminant de l'Allemagne est le Zugspitze (2 964 mètres), situé dans les Alpes bavaroises à la frontière avec l'Autriche.

● **Le nord de l'Allemagne** est bordé par la mer Baltique. Cette mer peu profonde est très peu salée. En fait, la Baltique est un ancien lac d'eau douce, qui communique avec l'océan depuis seulement 10 000 ans.

● **L'Allemagne a formé le cœur** du Saint Empire Romain Germanique entre 962 et 1806. Morcelé entre plusieurs États et royaumes, le territoire fut réunifié, en 1871, en un nouvel empire (Reich) dominé par la Prusse ; il dura jusqu'en 1918.

● **À la fin de la Seconde Guerre mondiale**, l'Allemagne fut occupée par les armées des pays vainqueurs. Sa partie orientale fut sous la domination de l'armée russe. En 1949, l'Allemagne fut divisée entre la République fédérale d'Allemagne (RFA) et République démocratique allemande (RDA).

● **L'Allemagne actuelle** résulte de la réunification de la RFA et de la RDA, qui eut lieu le 3 octobre 1990, soit onze mois après la chute du mur de Berlin (voir pages 72-73). Sa capitale est Berlin.

● **Le système politique de l'Allemagne** est celui d'une république fédérale. Le pays est divisé en 16 *Länder*, autonomes dans un certain nombre de domaines.

● **Le nom officiel** de la Suisse est "Confédération suisse" et non pas "Confédération helvétique". La Suisse est traitée en détails pages 130-133.

Le Liechtenstein, situé sur la haute vallée du Rhin entre la Suisse et l'Autriche, est l'un des plus petits États d'Europe. Sa fondation est très ancienne. Il ne devint indépendant du Saint-Empire romain germanique qu'en 1807. Il n'appartient pas à l'Union européenne.

Le pays est une principauté. Son régime est une démocratie parlementaire mais le prince dispose de pouvoirs importants. La capitale, Vaduz, ne compte guère plus de 5 150 habitants !

La langue officielle du Liechtenstein est l'allemand. Sa monnaie est le Franc suisse. Cet État est une place financière très importante.

Le Liechtenstein occupe le premier rang mondial pour le montant du PNB par habitant, avec 122 100 dollars.

Au Liechtenstein, le droit de vote ne fut accordé aux femmes qu'en 1984, et seulement pour les scrutins nationaux !

L'Europe

L'Europe centrale et orientale est dominée par la chaîne des Carpates. Si les Alpes forment la chaîne la plus élevée d'Europe en dehors du Caucase, la chaîne des Carpates est la plus longue. Elle s'étire sur environ 1 500 kilomètres, depuis l'extrême est de l'Autriche jusqu'à l'ouest de l'Ukraine. Les Carpates culminent à 2 655 mètres au Mont Gerlachovsky, situé en Slovaquie.

Les Carpates sont divisées en sept ou huit massifs, dont certains portaient autrefois le nom d'"Alpes", par exemple les Alpes de Transylvanie (en Roumanie), sont maintenant les Carpates méridionales.

La chaîne des Carpates prolonge les Alpes, dont elle a les mêmes origines géologiques, c'est-à-dire le contact des plaques tectoniques africaine et eurasienne.

La Plaine hongroise, grande plaine insérée entre les Alpes, les Carpates et les montagnes de la péninsule des Balkans, est relativement sèche. Les montagnes bloquent les précipitations venant de la mer Adriatique. Cette plaine, couvrant la Hongrie et une partie de la Roumanie, est une zone de steppe ou de prairie.

À l'exception du lac Balatón, situé en Hongrie et d'une superficie de 594 km^2, l'Europe centrale ne compte aucun lac d'importance.

Le Danube est le second fleuve d'Europe, avec un cours de 2 902 kilomètres entre la Forêt Noire, en Allemagne, où il prend sa source, et son delta en Roumanie. Le Danube marque les frontières de dix pays. Son bassin, c'est-à-dire les cours du fleuve et de ses affluents, couvre 19 pays d'Europe !

Le Danube est le seul fleuve au monde à traverser quatre capitales d'États : Vienne (Autriche), Bratislava (Slovaquie), Budapest (Hongrie) et Bucarest (Roumanie).

Tant les forêts des Carpates que la Plaine hongroise et le delta du Danube constituent des milieux naturels très riches en espèces animales et végétales. Ils sont aussi très menacés.

Au nord des Carpates et des Monts de Bohême s'étend une vaste plaine, qui couvre le nord de l'Europe depuis les Pays-Bas jusqu'à la Pologne puis la Russie occidentale.

L'Europe centrale a connu une histoire aussi riche que troublée. Constituée de multiples comtés, duchés, principautés et royaumes (Bohême, Dalmatie, Carinthie, Transylvanie, Moravie, etc.), cette région fut rassemblée sous la forme de l'Empire d'Autriche (1804-1867), puis du puissant Empire d'Autriche-Hongrie (ou Empire Austro-hongrois), de 1867 à 1920. Sa capitale était Vienne. En 1914, il couvrait 675 615 km^2.

L'Europe centrale (reliefs et hydrographie)

Échelle: 1/ 56000000

0   50   100 km

Altitudes (mètres)

- 2000 - 3000 mètres
- 1000 - 2000 mètres
- 500 - 1000 mètres
- 200 - 500 mètres
- 0 - 200 mètres

L'Europe orientale (reliefs et hydrographie)

Moisakula · Vijaka · Vychik Volotcheck · Iaroslav
Saulkrasti · Tver · Ivanovo
LETTONIE · Zelenograd · Vladimi
Riga · Ludza · Velikie Louki
Skiveri · Dagda · Viazma · Moscou
Zarasai · Bihosava · Gorodok
Novopolatsk · Vitebsk · Kaluga · Tula
Vilnius · Lepel · Orcha · Smolensk
Myadzyel · Chachnik
Alytus · Molodechno · Baryssav · Kaluga
Lida · Niemen · Minsk · Moguilev · Plateau de Russie
BIÉLORUSSIE · Kastyukovitchi · Centrale · FÉDÉRATIO
Kobryn · Baranavitchy · Bobrouisk · Briansk · Orel · DE RUSSIE
Drahitchyn · Mazyr · Gomel
Vladimir-Volinskyï · Pinsk · Pripet · Shostka · Ieleznogorsk
Olevsk · Narowlya · Tchernigov · Glukhov · Koursk · Voroney
Sarny · Tchernobyl · Konotop · Soumy · Belgorod · Liski
Loutsk · Rivne · Korosten · Kiev · Okhtyrka
UKRAINE · Jitomir · Romny
Lviv · Ternopil · Belaya Tserkov · Kharkiv
Khmelnitskii · Tcherkassy · Dnipropetrovsk · Koupiansk
Dniestr · Vinnistsa · Kirovograd · Starobelsk
Siret · Bălți · Zaporojie · Donetsk · Krasnyï
Ouman · Nikopol · Orikhiv
MOLDAVIE · Boug · Melitopol
Iași · Chisinau · Mikolaïev · Marioupol
Bacău · Cahul · Odessa · Kherson · Berdiansk
ROUMANIE · Illitchivsk · Armyansk · Mer d'Azov
Galati · Artsyz · Djankoï · Crimée · Krasnodar
Mt Moldoveanu 2544 m · Brăila · Tulcea · Ievpatoria · Simferopol
Buzău · Sébastopol · Yalta
Bucarest · Constanza · Novorossisk · Maykop
Giurgiu · Danube · Aïtalar
Roussé · Dobritch · Mer Noire · Sotchi
Doulovo · Varna · Soukhoumi
BULGARIE · Biala · Koutaïss
Pic Musala 2925 m · Bourgas · Batoum
Edirne · Cide · Sinop · Hopa
Soufli · Keşan · Sile · Inebolu · Bafra
Gelibolu · de Marmara · Istanbul · Zonguldak · Kizil Irmak · Samsun · Ordu · Trabzon
Bursa · TURQUIE · Kastamonu
Mer de Thrace · Ankara · Kirikkale · Tokat · Zara · Erzinca

Échelle: 1/ 56000000

0   50   100 km

Altitudes (mètres)

- 2000 - 3000 mètres
- 1000 - 2000 mètres
- 500 - 1000 mètres
- 200 - 500 mètres
- 0 - 200 mètres

Le saviez-vous ?

● **L'Empire d'Autriche-Hongrie** était l'association de l'Empire d'Autriche, du Royaume de Hongrie, et de la Bosnie-Herzégovine, région administrée par les deux autres entités. Constitué d'une multitude de minorités, cet empire était très instable.

● **En 1920, l'Empire d'Autriche-Hongrie**, qui figurait parmi les vaincus de la Première Guerre mondiale, fut divisé en huit parties, ce qui a abouti à la création de nouveaux États : l'Autriche, la Hongrie, la Tchécoslovaquie et la Yougoslavie. La Roumanie a récupéré la Transylvanie.

● **En 1918, la Pologne** est devenue indépendante de l'Empire de Russie. Toutefois, ses frontières ont varié au gré des événements du XXe siècle jusqu'en 1945.

● **Après la Seconde Guerre mondiale**, la plus grande partie de l'Europe centrale et orientale est tombée sous l'emprise de l'Union soviétique. La Tchécoslovaquie, la Hongrie, la Roumanie, la Bulgarie et la Pologne ont été transformées en républiques socialistes. L'Allemagne de l'Est (la RDA) les a rejointes en 1949.

● **Le 1er janvier 1993**, la Tchécoslovaquie s'est scindée d'un commun accord entre la République Tchèque et la Slovaquie.

● **L'Ukraine** est le second pays d'Europe par sa superficie, derrière la partie occidentale de la Fédération de Russie.

● **Bien que très riche** en ressources agricoles, l'Ukraine connut une terrible famine entre 1932 et 1933, qui fit entre 5 et 10 millions de victimes. Cette famine fut causée artificiellement par Staline et le gouvernement communiste de Moscou pour maintenir leur contrôle sur cette nation.

● **L'Ukraine devint indépendante** de la Fédération de Russie le 24 août 1991. Sa capitale est Kiev. Sa langue nationale est l'Ukrainien, une langue proche, mais différente du Russe.

L'Europe

Le saviez-vous ?

La Péninsule Ibérique est séparée du reste de l'Europe par la chaîne des Pyrénées, qui résulte de la rencontre des plaques tectoniques eurasienne et africaine. Le mouvement des plaques se poursuivant toujours, la Péninsule Ibérique est une région soumise aux séismes. Le 1er novembre 1755, Lisbonne était presque entièrement détruite par un terrible séisme.

Son nom vient des Ibères, le premier peuple connu pour avoir habité cette région au moins 4 500 ans avant notre ère. Les Ibères n'étaient pas des Celtes.

La Péninsule Ibérique abrite trois États – l'Espagne, le Portugal et la Principauté d'Andorre – ainsi que Gibraltar, une presqu'île située à l'extrême sud de l'Espagne, qui est un territoire britannique. Enfin, pour les géologues, la région française de la Cerdagne, au sud-ouest du département des Pyrénées-Orientales, appartient aussi à la Péninsule Ibérique.

Le plus haut sommet de la Péninsule ne se situe pas dans les Pyrénées, malgré les 3 404 mètres du pic d'Aneto, mais dans la Sierra Nevada, au sud-est de l'Espagne. Le mont Mulhacén y culmine à 3 482 mètres. Quant au plus au haut sommet de l'Espagne, en tant qu'État, il faut le chercher sur l'île de Ténériffe, aux Canaries. Le Teide atteint 3 718 mètres.

Les îles Canaries appartiennent à l'Espagne, tandis que l'archipel de Madère, les Açores et les îles Selvagens sont des territoires du Portugal. Avec les îles du Cap-Vert, un État souverain, toutes ces îles volcaniques situées dans l'Atlantique forment la Macaronésie.

Pas moins de 9 langues sont considérées comme langues officielles dans la Péninsule Ibérique, dont six en Espagne (castillan, catalan, basque, valencien, galicien et aragonais).

La pointe méridionale de Gibraltar n'est qu'à 14 kilomètres des côtes du Maroc.

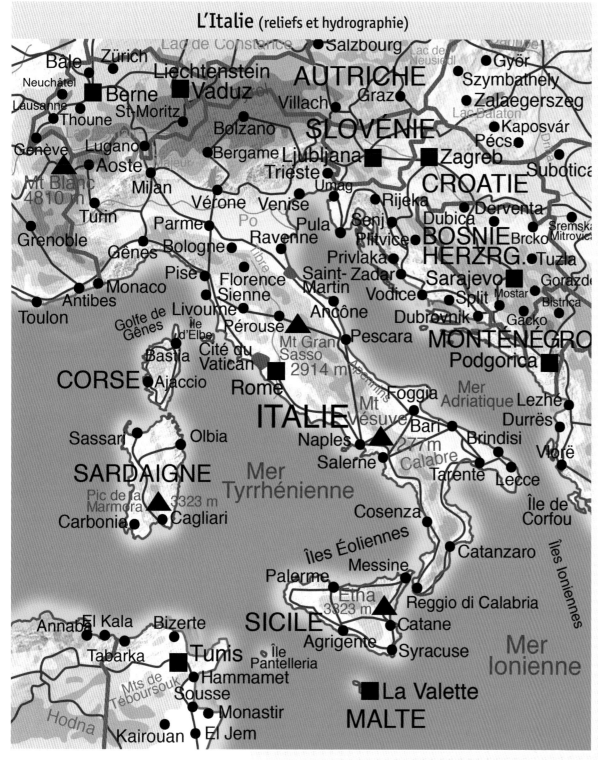

L'Italie (reliefs et hydrographie)

Bâle · Zürich · Lac de Constance · Salzbourg · Győr · Szymbathely · AUTRICHE · Graz · Zalaegerszeg · Neuchâtel · Berne · Vaduz · Liechtenstein · Villach · Kaposvár · Lausanne · St-Moritz · Thoune · Bolzano · SLOVÉNIE · Pécs · Lac Balaton · Genève · Lugano · Bergame · Ljubljana · Zagreb · Subotica · Aoste · Trieste · Mt Blanc · Milan · Umag · CROATIE · 4810 m · Vérone · Venise · Rijeka · Derventa · Turin · Po · Pula · Senj · Dubica · Sremska · Parme · Ravenne · Plitvice · BOSNIE · Brcko · Mitrovica · Grenoble · Bologne · Privlaka · HERZRG. · Tuzla · Gênes · Tibre · Saint- · Zadar · Pise · Florence · Martin · Sarajevo · Goražde · Monaco · Sienne · Vodice · Split · Mostar · Bistrica · Antibes · Livourne · Ancône · Dubrovnik · Gacko · Toulon · Golfe de · Île · Pérouse · Pescara · MONTÉNÉGRO · Gênes · d'Elbe · Mt Gran · Basila · Cité du · Sasso · Podgorica · CORSE · Vatican · 2914 m · Ajaccio · Rome · Foggia · Mer · Lezhë · ITALIE · Mt · Adriatique · Durrës · Sassari · Olbia · Vésuve · Bari · Brindisi · Naples · 1277 m · Vlorë · SARDAIGNE · Salerne · Calabre · Tarente · Lecce · Mer · Tyrrhénienne · Pic de la · Cosenza · Île de · Marmora · 3323 m · Corfou · Carbonia · Cagliari · îles Éoliennes · Catanzaro · îles Ioniennes · Messine · Palerme · Annaba · El Kala · Bizerte · Etna · Reggio di Calabria · SICILE · 3323 m · Catane · Tabarka · Agrigente · Syracuse · Mer · Tunis · Île · Pantelleria · Ionienne · Hammamet · Mts de · Téboursouk · Sousse · La Valette · Hodna · Monastir · MALTE · Kairouan · El Jem

Échelle: 1/ 56000000

0   50   100 km

Altitudes (mètres)

- 2000 - 3000 mètres
- 1000 - 2000 mètres
- 500 - 1000 mètres
- 200 - 500 mètres
- 0 - 200 mètres

Le saviez-vous ?

- **L'Italie est une péninsule** dont la physionomie a été modelée par la tectonique des plaques. Les effets du contact entre la plaque eurasienne et la plaque africaine en ont fait un pays de montagnes. L'étroite plaine du Pô est insérée entre les Alpes au nord et les Apennins au sud. Les autres plaines du pays sont peu importantes.

- **Le Pô est le fleuve** le plus long d'Italie. Il ne mesure que 652 kilomètres.

- **L'Italie** est le seul pays d'Europe continentale qui abrite des volcans en activité : le Vésuve, le Stromboli, dans les îles Éoliennes, et l'Etna, en Sicile. Culminant actuellement à 3 345 mètres d'altitude, l'Etna est le plus haut volcan actif d'Europe. Ses éruptions très nombreuses - en moyenne une par an - en font l'un des volcans les plus actifs au monde.

- **Le climat méditerranéen** est largement prédominant dans la péninsule italienne. Au contraire, la région de Venise est plutôt tempérée. Le nord de l'Italie relève du climat montagnard.

- **La civilisation romaine** a brillé sur environ quatre siècles, entre 100 avant J.-C. et la fin du quatrième siècle de notre ère. Elle est largement à l'origine des civilisations occidentales actuelles. Bien plus tard, la Renaissance est née en Italie au XVe siècle, particulièrement dans les villes de Florence, Sienne et Venise.

- **Morcelée en plusieurs royaumes** et duchés jusqu'au milieu du XIXe siècle, l'Italie ne fut réunifiée qu'en 1861, avec la création du Royaume d'Italie par le roi Victor-Emmanuel II. Rome en devint la capitale en 1870. La monarchie italienne a régné jusqu'en 1946.

- **L'Italie moderne** est divisée en 20 régions, subdivisées en 109 provinces.

- **L'État de la Cité du Vatican** est né le 11 février 1929, par la signature des Accords du Latran. Cet État, le plus petit au monde, succède aux États pontificaux, c'est-à-dire à l'État contrôlé par l'Église catholique. Beaucoup plus vastes, les États pontificaux avaient été annexés par le royaume d'Italie en 1870.

L'Europe

Le saviez-vous ?

Les limites septentrionales de la péninsule des Balkans sont floues. Par convention, les Balkans sont limités au nord par les cours de la Save, de la Krka et surtout du Danube. La région couvre 549 850 km².

Les Balkans incluent l'intégralité du territoire de six États : l'Albanie, la Bosnie-Herzégovine, la Bulgarie, la Grèce, la Macédoine, et le Monténégro. Cette région inclut aussi la plus grande partie de la Croatie (sauf la Slavonie), de la Slovénie et de la Serbie (sauf la Voïvodine, située au nord du Danube). Enfin, la Thrace, partie européenne de la Turquie, appartient aux Balkans.

Le sud-est de la Roumanie peut aussi être rattaché aux Balkans, car cette région, la Dobroudja, est située au sud du Danube. Néanmoins, la Roumanie n'est pas considérée comme un pays des Balkans.

La Yougoslavie a existé, en tant qu'État, entre 1918, à la chute de l'Empire d'Autriche-Hongrie, et 1992. Après 1943, la République socialiste fédérale de Yougoslavie incluait la Serbie, le Monténégro, la Bosnie-Herzégovine, la Croatie, la Slovénie et la Macédoine.

Entre 1991 et 1992, la Macédoine, la Croatie, la Slovénie et la Bosnie-Herzégovine ont pris leur indépendance. Une série de guerres a ravagé la région entre 1991 et 2002.

La Yougoslavie, qui ne comprenait plus que la Serbie et le Monténégro, a officiellement disparu le 4 février 2003. En 2006, le Monténégro est devenu indépendant à son tour.

Le Kosovo s'est déclaré indépendant de la Serbie le 17 février 2008, mais la validité de cet État n'est pas reconnue par une grande partie de la communauté internationale ; de plus, au 1er janvier 2010, l'ONU n'avait pris aucune décision quant à son statut d'État souverain.

Une grande partie des Balkans a appartenu à l'Empire Ottoman jusqu'à la fin du XIXe siècle, ce qui explique les populations musulmanes de Bosnie, de Croatie et de Macédoine.

Il ne faut pas confondre la Macédoine, État indépendant, avec la Macédoine, région septentrionale de la Grèce. Il ne faut pas confondre non plus la Slavonie, une région de la Croatie, avec l'État voisin de la Slovénie.

La Grèce occupe le sud de la péninsule des Balkans. Elle devint indépendante de l'Empire Ottoman en 1821. Le République hellénique, son nom officiel, est divisée en 13 régions, les peripheria.

La Grèce est un pays de montagnes. Environ 80 % du pays est constitué de collines et de montagnes. Le point culminant de la Grèce est le Mont Olympe (2 917 mètres). Les Monts Pindos sont les plus étendus.

Les Balkans et la Grèce (reliefs et hydrographie)

Échelle: 1/ 56000000

0   50   100 km

Altitudes (mètres)

2000 - 3000 mètres
1000 - 2000 mètres
500 - 1000 mètres
200 - 500 mètres
0 - 200 mètres

La Russie d'Europe et les pays du Caucase (reliefs et hydrographie)

Le saviez-vous ?

● **Avec un total** de 17 045 400 km², la Fédération de Russie est, de loin, le plus grand État au monde. Sa superficie représente 31,2 fois celle de la France métropolitaine ! Entre Kaliningrad, à l'ouest, et Vladivostok, la Russie s'étire sur près de 8 050 kilomètres... et 11 fuseaux horaires ! Ainsi, s'il est midi à Kaliningrad, il est 13 heures à Moscou, mais il est déjà 23 heures dans la péninsule du Kamchatka !

● **La partie européenne** de la Fédération de Russie ne représente que 23,2 % de sa superficie, mais est habitée par 77,8 % de sa population totale.

● **La Fédération de Russie** reprend la plus grande partie de l'Union des Républiques Socialistes Soviétiques, ou URSS, qui a existé en tant qu'État de 1922 à 1991. Elle était divisée en 15 républiques fédérées, dont la plus grande était la Russie. Toutes ces républiques sont maintenant des États indépendants.

● **Les divisions politiques** de la Fédération de Russie sont aussi complexes que celles de l'URSS... Au 1er janvier 2010, l'État est divisé en 21 républiques, 9 territoires, 46 régions, 1 région autonome, 4 districts autonomes, et 2 municipalités fédérales – Moscou et Saint-Pétersbourg – soit un total de 83 divisions principales.

● **La population** de la Fédération de Russie comprend 79,8 % de Russes. Les 20,2 % restants incluent des minorités comme les Tatars, les Ukrainiens, les Chouvaches, les Yakoutes, les Bashkirs, etc.

● **Le Caucase** est une chaîne de montagnes rectiligne, qui s'étend sur 1 195 kilomètres entre la mer Noire et la mer Caspienne. Elle marque la limite entre l'Europe au nord et l'Asie au sud. Cette chaîne abrite le plus haut sommet d'Europe, le mont Elbrouz (5 642 m), situé sur le territoire russe. Trois autres sommets, sur le territoire de la Géorgie, dépassent les 5 000 mètres d'altitude.

Échelle: 1/ 56000000

0   50   100 km

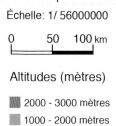

Altitudes (mètres)

2000 - 3000 mètres
1000 - 2000 mètres
500 - 1000 mètres
200 - 500 mètres
0 - 200 mètres

LA FRANCE

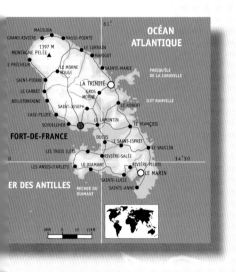

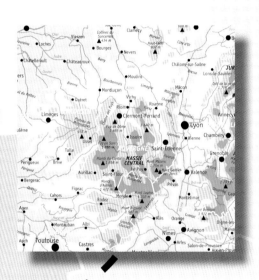

LA FRANCE

La France métropolitaine physique

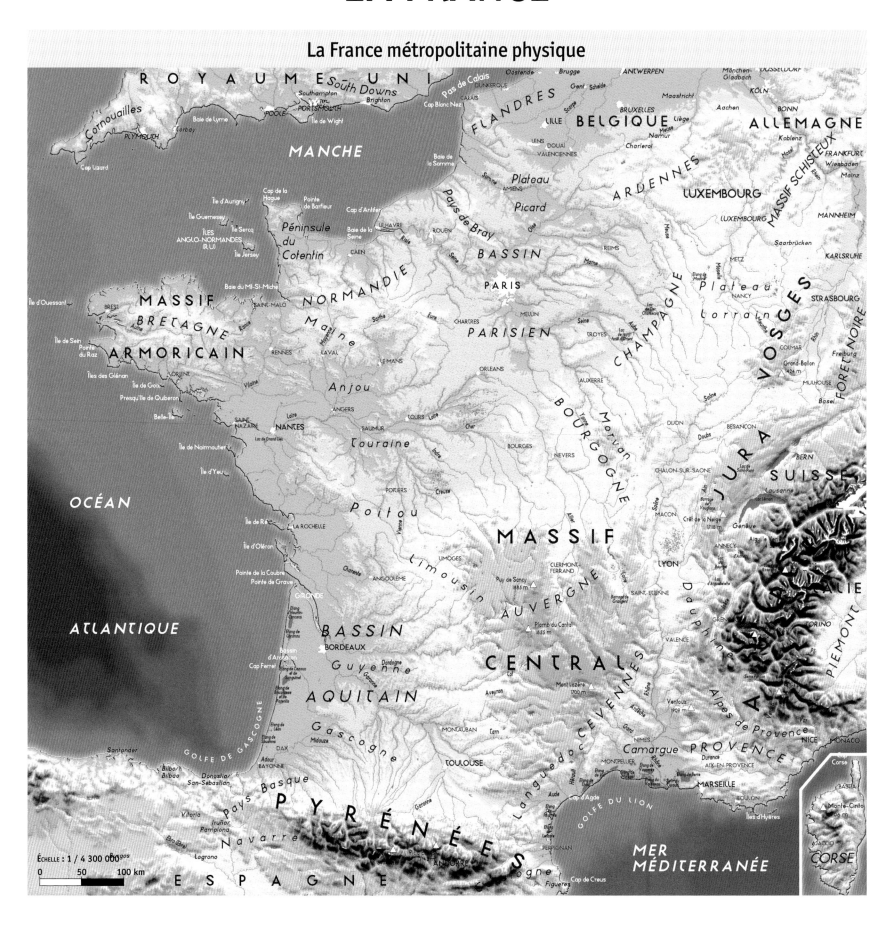

La France métropolitaine politique

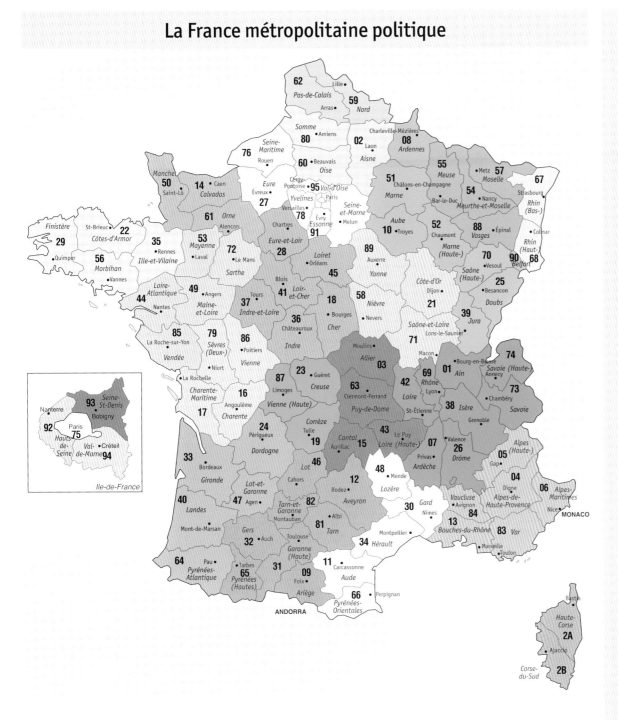

Les régions françaises :

Alsace

Aquitaine

Auvergne

Basse-Normandie

Bourgogne

Bretagne

Centre

Champagne-Ardenne

Corse

Franche-Comté

Haute-Normandie

Île-de-France

Languedoc-Roussillon

Limousin

Lorraine

Midi-Pyrénées

Nord-Pas-de-Calais

Pays de la Loire

Picardie

Poitou-Charentes

Provence-Alpes-Côte d'Azur

Rhône-Alpes

Le saviez-vous ?

● **La France a pour nom officiel** la République française. Sa capitale est Paris.

● **La France comprend cinq niveaux** de division administrative : les régions, les départements, les arrondissements, les cantons, et les communes. Au 1er janvier 2010, la France comprend :
- 26 régions, dont 22 en métropole et 4 en outre-mer ;
- 100 départements, 96 en métropole et 4 en outre-mer ;
- 36 783 communes, dont 36 571 en France métropolitaine et 212 en outre-mer.
Les départements et collectivités d'outre-mer sont traités pages 134-137.

● **Les régions** sont dirigées par un conseil régional. En métropole, elles comptent entre deux (Corse, Alsace) et huit départements (Midi-Pyrénées, Rhône-Alpes).

● **Les départements métropolitains** sont numérotés de 01 à 95, mais la Corse est divisée en Corse du Sud (2A) et Haute-Corse (2B). Cela fait donc 96 départements métropolitains.

● **Les départements** sont dirigés par le conseil général sur le plan politique, et par le préfet sur le plan administratif. Le conseil général est composé de conseillers généraux élus à raison d'un par canton. Les préfets sont nommés par le gouvernement.

● **Paris est à la fois un département (département de la Seine, 75) et une commune.** Les villes de Paris, Lyon et Marseille sont divisées en arrondissements.

● **Les numéros des départements** suivent l'ordre alphabétique. Toutefois, la réforme de la région Île-de-France de 1964 et des changements de nom ont légèrement dérangé cet ordre fort commode. Ainsi, le département des Yvelines porte le numéro 78 car, jusqu'à la réforme de 1964, il s'appelait la Seine-et-Oise.

La construction de la France

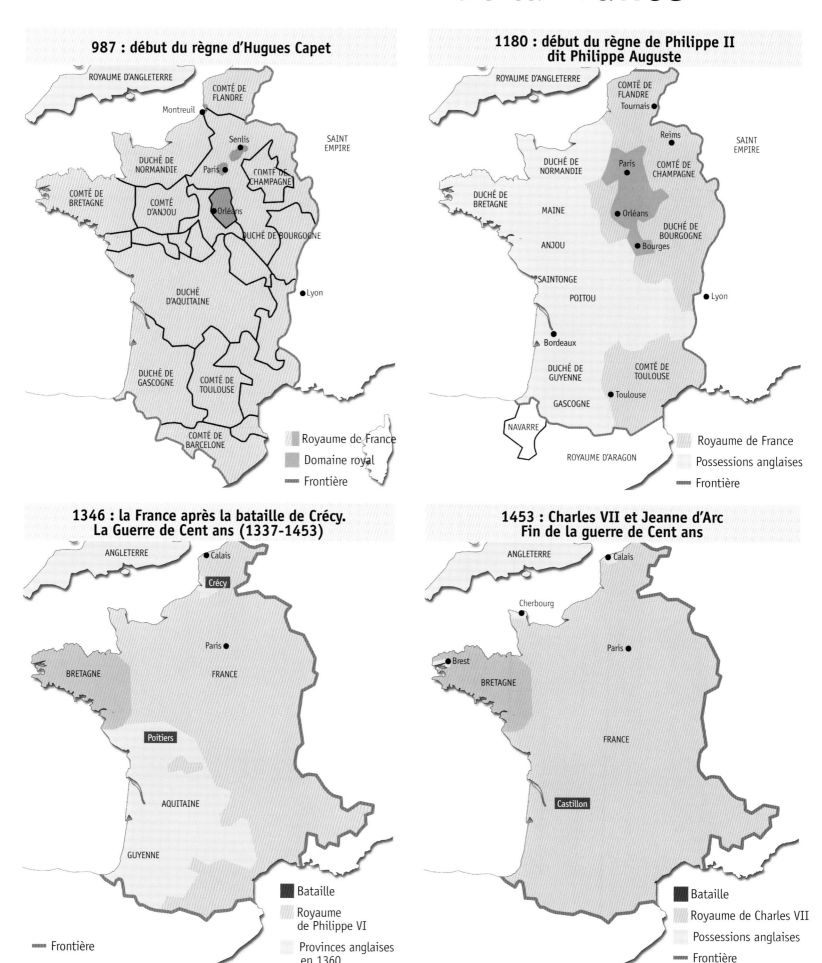

987 : début du règne d'Hugues Capet

ROYAUME D'ANGLETERRE
COMTÉ DE FLANDRE
Montreuil
Senlis
Paris
DUCHÉ DE NORMANDIE
COMTÉ DE CHAMPAGNE
SAINT EMPIRE
COMTÉ DE BRETAGNE
COMTÉ D'ANJOU
Orléans
DUCHÉ DE BOURGOGNE
DUCHÉ D'AQUITAINE
Lyon
DUCHÉ DE GASCOGNE
COMTÉ DE TOULOUSE
COMTÉ DE BARCELONE

Royaume de France
Domaine royal
Frontière

1180 : début du règne de Philippe II dit Philippe Auguste

ROYAUME D'ANGLETERRE
COMTÉ DE FLANDRE
Tournais
Reims
DUCHÉ DE NORMANDIE
Paris
COMTÉ DE CHAMPAGNE
SAINT EMPIRE
DUCHÉ DE BRETAGNE
MAINE
Orléans
DUCHÉ DE BOURGOGNE
ANJOU
Bourges
SAINTONGE
POITOU
Lyon
Bordeaux
DUCHÉ DE GUYENNE
COMTÉ DE TOULOUSE
Toulouse
GASCOGNE
NAVARRE
ROYAUME D'ARAGON

Royaume de France
Possessions anglaises
Frontière

1346 : la France après la bataille de Crécy. La Guerre de Cent ans (1337-1453)

ANGLETERRE
Calais
Crécy
Paris
BRETAGNE
FRANCE
Poitiers
AQUITAINE
GUYENNE

Bataille
Royaume de Philippe VI
Provinces anglaises en 1360
Frontière

1453 : Charles VII et Jeanne d'Arc Fin de la guerre de Cent ans

ANGLETERRE
Calais
Cherbourg
Brest
Paris
BRETAGNE
FRANCE
Castillon

Bataille
Royaume de Charles VII
Possessions anglaises
Frontière

1610 : fin du règne d'Henri IV

Royaume de France

▓▓▓ Frontière

1715 : fin du règne de Louis XIV

Royaume de France

▓▓▓ Frontière actuelle

1790 : la France de la Révolution

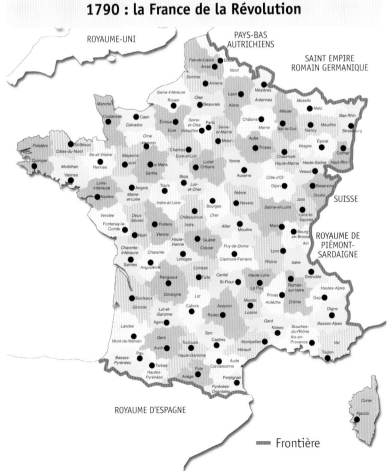

▓▓▓ Frontière

Le saviez-vous ?

● **Après la mort de Charlemagne** en 814, l'empire est dirigé par son fils Louis Ier Le Pieux. À son décès prématuré en 840, ses trois fils tentent de s'accorder sur le partage de l'empire. Après bien des querelles, le Traité de Verdun, signé le 8 ou 11 août 843, entérine la division formelle de l'empire. Sa partie occidentale prend le nom de Francia occidentalis, ou Francie occidentale. L'an 843 marque ainsi la naissance officielle de la France en tant que royaume.

● **Aux IXe et Xe siècles**, les rois carolingiens délaissent progressivement le pouvoir. C'est l'époque des rois fainéants. Le royaume de Francie occidentale est dirigé en alternance avec les membres des Robertiens, seigneurs de Paris. Lorsque Louis V le Fainéant, le dernier Carolingien, meurt sans héritier, la dynastie carolingienne s'éteint. Les Grands du royaume, réunis à Senlis, élisent sur le trône du royaume de France Hugues Capet, un seigneur d'Île-de-France. La longue dynastie des Capétiens est née.

● **En 987, les frontières du royaume de France** sont bien différentes des limites actuelles du pays. Le domaine royal est même minuscule, se résumant à l'Île-de-France et l'Orléanais. Le reste du royaume est constitué de comtés et de duchés dirigés par des vassaux, plus ou moins soumis, du roi de France.

L'empire colonial français

La colonisation ne se résume pas à la simple conquête d'un territoire par un État étranger, encore moins à une invasion.
Une colonie est certes un territoire occupé militairement et administré par une puissance étrangère, mais avec la mise en place d'une administration locale et d'une politique de développement économique.
La colonisation reste un acte historique très controversé, notamment par son caractère martial et l'imposition forcée de valeurs étrangères aux peuples colonisés, souvent aux dépens de leur culture. Il ne faut toutefois pas oublier la contribution des puissances colonisatrices au développement de nombre de pays, en particulier en Afrique.
La plupart des pays colonisés par la France obtinrent leur indépendance, par la politique ou par la force, entre 1947 et 1960.

L'empire colonial français en 1822

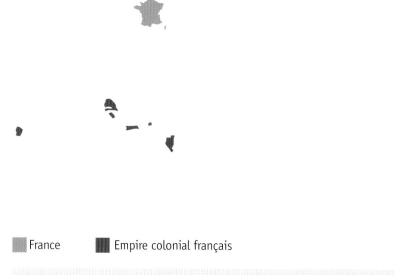

■ France   ■ Empire colonial français

Le saviez-vous ?

● **La colonisation** n'est pas le fait des grandes puissances occidentales de l'époque contemporaine. L'Empire romain avait créé de nombreuses colonies en Europe, en Asie mineure et dans le nord de l'Afrique. Dès 44 avant J-C., une bonne partie de la Gaule était déjà une colonie romaine. Rome parlait de "provincia" pour désigner certaines de colonies, dont la Province Narbonnaise, qui couvrait le sud et le sud-est de la France. Il en est resté le nom français de Provence.

● **Dans la foulée des premières grandes explorations**, notamment aux Amériques lors de la recherche d'un passage vers les Indes, les premières colonies des grandes puissances occidentales furent établies

L'empire colonial français en 1885

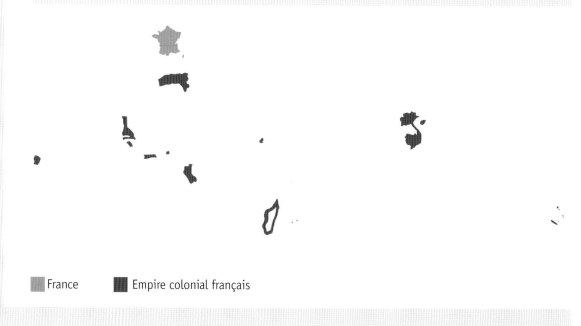

■ France   ■ Empire colonial français

au XVIe siècle. Les grands pays européens – France, Espagne, Portugal, Angleterre et Hollande – tentèrent de s'approprier des lieux stratégiques des territoires lointains récemment découverts. En plus de ces buts militaires et politiques, la prise facile des richesses des pays colonisés et des visées religieuses – la conversion au christianisme des peuples conquis – ont largement motivé l'installation de colonies.

● **Les processus français et britannique de colonisation** qui se sont mis en place au XVIIIe siècle visaient autant à l'occupation de lieux stratégiques qu'au développement des territoires colonisés avec un bénéfice économique mutuel pour la métropole et la colonie.

● **Si Jacques Cartier a exploré le golfe du Saint-Laurent dès 1534**, il faudra attendre plusieurs décennies pour voir la fondation de colonies en Amérique du Nord. Au contraire, pendant les XVIIe et XVIIIe siècles, la colonisation a suivi de peu les explorations de nouveaux territoires.

● **On distingue deux grandes périodes de colonisation française.** La première, le "Premier espace colonial français", s'est déroulée du XVIe siècle à la chute de Napoléon. Elle a été surtout marquée par l'établissement de colonies en Amérique du Nord, le Québec (1608) et la Louisiane (1682), et aux Antilles (1635), grâce aux volontés de Richelieu puis de Colbert. Les Français s'intéressent aussi aux côtes de l'Inde (Pondichéry, colonie à partir de 1701).

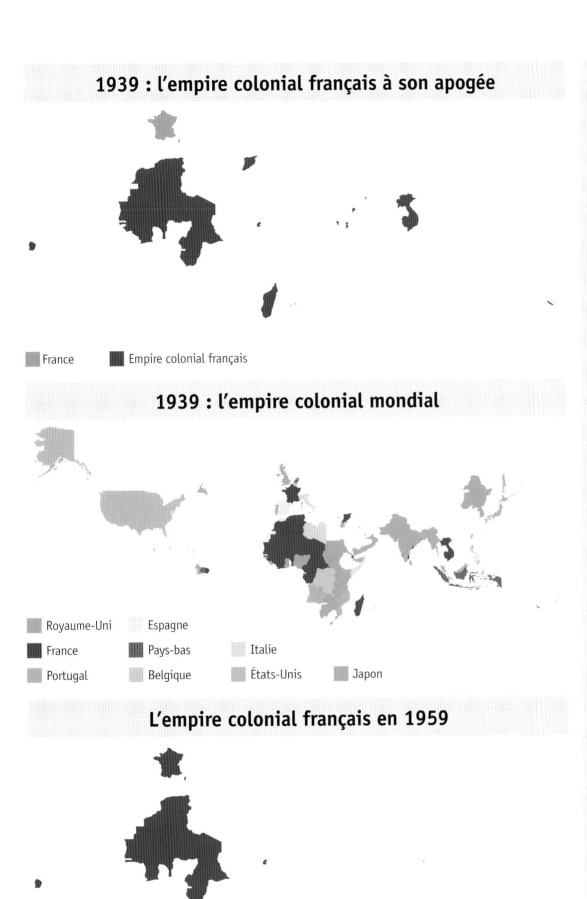

1939 : l'empire colonial français à son apogée

- France
- Empire colonial français

1939 : l'empire colonial mondial

- Royaume-Uni
- France
- Portugal
- Espagne
- Pays-bas
- Belgique
- Italie
- États-Unis
- Japon

L'empire colonial français en 1959

- Empire colonial français

Le saviez-vous ?

● **Les colonies françaises d'Amérique du Nord constituaient la Nouvelle-France.** De 1604 à 1763, elle couvrait la moitié orientale des États-Unis et du Canada actuels, plus les Antilles. Progressivement, la France dut se séparer de ces territoires à la suite de nombreuses guerres entres les puissances occidentales. Il ne subsiste plus de la Nouvelle-France que les Antilles françaises et Saint-Pierre-et-Miquelon.

● **Le "Second espace colonial français" a débuté en 1830** avec la colonisation de l'Algérie, puis s'est développé sous l'impulsion de Napoléon III dès 1852. La France possédait déjà des territoires en Afrique (Sénégal) depuis le XVIIe siècle ; elle s'est étendue en priorité sur ce continent et en Polynésie. Les dirigeants de la Troisième République ont renforcé le processus en Afrique et lancé la colonisation de l'Indochine à partir de 1873.

● **À partir de 1880**, le Mali et le Burkina actuels constituent le Soudan français. Les colons développent considérablement l'Afrique occidentale, en construisant des lignes de chemins de fer et en y révélant les richesses de son sous-sol.

● **La Syrie et le Liban** ont été des colonies françaises respectivement de 1920 au 17 avril 1946 et 22 novembre 1943.

● **La fin de la Seconde Guerre mondiale** marque les prémices de la décolonisation. En 1946, la plupart des colonies deviennent des territoires d'outre-mer. La décolonisation va être très rapide. En 1954, la France perd l'Indochine. Une guerre sanglante permet à l'Algérie de devenir indépendante en 1962. Entre-temps, la plupart des États africains ont obtenu leur indépendance par le général de Gaulle.

● **Djibouti** fut le dernier territoire français à accéder à l'indépendance le 27 juin 1977.

Le climat de la France

Les zones climatiques

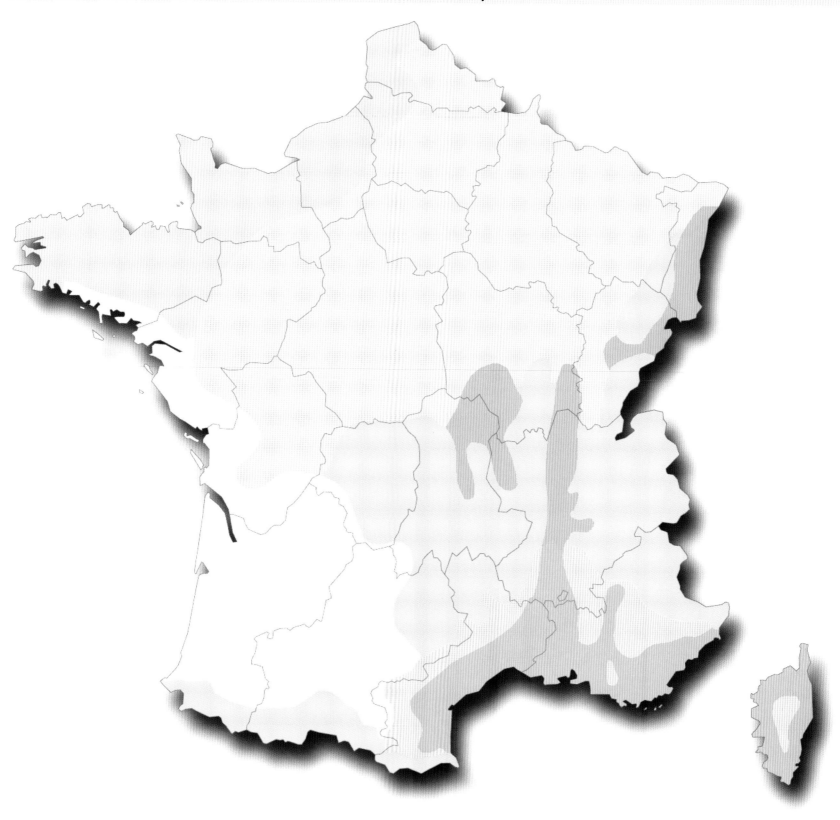

Climat océanique à étés frais	Climat de montagne
Climat océanique à étés chauds	Climat méditerranéen dégradé, ou climat méditerranéen de montagne
Climat océanique dégradé	Climat méditerranéen
Climat à nuance continentale à étés chauds	

Moyenne des températures minimales (janvier)

ISOTHERMES

- 3 °C
 0 °C
+ 3 °C

°C
-7 à -5
-5 à -3
-3 à -1
-1 à 0
0 à +1
+1 à +3
+3 à +5
+5 à +7
+7 à +9

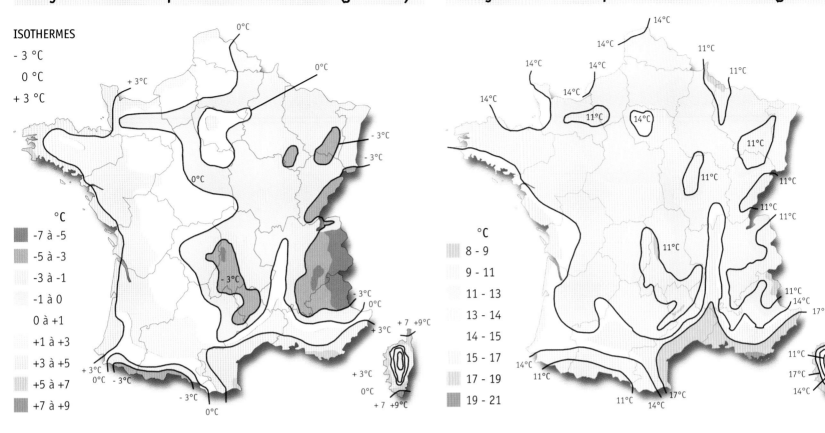

Moyenne des températures minimales (juillet)

°C
8 - 9
9 - 11
11 - 13
13 - 14
14 - 15
15 - 17
17 - 19
19 - 21

Moyenne des températures maximales (janvier)

ISOTHERMES

+ 3 °C
+ 6 °C
+ 9 °C

°C
0 - 1
1 - 3
3 - 4
4 - 6
6 - 8
8 - 9
9 - 11
11 - 13

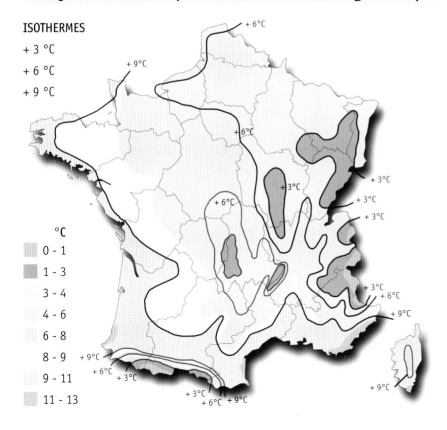

Moyenne des températures maximales (juillet)

°C
18 - 20
20 - 22
22 - 24
24 - 25
25 - 27
27 - 28
28 - 30
> 30

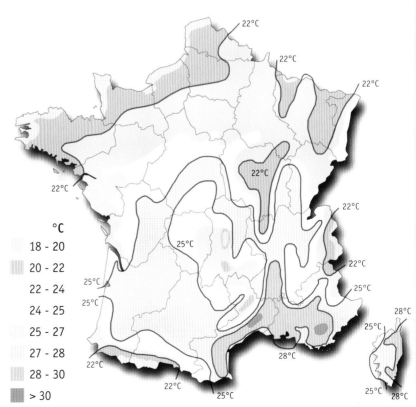

Le climat de la France

Remarques

● Cette carte montre les hauteurs moyennes annuelles de précipitations. Par précipitations, il faut comprendre la pluie et la neige. Ces hauteurs ont été calculées sur la période 1950-2000.

● Les météorologues ne tiennent compte que de la hauteur de liquide. Ainsi, les épaisseurs de neige fraîche sont transformées en "hauteur équivalente de pluie". Les météorologues considèrent qu'une épaisseur de neige de 10 centimètres équivaut à 8 millimètres d'eau.

● Malgré la précision de cette carte, il n'est pas possible de représenter les petites variations locales. En montagne, les hauteurs de précipitations varient très rapidement en fonction de l'altitude et de l'exposition au vent. Certaines vallées encaissées peuvent être très sèches.

Le saviez-vous ?

● **Le mot « canicule »** vient du nom latin canicula, qui signifie « petite chienne ». En effet, c'est le surnom de l'étoile Sirius, qui illumine le ciel de nos étés entre fin juillet et fin août. Le nom de la période estivale placée sous le signe de Canicula est devenu synonyme de journées torrides. Attention, une canicule a une définition précise. D'une part, les températures doivent être très fortes le jour sur une longue période, au moins une semaine. D'autre part, les températures doivent rester anormalement élevées la nuit. Plus que les fortes chaleurs diurnes, c'est le faible refroidissement nocturne qui caractérise une période de canicule. En France, il ne peut donc y avoir de canicule en dehors des mois de juillet et août.

Les précipitations

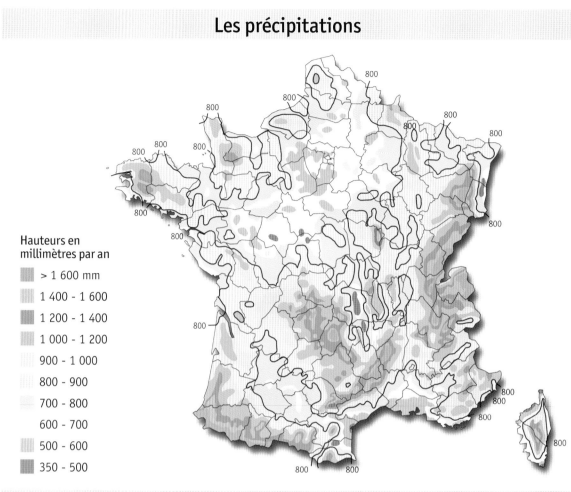

Hauteurs en millimètres par an

- > 1 600 mm
- 1 400 - 1 600
- 1 200 - 1 400
- 1 000 - 1 200
- 900 - 1 000
- 800 - 900
- 700 - 800
- 600 - 700
- 500 - 600
- 350 - 500

L'ensoleillement

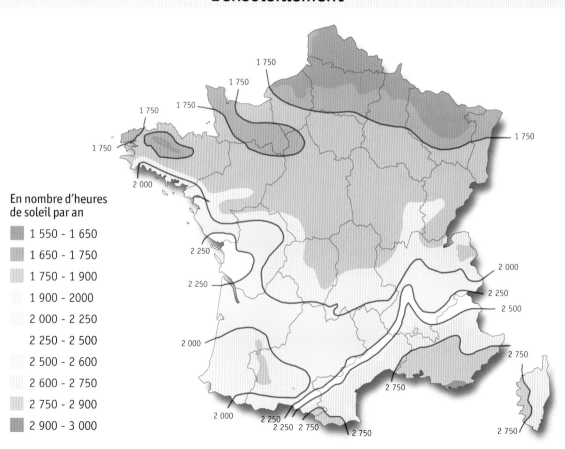

En nombre d'heures de soleil par an

- 1 550 - 1 650
- 1 650 - 1 750
- 1 750 - 1 900
- 1 900 - 2000
- 2 000 - 2 250
- 2 250 - 2 500
- 2 500 - 2 600
- 2 600 - 2 750
- 2 750 - 2 900
- 2 900 - 3 000

Cherbourg

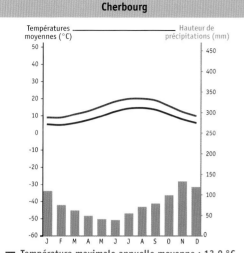

- Température maximale annuelle moyenne : 13,9 °C
- Température minimale annuelle moyenne : 8,9 °C
- Hauteur totale de précipitations annuelle : 931 mm

Brest

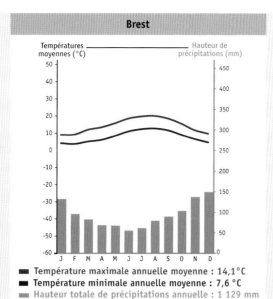

- Température maximale annuelle moyenne : 14,1°C
- Température minimale annuelle moyenne : 7,6 °C
- Hauteur totale de précipitations annuelle : 1 129 mm

Bordeaux

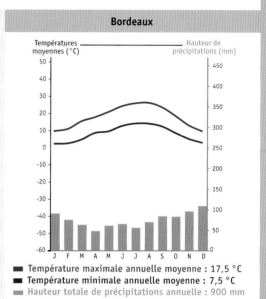

- Température maximale annuelle moyenne : 17,5 °C
- Température minimale annuelle moyenne : 7,5 °C
- Hauteur totale de précipitations annuelle : 900 mm

Nantes

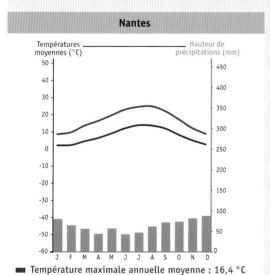

- Température maximale annuelle moyenne : 16,4 °C
- Température minimale annuelle moyenne : 7,3 °C
- Hauteur totale de précipitations annuelle : 782 mm

Biarritz

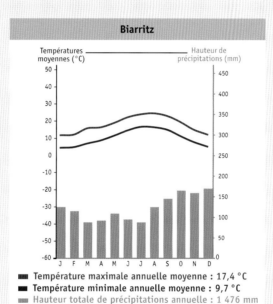

- Température maximale annuelle moyenne : 17,4 °C
- Température minimale annuelle moyenne : 9,7 °C
- Hauteur totale de précipitations annuelle : 1 476 mm

Lille

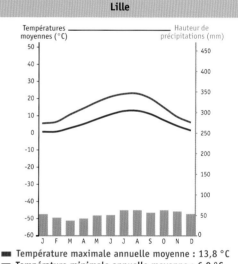

- Température maximale annuelle moyenne : 13,8 °C
- Température minimale annuelle moyenne : 6,0 °C
- Hauteur totale de précipitations annuelle : 637 mm

Paris

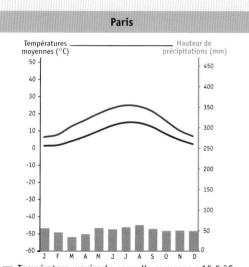

- Température maximale annuelle moyenne : 15,5 °C
- Température minimale annuelle moyenne : 6,5 °C
- Hauteur totale de précipitations annuelle : 719 mm

Angers

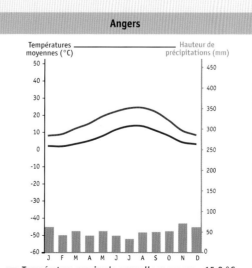

- Température maximale annuelle moyenne : 15,8 °C
- Température minimale annuelle moyenne : 6,9 °C
- Hauteur totale de précipitations annuelle : 595 mm

CLIMATOGRAMMES

Remarques

● Ces climatogrammes résument les températures maximales et minimales moyennes et les hauteurs de précipitation enregistrées pour chaque mois de l'année dans vingt villes de France métropolitaine. Ils s'appuient sur des observations météorologiques consignées entre 1950 et 2000.

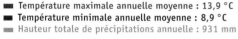

Le climat de la France

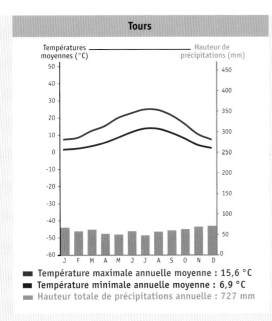

Tours

Températures moyennes (°C) — Hauteur de précipitations (mm)

- Température maximale annuelle moyenne : 15,6 °C
- Température minimale annuelle moyenne : 6,9 °C
- Hauteur totale de précipitations annuelle : 727 mm

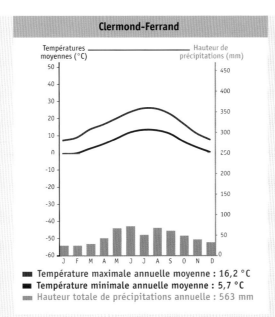

Clermond-Ferrand

Températures moyennes (°C) — Hauteur de précipitations (mm)

- Température maximale annuelle moyenne : 16,2 °C
- Température minimale annuelle moyenne : 5,7 °C
- Hauteur totale de précipitations annuelle : 563 mm

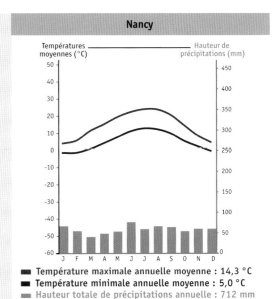

Nancy

Températures moyennes (°C) — Hauteur de précipitations (mm)

- Température maximale annuelle moyenne : 14,3 °C
- Température minimale annuelle moyenne : 5,0 °C
- Hauteur totale de précipitations annuelle : 712 mm

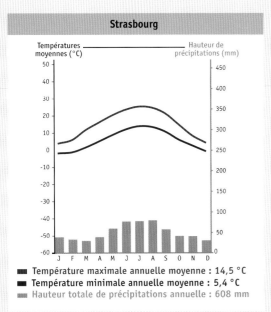

Strasbourg

Températures moyennes (°C) — Hauteur de précipitations (mm)

- Température maximale annuelle moyenne : 14,5 °C
- Température minimale annuelle moyenne : 5,4 °C
- Hauteur totale de précipitations annuelle : 608 mm

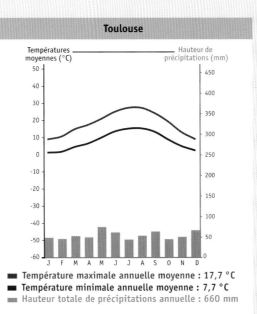

Toulouse

Températures moyennes (°C) — Hauteur de précipitations (mm)

- Température maximale annuelle moyenne : 17,7 °C
- Température minimale annuelle moyenne : 7,7 °C
- Hauteur totale de précipitations annuelle : 660 mm

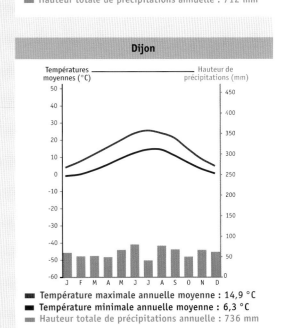

Dijon

Températures moyennes (°C) — Hauteur de précipitations (mm)

- Température maximale annuelle moyenne : 14,9 °C
- Température minimale annuelle moyenne : 6,3 °C
- Hauteur totale de précipitations annuelle : 736 mm

Le saviez-vous ?

● **Les valeurs données dans les climatogrammes sont des moyennes.**
Or, en météorologie, les valeurs observées s'écartent souvent des « moyennes » ou des « valeurs normales pour la saison ». Néanmoins, les climatogrammes permettent de comparer le climat en différents endroits. Ils ne font simplement pas ressortir les anomalies, comme la sécheresse de 1976. La canicule de l'été 2003 n'a pas encore été intégrée aux statistiques disponibles sur une longue période.

● **Le fameux réchauffement climatique** ne peut ressortir dans les caractéristiques du climat. Avec du recul sur deux ou trois décennies, nous saurons si les étés chauds enregistrés depuis 2000 sont de simples anomalies ou de vrais modifications du climat de la France. La climatologie est une science, qui s'appuie sur des observations consignées sur une longue période, et non pas sur des phénomènes temporaires et localisés.

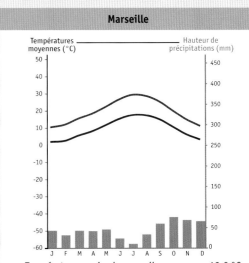

Marseille

Températures moyennes (°C) — Hauteur de précipitations (mm)

- Température maximale annuelle moyenne : 19,2 °C
- Température minimale annuelle moyenne : 9,2 °C
- Hauteur totale de précipitations annuelle : 546 mm

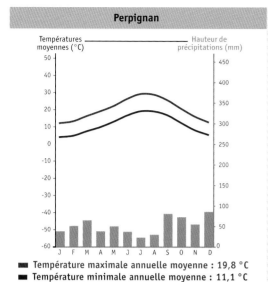

Perpignan

- Température maximale annuelle moyenne : 19,8 °C
- Température minimale annuelle moyenne : 11,1 °C
- Hauteur totale de précipitations annuelle : 639 mm

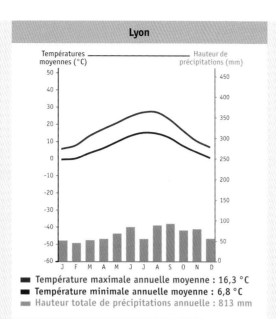

Lyon

- Température maximale annuelle moyenne : 16,3 °C
- Température minimale annuelle moyenne : 6,8 °C
- Hauteur totale de précipitations annuelle : 813 mm

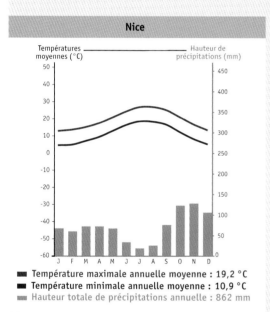

Nice

- Température maximale annuelle moyenne : 19,2 °C
- Température minimale annuelle moyenne : 10,9 °C
- Hauteur totale de précipitations annuelle : 862 mm

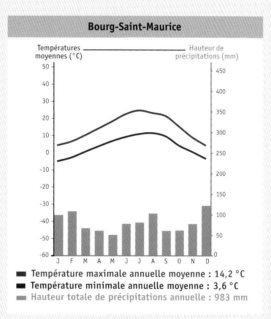

Bourg-Saint-Maurice

- Température maximale annuelle moyenne : 14,2 °C
- Température minimale annuelle moyenne : 3,6 °C
- Hauteur totale de précipitations annuelle : 983 mm

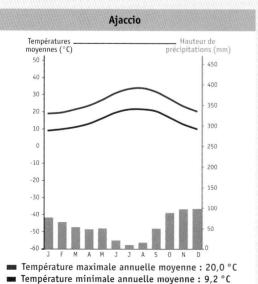

Ajaccio

- Température maximale annuelle moyenne : 20,0 °C
- Température minimale annuelle moyenne : 9,2 °C
- Hauteur totale de précipitations annuelle : 672 mm

Le saviez-vous ?

● **Les données météorologiques** montrent combien la perception du temps est suggestive... Ainsi, il pleut nettement plus dans certaines villes du sud du pays, comme Toulouse (660 mm), Perpignan (639 mm) ou Nice (862 mm), qu'à Paris (619 mm)... La grosse différence est que dans ces villes méridionales, les précipitations sont beaucoup moins étalées dans le temps que dans celles du nord. Les journées y sont donc nettement plus ensoleillées. Certes, il fait « plus beau » dans la moitié sud de la France que dans le nord, mais les régions les plus arrosées ne sont pas celles que l'on croit...

● **Les températures plutôt fraîches** annoncées chaque soir pour Brest par les présentateurs des bulletins météo des diverses chaînes de télévision ne sont absolument pas représentatives de celles de la Bretagne, et en particulier de sa côte sud. En effet, la station météorologique de Brest est malencontreusement située dans un lieu particulièrement frais, venté et arrosé... C'est loin d'être le cas de l'ensemble de la Bretagne !

● **La température est toujours mesurée** sous un abri ; on parle de température à l'ombre, ou sous abri. Un beau soleil peut donc fausser la perception de la chaleur. À l'inverse, un violent mistral fera paraître une soirée estivale méditerranéenne bien fraîche, même si sa valeur sous abri est très correcte. On parle de température ressentie.

● Bien que située sous un climat tempéré, la France connaît des records dignes de pays tropicaux ou continentaux. Voici quelques records :
Record absolu de chaleur (sous abri !) : 44,1°C dans le Gard le 12/08/2003.
Le 8 août 1923, la température atteint 44,0°C à Toulouse. Nous sommes loin du record mondial, 58,2°C à El Aziza en Libye en 1922... Toulon détient le record des températures maximales moyennes avec 24,3°C pour le mois de juillet.
Record absolu de froid (sous abri !) : -36,7°C, à Mouthe, dans le Doubs, le 13 janvier 1967. Les hivers de cette partie du Jura sont si rigoureux que la région est parfois surnommée la Petite Sibérie... Le record mondial de froid est de –89,2°C sur la base de Vostok, en Antarctique.
Record de précipitation : 4 020 mm durant l'année 1913 au Mont Aigoual, dans les Cévennes. Le record mondial est de 26 460 mm à Cherrapunji, dans le nord-est de l'Inde en 1860-1861.
Record de vitesse du vent : 252 km/h à Belfort en 1955 mais il est possible qu'une rafale ait atteint 360 km/h au Mont Aigoual le 1er novembre 1968.
Chaque année, la France est frappée environ 520 000 fois par la foudre !

La démographie de la France

La population de la métropole

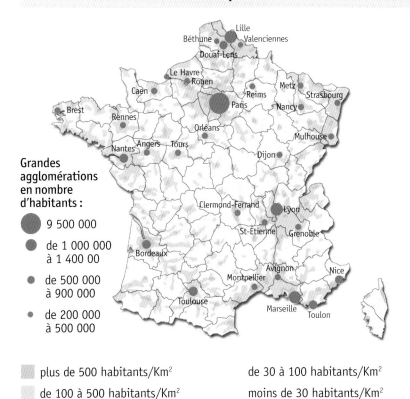

Grandes agglomérations en nombre d'habitants :

- ● 9 500 000
- ● de 1 000 000 à 1 400 00
- ● de 500 000 à 900 000
- ● de 200 000 à 500 000

plus de 500 habitants/Km²

de 100 à 500 habitants/Km²

de 30 à 100 habitants/Km²

moins de 30 habitants/Km²

Répartition de la population de la métropole

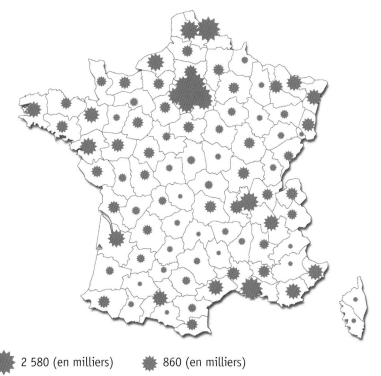

✦ 2 580 (en milliers) ✦ 860 (en milliers)

Le saviez-vous ?

● **La France comptait officiellement 65 465 227 habitants** au 1er janvier 2010, dont 62 793 432 habitants pour la France métropolitaine, c'est-à-dire le territoire principal, ses îles côtières et la Corse. Les DOM comptaient 1 873 842 habitants et les COM, 797 853. En 1999, année du dernier recensement global, la population se montait à 58 518 395 habitants.

● **La densité globale** de la population française est de 96,8 habitants par kilomètre carré. Cette valeur tient compte des valeurs des départements et territoires d'Outre-mer (DOM-TOM), comme la Guyane, très peu peuplée. En métropole, la densité est de 114,8 habitants par kilomètre carré. Il existe toutefois des différences très importantes entre les départements très peuplés d'Île de France ou du Nord, et les régions rurales du Massif Central (voir la carte page 116).

● **Les statistiques de la population,** hormis les nombres d'habitants totaux et par région, sont arrêtées au 31 décembre 2006. L'organisme responsable des statistiques démographiques, l'INSEE, ne publie des données complètes que tous les six ou sept ans.

● **Le recensement** de la population et de ses caractéristiques permet de dresser un visage exact de la population. Le dernier recensement général remonte à 1999. Cette année constitue un repère important pour les statistiques.

Densité de la population par département

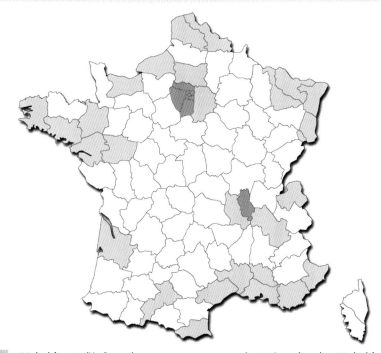

500 habitants/Km² et plus

de 100 à moins de 500 habitants/Km²

de 50 à moins de 100 habitants/Km²

moins de 50 habitants/Km²

Évolution globale de la population entre 1999 et 2006

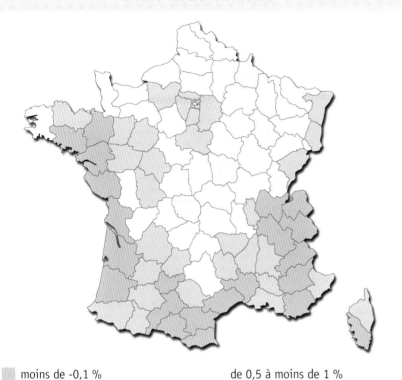

▨ moins de -0,1 %	de 0,5 à moins de 1 %
de -0,1 à moins de 0,1 %	de 1 % et plus
de 0,1 à moins de 0,5 %	

Évolution de la population due au solde naturel (entre 1999 et 2006)

▨ moins de -0,1 %	de 0,5 à moins de 1 %
de -0,1 à moins de 0,1 %	de 1 % et plus
de 0,1 à moins de 0,5 %	

Pyramide des âges (2009)
Population : 64 473 140

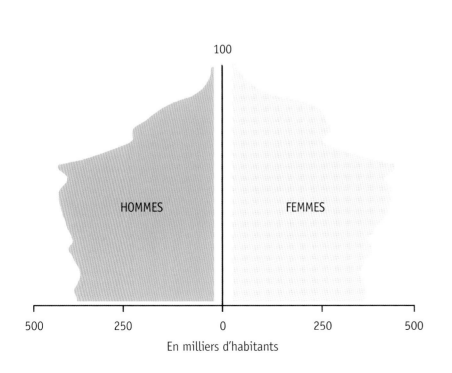

100

HOMMES   FEMMES

500   250   0   250   500

En milliers d'habitants

La France vieillit : carte de la répartition des personnes âgées de plus de 60 ans (2007)

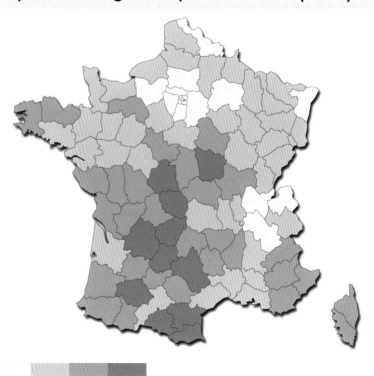

17,5% 22,5 % 27,5 %

Les transports

Transports routier et autoroutier

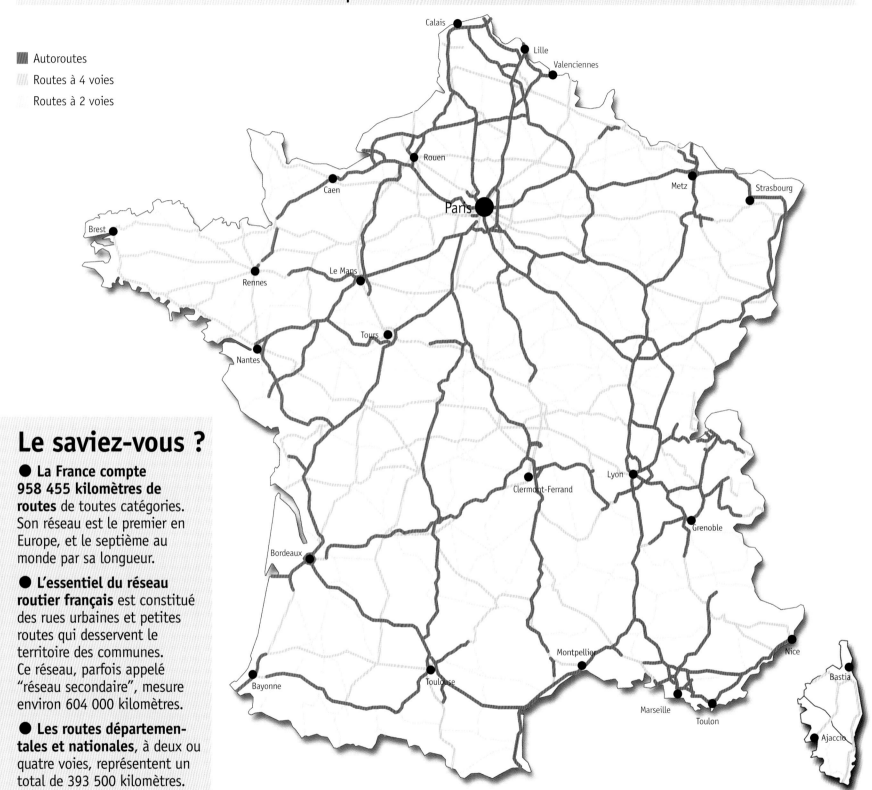

- Autoroutes
- Routes à 4 voies
- Routes à 2 voies

Le saviez-vous ?

● **La France compte 958 455 kilomètres de routes** de toutes catégories. Son réseau est le premier en Europe, et le septième au monde par sa longueur.

● **L'essentiel du réseau routier français** est constitué des rues urbaines et petites routes qui desservent le territoire des communes. Ce réseau, parfois appelé "réseau secondaire", mesure environ 604 000 kilomètres.

● **Les routes départementales et nationales**, à deux ou quatre voies, représentent un total de 393 500 kilomètres.

● **La France totalise** 10 980 kilomètres d'autoroutes, la plupart à péage. Le réseau français compte pour environ un tiers de la longueur totale du réseau autoroutier de l'Union européenne.

● **En 1970**, le pays comptait moins de 1 000 kilomètres d'autoroutes...

Transport aérien

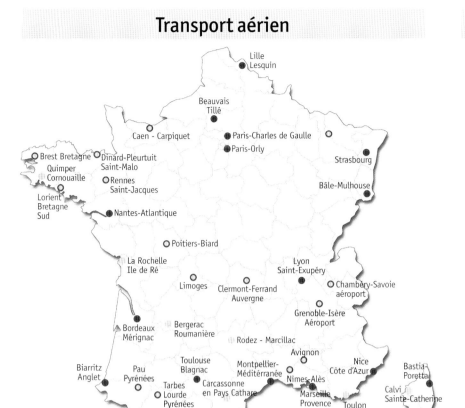

Aéroport national
- ● ≥ 1 million de passagers (2007)
- ▥ ≥ 100 000 passagers (2007)

Aéroport international
- ● ≥ 1 million de passagers (2007)
- ○ ≥ 100 000 passagers (2007)

PRINCIPAUX AÉROPORTS FRANÇAIS
(Nombre de passagers égal ou supérieur à 1 million en 2008)

Rang	Nom de l'aéroport	Nombre total de passagers 2008	% du total
1	Paris-Charles de Gaulle	60 847 681	39,5
2	Paris-Orly	26 209 703	17,0
3	Nice-Côte d'Azur	10 382 566	6,7
4	Lyon-Saint Exupéry	7 923 810	5,1
5	Marseille-Provence	6 965 933	4,5
6	Toulouse-Blagnac	6 349 557	4,1
7	Bâle-Mulhouse	4 261 908	2,8
8	Bordeaux-Mérignac	3 561 676	2,3
9	Nantes-Atlantique	2 731 547	1,8
10	Beauvais-Tillé	2 484 635	1,6
11	Pointe-à-Pitre - Le Raizet	2 020 042	1,3
12	Martinique-Aimé Cézaire	1 673 610	1,1
13	La Réunion-Roland-Garros	1 654 105	1,1
14	Tahiti - Faa'a	1 379 832	0,9
15	Strasbourg	1 329 626	0,9
16	Montpellier - Méditerranée	1 256 391	0,8
17	Ajaccio - Napoléon B.	1 072 768	0,7
18	Biarritz -Anglet - Bayonne	1 028 006	0,7
19	Lille - Lesquin	1 014 704	0,7
20	Bastia - Poretta	1 011 820	0,7
TOTAL AÉROPORTS FRANÇAIS		**153 878 624**	

Transport ferroviaire

Lignes TGV
- ▥ En service
- ▥ En construction ou en projet

Lignes voyageurs
- ▥ Deux ou plusieurs voies

Le saviez-vous ?

● **La France compte 29 473 km de lignes ferroviaires** exploitées commercialement au 31 décembre 2009, dont 1 881 kilomètres de ligne à grande vitesse (LGV) sur lesquelles circulent les TGV (trains à grande vitesse). Sur ces 29 473 kilomètres, seuls 15 424 kilomètres sont électrifiés.

● **Les trains à grande vitesse circulent à 300 ou 320 km/h**, selon les lignes. Le record absolu de vitesse sur rails a été établi par une rame du TGV Est le 3 avril 2006, avec une vitesse maximale de 574,8 km/h.

● **Avec 60 847 681 en 2008** et encore 57 906 866 passagers en 2009, l'aéroport de Paris-Charles de Gaulle, aussi appelé Roissy-Charles de Gaulle, est au sixième rang mondial, derrière les aéroports d'Atlanta (États-Unis), avec 90 039 280 passagers en 2008, Chicago (États-Unis), Londres-Heathrow (Royaume Uni), Tokyo-Hanedia (Japon) et Los Angeles (États-Unis), et juste devant Dallas-Fort Worth (États-Unis ; 57 093 187 passagers). Néanmoins, les trafics passagers des deux aéroports parisiens, Paris-Charles de Gaulle et Orly se montent à un total de 83 014 559 passagers, plaçant Paris en tête des places aéroportuaires européennes.

L'approvisionnement en énergie

Centrale nucléaire [1]	Puissance (Mégawatts MW)	Mise en service
Belleville	2 x 1 300 MW	1988-1989
Blayais	4 x 900 MW	1981-1983
Bugey	4 x 900 MW	1979
Cattenom	4 x 1 300 MW	1987-1992
Chinon	4 x 900 MW	1984
Chooz	2 x 1 450 MW	1996-2000
Civaux	2 x 1 495 MW	1998-2002
Cruas	4 x 900 MW	1984-1985
Dampierre	4 x 900 MW	1980-1981
Fessenheim	2 x 900 MW	1978
Flamanville	2 x 1 300 MW	1986-1987
Golfech	2 x 1 300 MW	1991-1994
Gravelines	6 x 900 MW	1980-1985
Nogent	2 x 1 300 MW	1988-1989
Paluel	4 x 1 300 MW	1985-1986
Penly	2 x 1 300 MW	1990-1992
Saint-Alban	2 x 1 300 MW	1986-1987
Saint-Laurent	2 x 900 MW	1983
Tricastin	4 x 900 MW	1980-1981

[1] centrales nucléaires en service au 1er janvier 2010

Le saviez-vous ?

● **Entre les sites de production et les consommateurs,** l'électricité est transportée par des lignes électriques. Plus le courant voyage sous une tension (ou voltage) élevée, plus la puissance disponible est forte. Le premier réseau est donc constitué de lignes à très haute tension, véhiculant du courant sous 400 000 volts ! Des transformateurs l'amèneront en plusieurs étapes aux différents voltages utilisés par les industriels et les particuliers (220 volts).

● **La France compte 96 598 kilomètres de lignes à haute tension**, dont 21 093 km de lignes à très haute tension sous 400 000 volts et 25 417 km de lignes régionales sous 225 000 volts !

● **Au 1er janvier 2009,** la puissance totale des sites français de production électrique se montait à 98 400 MW (mégawatts, ou millions de watts), dont 63 260 MW pour les centrales nucléaires, 20 420 MW pour les centrales hydroélectriques, et 14 800 MW pour les centrales thermiques. Quant aux énergies renouvelables, elles ne comptaient que pour 485 MW...

● **Sur l'ensemble de l'année 2008,** la France a produit 549,1 TWh d'électricité (terawatt-heure, soit 1 million de mégawatt-heure ou mille milliards de watt-heure) dont 418,6 TWh grâce au nucléaire, contre 63,2 TWh par les barrages, 55,0 TWh par les centrales thermiques et 4,1 TWh pour les énergies renouvelables.

Centrales nucléaires

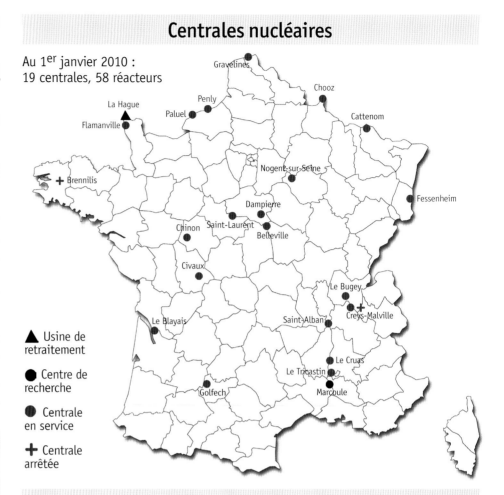

Au 1er janvier 2010 : 19 centrales, 58 réacteurs

▲ Usine de retraitement

● Centre de recherche

◕ Centrale en service

✚ Centrale arrêtée

Lignes à hautes tensions et transformateurs 400 000 V

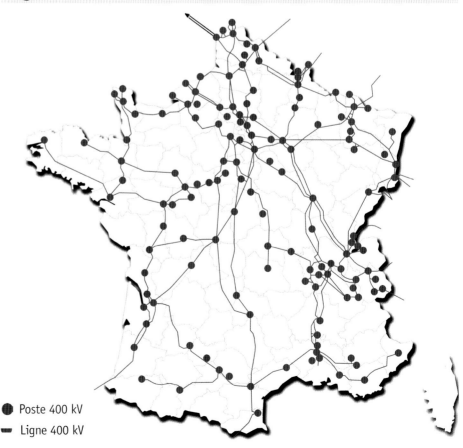

● Poste 400 kV

— Ligne 400 kV

L'industrie au XXIe siècle

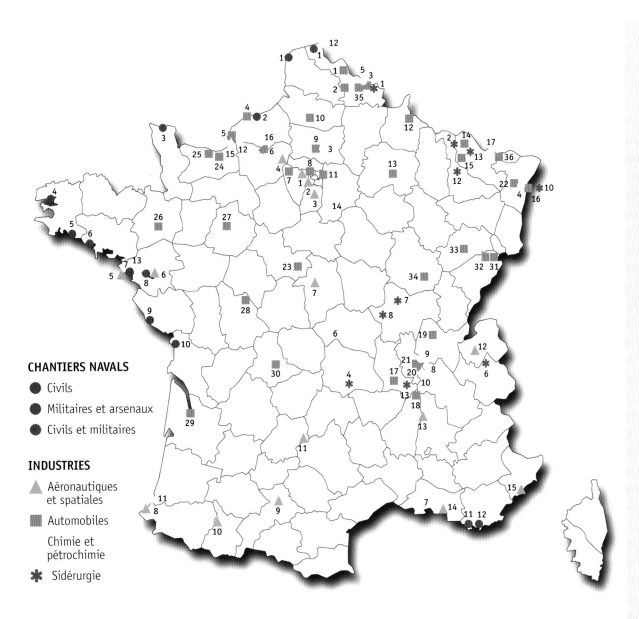

CHANTIERS NAVALS

- ● Civils
- ● Militaires et arsenaux
- ● Civils et militaires

INDUSTRIES

- ▲ Aéronautiques et spatiales
- ▥ Automobiles

  Chimie et pétrochimie
- ✳ Sidérurgie

Le saviez-vous ?

● Les chantiers de l'Atlantique de Saint-Nazaire comptent parmi les plus importants chantiers navals d'Europe. Ils ont notamment construit des paquebots comme le France et le Queen Mary 2 et de nombreux pétroliers géants. En mars 2006, les chantiers ont été vendus à la société norvégienne Aker Yards.

● **L'industrie automobile française**, répartie entre deux grands groupes, Renault SA et PSA (qui regroupe les marques Peugeot et Citroën), réalise environ 9 % de l'ensemble de la production mondiale. L'industrie automobile emploie directement plus de 300 000 personnes en France. Au total, les emplois liés à cette industrie majeure sont estimés à 2,6 millions.

● **Seulement 54 %** de l'ensemble de la production des groupes français sont réalisés sur le territoire national ; le reste est délocalisé, notamment en Europe Centrale et en Amérique du Sud.

● **La France compte parmi les cinq nations majeures au monde** pour les industries aéronautiques et spatiales, avec notamment les firmes françaises Dassault Aviation, Safran (ancienne SNECMA) et Latéocoère, et d'importantes participations dans les grands constructeurs européens EADS, EADS-Astrium, Airbus Industries et Thalès.

● **En 1962, la France fut la troisième nation au monde**, après l'URSS et les États-Unis, à se doter d'un programme spatial complet comprenant les satellites et les lanceurs. Le premier satellite, Astérix, fut lancé le 26 novembre 1965 sur une fusée Diamant A.

L'agriculture : les céréales

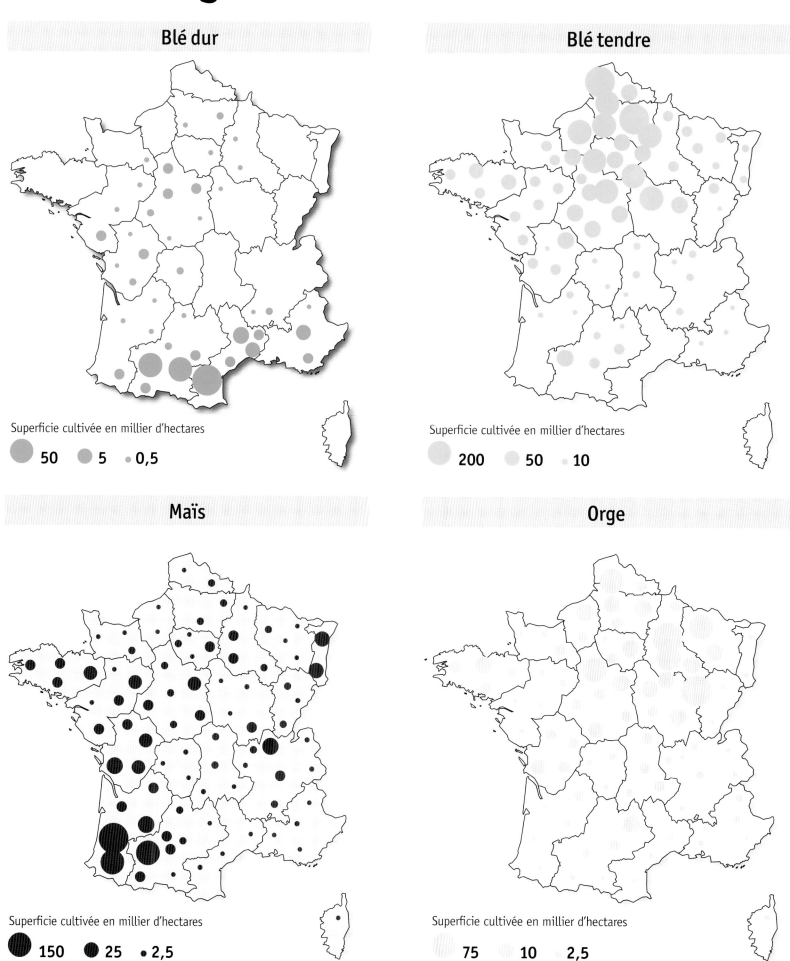

Blé dur

Superficie cultivée en millier d'hectares

50   **5**   **0,5**

Blé tendre

Superficie cultivée en millier d'hectares

200   **50**   **10**

Maïs

Superficie cultivée en millier d'hectares

150   **25**   **2,5**

Orge

Superficie cultivée en millier d'hectares

75   **10**   **2,5**

Seigle

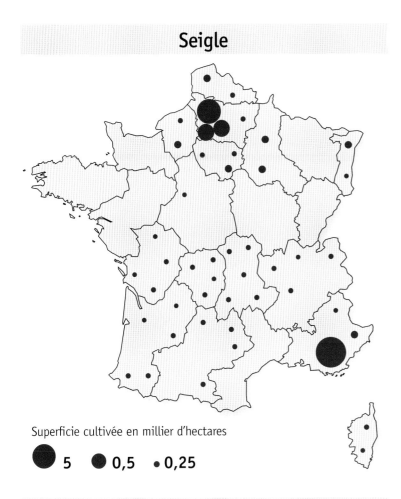

Superficie cultivée en millier d'hectares

● 5 ● 0,5 • 0,25

Avoine

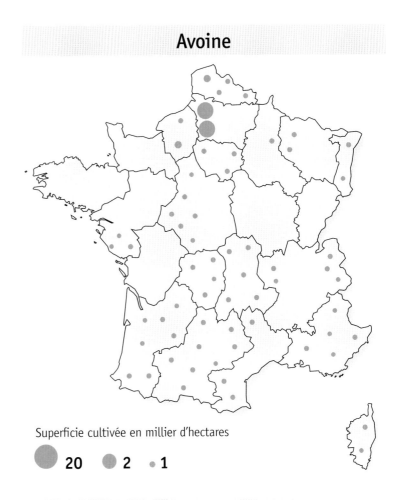

Superficie cultivée en millier d'hectares

● 20 ● 2 • 1

Riz

Superficie cultivée en millier d'hectares

● 20 ● 2 • 1

CÉRÉALES	2007 (Tonnes)	2008 (Tonnes)
BLÉ TOTAL	32 736 251	39 001 695
BLÉ DUR	1 980 194	2 101 531
BLÉ TENDRE	30 756 057	36 900 164
MAÏS	14 504 432	16 012 525
ORGE	9 473 584	12 171 284
SEIGLE	119 823	123 515
AVOINE	409 110	471 958
RIZ	87 719	104 105
Total toutes céréales	**59 406 812**	**70 245 952**

Le saviez-vous ?

● **Les céréaliers distinguent le blé dur du blé tendre ;** ce sont d'ailleurs des espèces différentes pour les botanistes. Le blé dur produit la farine qui est à la base des pâtes alimentaires et du vermicelle. Le blé tendre sert essentiellement à la production de la farine qui entre dans la composition du pain blanc et des pâtisseries.

L'agriculture : les légumes

CULTURES DIVERSES	2007 (Tonnes)	2008 (Tonnes)
BETTERAVES INDUSTRIELLES	33 229 782	30 306 340
CAROTTES	589 690	556 630
CHAMPIGNONS DE CULTURE	131 785	133 941
CHOUX-FLEUR	396 295	393 008
HARICOTS (TOUTES RACES)	573 048	631 724
LAITUES (TOUTES RACES)	347 805	316 888
MELONS	234 543	265 576
PETITS POIS	185 423	233 739
POMMES DE TERRE	7 183 093	6 808 209
TOMATES	679 571	714 635

FRUITS	2007 (Tonnes)	2008 (Tonnes)
ABRICOTS	126 409	94 526
CERISES	45 810	39 576
CLÉMENTINES	17 218	23 942
KIWIS	61 327	65 670
NOISETTES	5 371	4 999
NOIX	32 635	36 591
OLIVES	22 668	32 116
PAMPLEMOUSSES	3 498	3 244
PÊCHE (jaunes et blanches)	176 797	152 928
POIRES	194 586	156 142
POMMES	2 026 001	1 940 188
Pommes de bouche	1 781 863	1 701 973
Pommes à cidre	244 138	238 215
PRUNES (prunes et pruneaux)	250 900	146 903

Le saviez-vous ?

● **La France est le premier pays agricole de l'Union européenne.** En 2008, l'activité agricole dans son ensemble a représenté 69,485 milliards d'euros. La France comptait 326 255 exploitations de toutes tailles, contre 393 910 exploitations en 2000. L'agriculture n'emploie plus qu'environ 3,3 % de la population active.

Betteraves industrielles

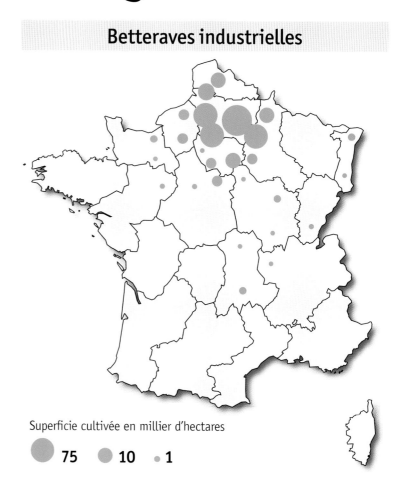

Superficie cultivée en millier d'hectares

 75   10   •1

Pommes de terre

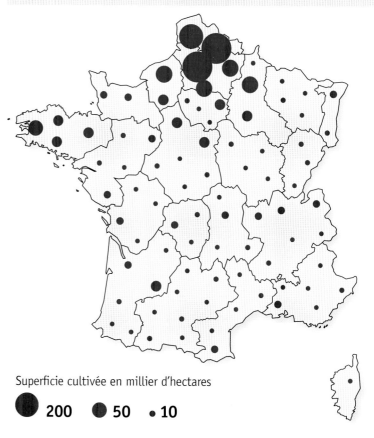

Superficie cultivée en millier d'hectares

● 200   ● 50   •10

Vignes et vignobles

CHAMPAGNE

VINS D'ALSACE

VINS DE LOIRE
Vin d'Anjou

Vin de Chablis

Vin de Sancerre

VINS DE BOURGOGNE

Vin du Muscadet

Vin de Touraine

Vin du Beaujolais

VINS DU JURA SAVOIE BUGEY

VINS DE BORDEAUX

VINS DES CÔTES DU RHÔNE

Vin de Cahors

VINS DU SUD-OUEST

VINS DU LANGUEDOC ROUSSILLON

VINS DE PROVENCE

Vin de Jurançon

VINS DE CORSE

Vin de Banyuls

RAISIN	2007 (Tonnes)	2008 (Tonnes)
Raisin de table	60 369	48 691
Raisin de cuve	5 958 687	5 615 505
TOTAL	**6 019 056**	**5 664 195**

VIN	2007 (Hectolitres)	2008 (Hectolitres)
Vins rouges et rosés	28 404 996	24 483 815
Vins blancs	18 415 048	18 098 486
TOTAL	**46 820 044**	**42 582 301**

L'élevage

Vaches / Veaux

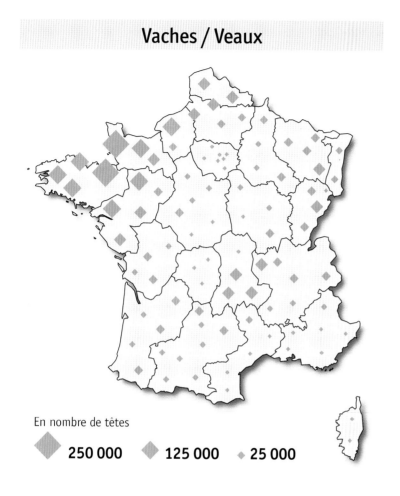

En nombre de têtes

250 000   125 000   25 000

Bœufs / Taureaux

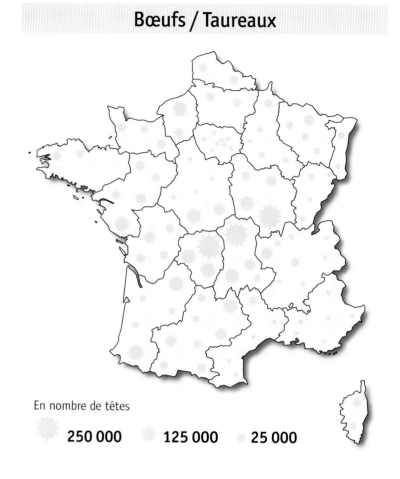

En nombre de têtes

250 000   125 000   25 000

Porcs

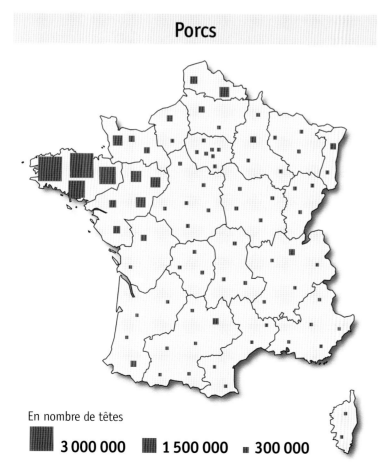

En nombre de têtes

3 000 000   1 500 000   300 000

Chèvres

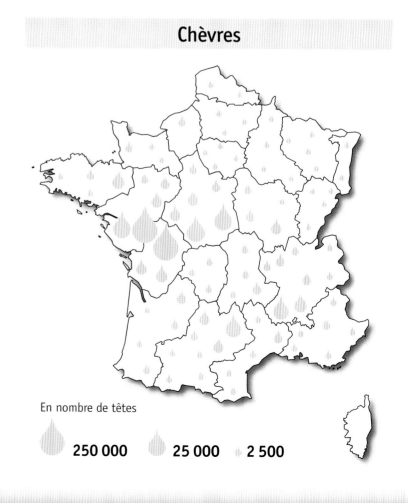

En nombre de têtes

250 000   25 000   2 500

ANIMAUX	Nombre de têtes fin 2007	Nombre de têtes fin 2008
BOVINS	19 740 293	19 887 458
Vaches (plus d'un an)	12 552 904	12 672 661
Bœufs et taureaux (plus d'un an)	1 404 808	1 455 716
Veaux (moins d'un an)	5 782 581	5 759 081
PORCS	14 766 321	14 805 557
CHÈVRES	1 226 355	1 224 391
MOUTONS	8 459 382	8 187 329
CHEVAUX	571 182	575 362
Courses, loisirs	491 192	491 569
Traits, boucherie	79 990	83 793

PRODUCTIONS	2007	2008
LAIT	Hectolitres	Hectolitres
Vache	227 433 890	235 583 826
Chèvre	5 738 759	5 652 592
Brebis	2 595 543	2 408 867
ŒUFS	millions d'œufs	millions d'œufs
Poules	12 887 204	13 073 724

Le saviez-vous ?

● **La Bretagne est la principale région française d'élevage,** tous cheptels confondus. Les prairies et les landes se prêtent particulièrement bien aux élevages des bovins, des ovins et des porcs.

● **L'élevage des chèvres décroît régulièrement en France,** environ 5 % chaque année. La viande de chèvre n'est presque plus consommée dans notre pays et seul le lait est utilisé pour l'élaboration de fromages de caractère.

● **Malgré les nombreuses qualités de la viande de cheval,** la production française a chuté à environ 7 700 tonnes en 2008.

Moutons

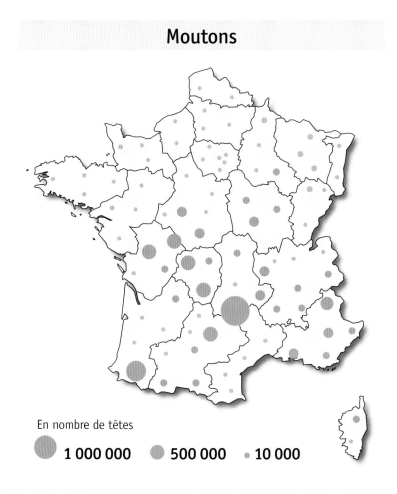

En nombre de têtes

● 1 000 000   ● 500 000   · 10 000

Chevaux

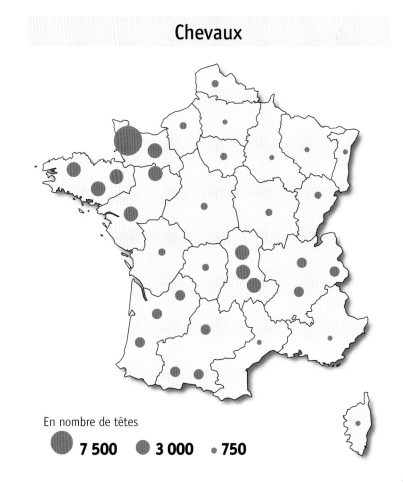

En nombre de têtes

● 7 500   ● 3 000   · 750

111

Les volailles et les lapins

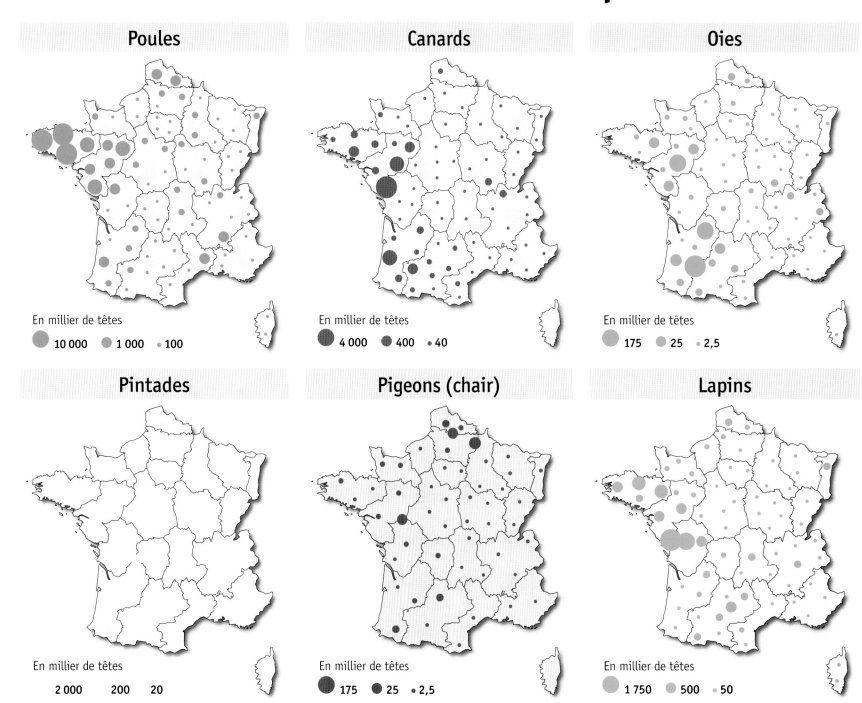

Poules

En millier de têtes

⬤ 10 000   ● 1 000   • 100

Canards

En millier de têtes

⬤ 4 000   ● 400   • 40

Oies

En millier de têtes

● 175   ● 25   • 2,5

Pintades

En millier de têtes

2 000   200   20

Pigeons (chair)

En millier de têtes

● 175   ● 25   • 2,5

Lapins

En millier de têtes

● 1 750   ● 500   • 50

Le saviez-vous ?

● **En 2008, la France a produit un total** de 738 622 000 poulets et 46 091 000 lapins destinés à la consommation.

● **En Europe, la pintade est le seul animal** élevé pour sa chair qui provienne d'Afrique. Elle est la forme domestique d'un oiseau encore commun en Afrique occidentale.

ÉLEVAGES VOLAILLES ET LAPINS

ANIMAUX (*)	Nombre de têtes (2007)	Nombre de têtes (2008)
POULES	181 930 600	182 945 200
Poules pondeuses	49 050 100	49 135 000
Poulets et coqs (chair)	132 880 500	133 810 200
CANARDS	23 582 500	22 848 200
OIES	633 000	656 000
PINTADES	10 862 000	10 638 000
CAILLES	6 677 000	7 017 000
LAPINS	48 214 000	46 091 000

(*) : nombre d'animaux en élevage (cheptels), et non le nombre total d'animaux produits au cours de l'année.

L'occupation des sols

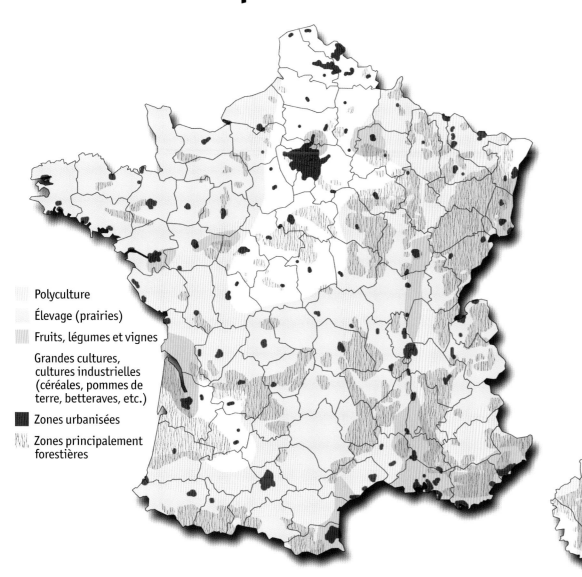

Polyculture

Élevage (prairies)

Fruits, légumes et vignes

Grandes cultures, cultures industrielles (céréales, pommes de terre, betteraves, etc.)

Zones urbanisées

Zones principalement forestières

OCCUPATION DES TERRES (FRANCE MÉTROPOLITAINE ET CORSE)

TYPE	2007		2008	
	Superficie (ha)	% du total	Superficie (ha)	% du total
TERRES AGRICOLES	**29 423 031**	**53,6**	**29 314 098**	**53,4**
dont terres arables	18 278 248	33,3	18 267 526	33,3
Céréales	9 087 422	16,6	9 662 246	17,6
Prés, prairies	3 147 578	5,7	3 175 041	5,8
Fourrage	1 398 753	2,5	1 474 495	2,7
Vignoble	867 437	1,6	853 633	1,6
Betteraves	393 128	0,7	349 276	0,6
Légumes frais	224 118	0,4	225 311	0,4
Fruits	193 263	0,4	185 955	0,3
Pommes de terre	158 078	0,3	156 210	0,3
Jachères	1 203 861	2,2	739 794	1,3
FORÊTS, SURFACES BOISÉES	**15 560 487**	**28,3**	**15 563 423**	**28,3**
TERRES NON AGRICOLES	**9 925 170**	**18,1**	**10 031 166**	**18,3**
SUPERFICIE TOTALE	**54 908 687**	**100,0**	**54 908 687**	**100,0**

Le saviez-vous ?

● **La superficie totale du territoire** métropolitain est de 549 086,87 km², soit 54 908 687 hectares.

● **Le territoire métropolitain** est largement rural. Sur une superficie totale de 54,909 millions d'hectares, le sol national est occupé par :
- 29,314 millions d'hectares de terres agricoles exploitées,
- 15,563 millions d'hectares de forêt (28,3 %),
- 1,859 millions d'hectares de terres agricoles non exploitées,
- 10,031 millions d'hectares de terres non agricoles, comprenant les zones urbanisées.
Au total, plus de 53 % du territoire national est dévolu aux activités agricoles, sans compter les exploitations forestières.

● **La France** compte parmi les États les moins urbanisés des grands pays de l'Union européenne. En effet, les surfaces construites ne représentent que 814 000 hectares, soit 1,5 % du territoire.

● **Les lacs et les étangs** sont fort nombreux en France, mais, avec 139 550 hectares, ils ne représentent que 0,25 % de la superficie du territoire.

● **Les prairies** sont comptabilisées dans les terres agricoles. Elles occupent 3 175 041 hectares, soit 5,8 % du territoire.

● **La France est très agricole**. La surface dédiée aux grandes cultures annuelles représente 18,267 millions d'hectares, soit 33,3 % du pays, juste devant les forêts (28,3 %).

● **La France est le pays des vins**, mais les surfaces vinicoles – 853 633 hectares – ne comptent que pour 1,55 % de la superficie totale.

Le tourisme

Legend:
- Villes touristiques avec curiosités à visiter
- Villes touristiques et balnéaires
- Villes touristiques
- Châteaux, musées et monuments
- Parcs de loisirs, parcs à thèmes
- Sites naturels
- Stations balnéaires
- Stations de sport d'hiver

Remarque

Seuls les principaux sites ou les principales stations sont indiqués sur cette carte.

Map labels: LE TOUQUET, Nausicaa – Centre national de la mer, Berck-Plage, Mers-les-Bains et Le Tréport, Lille, Étretat, Trouville-sur-Mer, HONFLEUR, Deauville, Cabourg, Courseulles-sur-Mer, Dieppe, BAIE DE SOMME, Amiens, Parc de Samara, Granville, Bayeux, Houlgate, Pont de Normandie, Forges-les-Eaux, ROUEN, Compiègne, Pierrefonds, Reims, Brignogan-Plages, Perros-Guirec, Trébeurden, Saint-Cast, Dinard, SAINT-MALO, Fréhel, OUISTREHAM et plages du débarquement, Lisieux, La Roche-Guyon, Chantilly, Parc Astérix, Mer de sable d'Ermenonville, Enghien-les-Bains, Strasbourg, Le Conquet, Huelgoat, Villedieu-les-Poêles, Vire, Mont Saint-Michel, Versailles, L'Aquaboulevard, Cité des sciences de La Villette (Paris), Thoiry, PARIS, Disneyland Paris, Riquewihr, Kaysersberg, Locronan, Châteaulin, Quimper, Concarneau, Rambouillet, Barbizon, Fontainebleau, Sens, Vaux-le-Vicomte, Chartres, Parc Walibi (Walygator Parc), Penmarc'h, Loctudy et l'Île-Tudy, Bénodet, Fouesnant et Guidel, La Forêt-Fouesnant, VENDÔME, ORLÉANS, Gérardmer, Ballon d'Alsace, Bioscope (Ungersheim), QUIBERON, CARNAC, Belle-Île-en-Mer, La Trinité-sur-Mer, La Turbale, La Baule, Pornichet, Angers, Tours, Blois, Chambord, Cheverny, Sully-sur-Loire, Gien, Dijon, Saint-Brévin-les-Pins, Saint-Brévin-sur-Mer, Saint-Jean-de-Monts, Noirmoutier en l'Île, Saumur, Amboise, Chenonceau, Saint-Gilles-Croix-de-Vie, Brétignolles-sur-Mer, Les Sables d'Olonne, La Roche-sur-Yon, La Tranche-sur-Mer, Saint-Martin-de-Ré, Azay-Le-Rideau, Loches, Bourges, Nevers, Futuroscope, Châteauroux, MARAIS POITEVIN, Paray-le-Monial, LES ROUSSES, Lac Léman, Évian, Saint-Léonard-de-Noblat, Vichy, Morzine-Avoriaz, Lac d'Annecy, Annecy, Samoëns, La Clusaz, ROYAN, Limoges, Aubusson, Puy de Dôme, Vulcania, Megève, CHAMONIX, LA PLAGNE, Lac du Bourget, Les Arcs, VAL D'ISÈRE, TIGNES (Espace Killy), Soulac-sur-Mer, La Bourboule, Royat, Murol, LYON, LES TROIS-VALLÉES, Les Deux-Alpes, Val Cenis, Lacanau, Le Mont-Dore, La Chaise-Dieu, Lans-en-Vercors, Chamrousse, Serre-Chevalier, Collonges-la-Rouge, Salers, Super-Besse, Plomb du Cantal, BORDEAUX, GROTTE DE LASCAUX, Vic-sur-Cère, Super-Lioran, L'Alpe-d'Huez, Orcières-Merlette, Sarlat, ROCAMADOUR, GOUFFRE DE PADIRAC, LE PUY-EN-VELAY, Chaudes-Aigues, Montélimar, Arcachon et le Pilat-sur Mer, Dune du Pilat, Cahors, Conques, Vallon-Pont-d'Arc, Nyons, Manosque, Sisteron, Les Orres, Isola 2000, SAINT-CIRQ-LAPOPIE, L'Aven d'Orgnac, ORANGE, VAISON-LA-ROMAINE, Digne-les-Bains, Saint-Martin-Vésubie, Mimizan, Viaduc de Millau, Cirque de Navacelles, Nîmes, AVIGNON, Gorges du Verdon, Castellane, Menton, St-Jean-Cap-Ferrat, Roquefort, Aigues-Mortes, Aix-en-Provence, Les Baux-de-Provence, GRASSE, Nice, Cagnes-sur-Mer, Vieux-Boucau-les-Bains, Hossegor, Capbreton, Biarritz, Hendaye, Toulouse, Saint-Guilhem-le-Désert, Arles, Saint-Maximin-la-Sainte-Baume, Antibes, Vallauris, Cannes, Morsiglia, Saint-Florent, L'Île-Rousse, Argelès-Gazost, LOURDES, Narbonne, Camargue, Le Grau-du-Roi, La Grande-Motte, MARSEILLE, Juan-les-Pins, SAINT-RAPHAËL, Fréjus, Sainte-Maxime, Saint-Tropez, Calvi, Corte, Saint-Jean-Pied-de-Port, CARCASSONNE, Cap d'Agde, Palavas-les-Flots, Cassis, Bandol, Les Embiez, Hyères, Le Lavandou, Ajaccio, Artouste, La Mongie, Pic du Midi de Bigorre, Luchon-Super-Bagnères, Réserve africaine de Sigean, Port-Leucate, Barcarès, Le Canet-en-Roussillon, Argelès-sur-Mer, Propriano, Porto-Vecc, Cirque de Gavarnie, Les Angles, Amélie-les-Bains, COLLIOURE, Sartène, Font-Romeu, Banyuls-sur-Mer, Bonifacio

Le saviez-vous ?

En 2008, la France a accueilli 78,5 millions de touristes étrangers, soit nettement plus que la population française !

La France est le premier pays touristique au monde, loin devant l'Espagne, les États-Unis et l'Italie.

Le tourisme français et international est une activité économique majeure de notre pays. Au total, le chiffre d'affaire du tourisme avoisine les 110 milliards d'euros ! En 2007, les touristes étrangers ont dépensé 39,8 milliards d'euros en France. Le tourisme a généré plus de 11 milliards d'euros d'excédent commercial, soit plus que l'industrie automobile ! En 2008, les 50 principaux monuments, musées et sites religieux parisiens ont enregistré 69,5 millions d'entrées.

Le littoral français continental est long de 5 532 kilomètres. Il est partagé entre 923 communes. La plupart possèdent au moins une plage et peuvent revendiquer le nom de station balnéaire.

Situé en Savoie, le domaine des Trois-Vallées comprend les stations de Méribel, Courchevel, Pralognan-la-Vanoise, Les Ménuires, Val-Thorens, etc. Avec plus de 600 kilomètres de pistes de ski s'étendant de 610 à 3 230 mètres d'altitude, le domaine des Trois-Vallées constitue le plus grand domaine skiable au monde.

LES HAUTS LIEUX TOURISTIQUES EN FRANCE (Ce tableau liste les principaux lieux touristiques de la métropole, hormis les stations balnéaires et de sports d'hiver)

Lieu ou monument	Visiteurs 2008 (millions)*	Lieu ou monument	Visiteurs 2008 (millions
Paris (global)	25,7	Lyon (centre historique)	5,5
Disneyland Paris	15,8	Lourdes (Basilique et grotte)	4,7
Notre-Dame de Paris	13,5	Cathédrale de Strasbourg	4,0
Forêt de Fontainebleau	13,1	Nice (centre historique et plages)	4,0
Basilique du Sacré-Cœur de Montmartre	10,5	Domaine de Saint-Cloud	4,0
Musée du Louvre	8,4	Mont Saint-Michel	3,3
Tour Eiffel	6,9	Musée d'Orsay	3,2
Centre Georges-Pompidou	5,6	Cité des Sciences de la Villette	3,0
Château de Versailles	5,5		

* Touristes et visiteurs français et étrangers

La Région parisienne

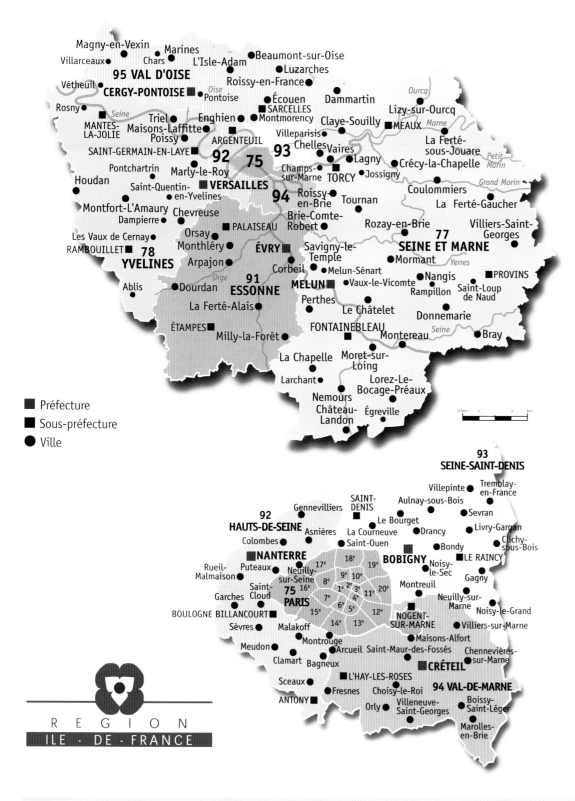

■ Préfecture
■ Sous-préfecture
● Ville

REGION
ILE · DE · FRANCE

Le saviez-vous ?

● **Il ne faut pas confondre** l'Île-de-France avec le Bassin parisien. L'Île-de-France désigne une région politique et administrative, communément appelée la Région parisienne, qui regroupe huit départements, dont celui de la Seine, équivalent à la ville de Paris. Le Bassin parisien est le nom d'une formation géologique et géographique. Ses roches calcaires sont les restes d'une ancienne mer du Mésozoïque. Il s'étend bien au-delà de la région Île-de-France, puisqu'il couvre une partie de la Picardie et de la région de la Loire.

● **Le nom d'Île-de-France remonte** au moins à l'an 1387. Toutefois, bien avant cette date, le roi Hugues Capet avait déjà établi son domaine royal sur la région limitée par la Seine, l'Oise ou l'Eure selon les sources, l'Aisne et la Marne. Le nom d'Île-de-France provient probablement de ces limites fluviales.

● **L'Île-de-France comptait initialement trois départements** (la Seine, la Seine-et-Oise et la Seine-et-Marne). Une réforme de 1964 a réduit le département de la Seine à la seule ville de Paris. Les autres villes de la Seine ont été réparties entre les Hauts-de-Seine, la Seine-Saint-Denis et le Val-de-Marne. Parallèlement, la Seine-et-Oise, un très vaste département, était divisée entre les Yvelines et le Val d'Oise. Cela fait donc huit départements.

● **La région Île-de-France** s'étend sur 12 072 km², soit seulement 2,2 % de la superficie de la France métropolitaine, mais elle est peuplée par 11,599 millions d'habitants (2008), soit 18,5 % de la population de la France métropolitaine.

● **La densité moyenne de la population** est de 965,6 habitants par kilomètre carré ; cette densité se monte à 20 807 habitants par kilomètre carré dans Paris !

● **Environ 80 % de la superficie** de la région sont couverts de forêts et de cultures. Par ailleurs, l'Île-de-France compte 4 440 km de cours d'eau.

● **La région est divisée en 1 281 communes,** dont la population varie de la centaine d'habitants à 2 193 030 habitants pour Paris (en 2008).

● **Paris** s'est appelée Lutèce jusque vers 305, avant de prendre son nom actuel, qui dérive du nom de la peuplade gauloise des Parisii, aussi à l'origine de la région du Parisis. Vers 487, Clovis choisit Paris comme capitale de son royaume.

● **La région Île-de-France** est la première région économique de France. Avec plus de 469 milliards d'euros, son PIB (voir la définition page 32) représente environ 29 % du PIB global de la France.

La France

Le saviez-vous ?

La France a une superficie totale de 670 922 km². Cette valeur se répartit ainsi :
- **549 087 km²** pour la France métropolitaine, c'est-à-dire la partie continentale de la France, "l'Hexagone", plus les îles atlantiques et méditerranéennes proches des côtes, ainsi que la Corse, dont la superficie est de 8 680 km².
- **121 835 km²** pour les départements et les collectivités d'outre-mer.

Le calcul de la superficie de la France métropolitaine n'est pas si simple. Doit-on tenir compte des zones découvertes à marée basse ? Ainsi, selon une autre méthode de calcul, l'Institut géographique national (IGN) considère que la superficie de la métropole, comme définie ci-dessus, est de 551 695 km², dont 543 965 km² pour le seul "Hexagone".

La situation pour les collectivités d'outre-mer est encore plus délicate. Il est difficile de déterminer la superficie des innombrables atolls de corail de la Polynésie française. Faut-il inclure la superficie des eaux du lagon inclus dans l'atoll, ou pas ? Ces différences de calcul expliquent les disparités entre les superficies citées pour la France lorsqu'on inclut les îles du Pacifique. Dans ce cas, la superficie globale de l'ensemble des territoires français peut atteindre 675 416 km² !

La France continentale possède 3 427 km de côtes bordant un océan et trois mers : la mer du Nord, la Manche, l'océan Atlantique et la Méditerranée. La Corse est, de plus, bordée par le nord de la mer Tyrrhénienne.

Le point culminant de la France et des Alpes est le Mont-Blanc, avec 4 810,45 mètres au-dessus du niveau de la mer en novembre 2009 (voir page 63).

La chaîne des Pyrénées sépare la France de l'Espagne. Elle s'étend de l'océan Atlantique jusqu'à la mer Méditerranée. Son point culminant situé sur le territoire français est le Mont Vignemale, avec 3 298 mètres. Il est situé dans le département des Hautes-Pyrénées. Le plus haut sommet de la chaîne, le Pic d'Aneto (3 404 m) est situé en Espagne.

La chaîne des Puys, dans le département du Puy-de-Dôme, compte une centaine de volcans, dont le plus élevé est le Puy-de-Dôme (1 465 mètres). Tous ces volcans, dont les premières éruptions remontent à environ 70 000 ans, sont bien éteints. Toutefois, la dernière éruption ne remonte qu'à moins de 8 000 ans.

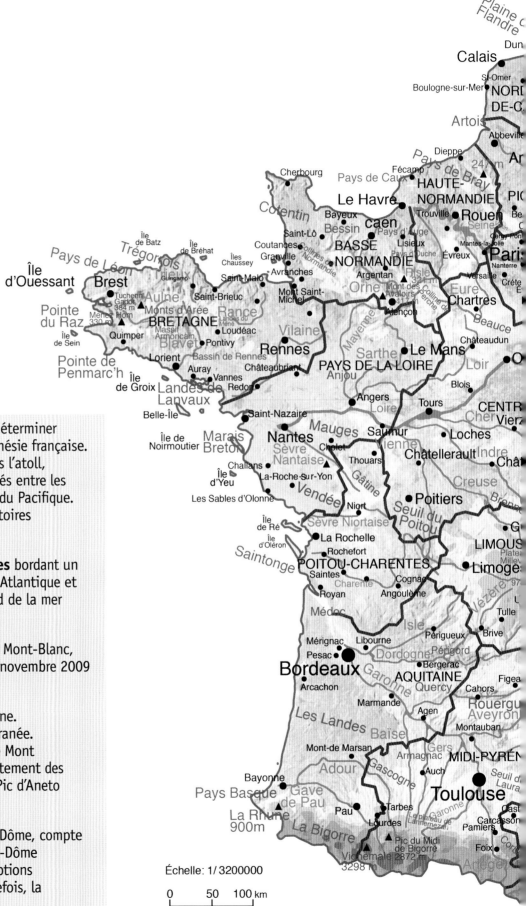

Échelle: 1/3200000

0   50   100 km

Map labels:

Tourcoing, Roubaix, Lille, Hainaut, Valenciennes, Maubeuge, Sambre, Lens, Cambrai, Ardennes, Thiérache, Charleville-Mézière, Saint-Quentin, Sedan, Oise, Laon, Rethel, Pays haut, Compiègne, Aisne, Briey, Sarrebruck, Soissons, Verdun-sur-Meuse, Metz, Sarreguemines, Valois, Reims, Forbach, Meaux, Brie, Châlons-en-Champagne, LORRAINE, Champagne, Plateau Lorrain, Strasbourg, ÎLE-DE-FRANCE, Bar-le-Duc, Toul, Nancy, ALSACE, Provins, Nogent-sur-Seine, Meurthe, Montereau, Vittel, Sélestat, Troyes, CHAMPAGNE-ARDENNE, Épinal, Plaine d'Alsace, Colmar, Chaumont, Grand Ballon 1424 m, Sens, Pays d'Othe, Langres, Moselle, Mulhouse, Seine, Aube, Gâtinais, Gien, Loing, Auxois, Porte de Bourgogne, Belfort, Auxerre, Vesoul, BOURGOGNE, 608 m, Montbéliard, Clamecy, Doubs, Dijon, Côte d'Or, Besançon, Nevers, Haut-Folin 902 m, FRANCHE-COMTÉ, Morvan, Châlons-sur-Saône, Jura, Lac Léman, Bresse, lons-le-Saunier, Moulins, Allier, Ain, Thonon-les-Bains, Chablais, Montluçon, Limagne, Mâcon, 3257 m, RHÔNE-ALPES, Chamonix, Mont Blanc 4810 m, Clermont-Ferrand, Annecy, Puy de Dôme 1465 m, Lyon, Albertville, Issoire, Vienne, Massif de la Vanoise, AUVERGNE, Saint-Étienne, Chambéry, Plomb du Cantal 1858 m, Vivarais, ALPES, Isère, Grenoble, Saint-Flour, Monts de Margeride, Valence, Barre des écrins 4103 m, Briançon, Privas, Briançonnais, Drôme, Mende, Dauphiné, Montélimar, Gap, Mont Lozère 1702 m, Mont Aigoual 1567 m, Préalpes du Sud, Digne-les-Bains, Arles, Orange, Mont Ventoux 1912 m, PROVENCE-ALPES-CÔTE D'AZUR, Gard, Avignon, Manosque, Monaco, Nîmes, Arles, Durance, Verdon, Nice, Languedoc, Camargue, Estérel 618 m, Béziers, Aix-en-Provence, Cannes, Bastia, Sète, Draguignan, Agde, Martigues, Maures, Monte Cinto 2716 m, Corte, Narbonne, Montpellier, Marseille, Toulon, Plaine d'Aléria, LANGUEDOC-ROUSSILLON, Perpignan, Îles d'Hyères, CORSE, Mont Canigou 2785 m, Ajaccio

Le saviez-vous ?

● **Le plus haut sommet du Massif Central** est le Puy de Sancy, avec 1 886 mètres. C'est aussi un volcan, situé dans le département du Puy-de-Dôme, mais il appartient au massif des Monts Dore.

● **Le Jura culmine à 1 720 mètres**, au Crêt de la Neige (département de l'Ain).

● **Les Vosges culminent à 1 424 mètres** au Grand Ballon. Longtemps appelé Ballon de Guebwiller, il est situé dans le département du Haut-Rhin.

● **Le pic de Finiels**, appartenant au Mont-Lozère, est le point culminant des Cévennes à 1 702 mètres d'altitude.

● **Les plus hauts sommets** des massifs montagneux sont souvent désignés par des noms régionaux, par exemple des crêts dans le Jura, des puys dans le Massif central, ou des ballons dans les Vosges.

● **Parmi les quatre principaux fleuves français**, seule la Loire a l'ensemble de son cours et ses affluents entièrement situés en France. La Seine suit de près mais l'Oise, son principal affluent, prend sa source en Belgique. Quant à la Garonne et au Rhône, ces fleuves prennent leur source respectivement en Espagne et en Suisse.

● **Le centre géographique de la France** reste l'objet de controverses, malgré des siècles de quadrillages géographiques et de relevés topographiques ! Pas moins de sept communes revendiquent l'honneur géographique d'être le vrai centre de la France métropolitaine. Le village de Bruères, dans le sud du département du Cher, fut la première commune désignée comme centre du pays. Selon d'autres méthodes, l'IGN a officiellement établi que le centre de la France se situait au lieu-dit Champvallier, sur la commune de Nassigny, dans l'Allier. Plus récemment, en tenant compte des îles côtières, c'est la commune de Vesdun (Cher) qui s'est vu attribuer cet honneur. Pour compliquer la situation, Saulzais-le-Potier (Cher) revendique aussi le titre, tandis qu'en 1986, la dernière tentative en date a placé ce point crucial sur la commune de Chazemais (Allier)... Le débat reste ouvert !

● **Si Paris est la commune la plus peuplée** de France, avec 2 193 030 habitants, la plus vaste est Maripasoula, en Guyane française (18 360 km²). En métropole, la commune la plus étendue est Arles, avec 758,930 km². La plus petite (au 1er janvier 2010) était Castelmoron d'Albret, dans la Gironde, avec 0,0376 km².

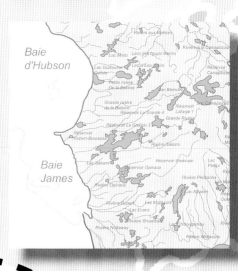

LA FRANCOPHONIE

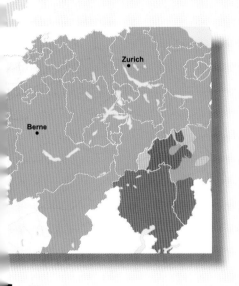

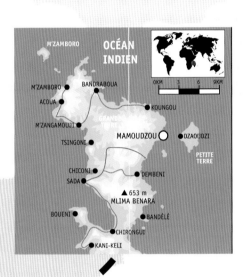

LA BELGIQUE

TABLEAU RÉCAPITULATIF

Nom officiel (francophone)	Royaume de Belgique
Fondation de l'État	1830
Régime politique	Monarchie fédérale parlementaire
Capitale	Bruxelles
Habitants	Belges
Hymne national	"La Brabançonne"
Superficie	30 528 km²
Point culminant	Signal de Botrange (694 m)
Population (2009)	10 414 336 habitants
Densité de population	341 habitants / km²
Langues officielles de l'État	Néerlandais, allemand et français
Religion	Catholique (88 % de la pop.)
Monnaie	Euro
PNB (2008)	474,467 millions de dollars
PNB / habitant (2008)	34 760 dollars

Carte détaillée de la Belgique

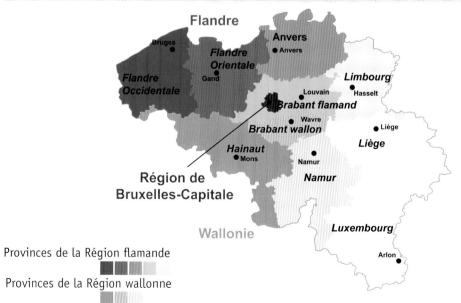

Carte linguistique de la Belgique

Provinces francophones

Provinces néerlandophones

Territoires germanophones

Région de Bruxelles-Capitale, bilingue francophone-néerlandophone

Carte administrative de la Belgique

Provinces de la Région flamande

Provinces de la Région wallonne

Le saviez-vous ?

● **Depuis 1993, la Belgique est un État fédéral** divisé en trois régions : la Région wallonne, ou Wallonie (capitale : Namur), la Région flamande, ou Flandre (capitale : Bruxelles), et la Région de Bruxelles-Capitale. L'État est ensuite divisé en onze provinces.

● **La Belgique est aussi divisée en trois communautés linguistiques.** La Région flamande compte environ 58 % de la population, la Wallonie environ 32 %, et la Région de Bruxelles-Capitale, bilingue, environ 10 %.

LA CONSTRUCTION DE LA BELGIQUE

Les "Pays-Bas" des ducs de Bourgogne en 1477

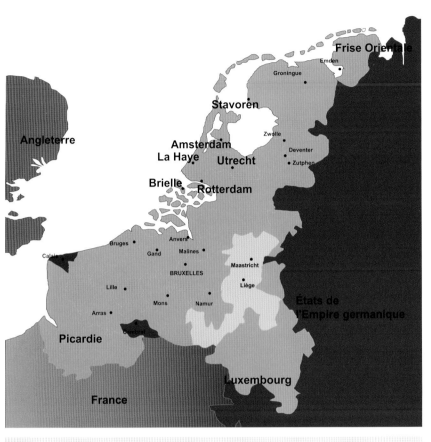

Les Pays-Bas espagnols en 1555

La Belgique sous Napoléon Ier en 1811

Le saviez-vous ?

● **Le nom "Belgique"** est très ancien, puisque Jules César, dans son ouvrage *La Guerre des Gaules*, employait déjà le nom de *Belgica* pour désigner la partie de la Gaule située au nord de la Seine et de la Marne. La Gaule Belgique était donc beaucoup plus vaste que la Belgique actuelle.

● **Au Moyen Âge,** progressivement les différents petits États coincés entre le Royaume de France et l'Empire germanique vont se rassembler. À partir de 1384, les ducs de Bourgogne vont constituer un seul état vassal du roi de France, sous le nom de "Pays-Bas". Cette entité subira la conquête des Espagnols en 1482 ; pour la Belgique, on parlera des Pays-Bas espagnols jusqu'en 1713 !

● **Un premier État belge est formé en 1790.** Cet État, qui ne dure qu'un an, porte le nom des "États Belgiques Unis". Pour la première fois depuis Jules César, le nom de Belgique réapparaît. La Belgique est intégrée à la France en 1795. Elle restera sous domination française jusqu'en 1814. En 1811, la Belgique actuelle s'étale sur huit des 130 départements de la France.

● **À la chute de Napoléon Ier en 1814,** la Belgique est intégrée au royaume des Pays-Bas malgré une forte opposition de la majorité de la population. Le 4 octobre 1830, l'indépendance de la Belgique est proclamée ; elle est reconnue par les autres États européens le 20 janvier 1831.

LA BELGIQUE PHYSIQUE

Le saviez-vous ?

La Belgique partage 646 km de frontières avec la France, contre 460 km avec les Pays-Bas, 153 km avec l'Allemagne et 150 km avec le Luxembourg.

Les Français parlent souvent de la Belgique comme le pays "Outre-Quiévrain". Ces termes ne font pas référence à un cours d'eau, mais à la petite ville de Quiévrain, dans la province de Hainaut.

La Belgique mérite son surnom de "plat pays", mais seulement sur les deux tiers de son territoire, qui ne dépassent guère 200 mètres d'altitude. Le tiers sud-est du pays, qui correspond au massif de l'Ardenne, est le plus élevé. Toutefois, seuls quatre sommets y dépassent l'altitude de 500 mètres.

Il ne faut pas confondre l'Ardenne, ou massif de l'Ardenne, qui est une région géographique correspondant au massif montagneux, avec les Ardennes, qui désignent soit un département français (08), soit un ensemble de territoires répartis sur la Belgique et la France.

La plaine des Flandres, qui correspond approximativement au tiers occidental de la Belgique, est dénuée de tout relief marqué. Son altitude ne dépasse pas 50 mètres ! La partie septentrionale du littoral de la Mer du Nord est même constituée de polders, obtenus par l'assèchement de zones côtières marécageuses.

Les rivières sont nombreuses en Belgique mais le pays compte aussi 41 canaux dont certains dépassent la longueur de 185 km. Ces canaux, creusés pour la plupart entre les XVIᵉ et XIXᵉ siècles, sont des éléments caractéristiques des paysages de la Belgique occidentale.

Les deux principaux fleuves traversant la Belgique sont l'Escaut (355 km) à l'ouest, et la Meuse (949 km) à l'est. Ils prennent leur source en France et se jettent dans la Mer du Nord, aux Pays-Bas. En Belgique, le bassin de l'Escaut couvre 15 328 km², soit plus de la moitié de la superficie du pays.

En revanche, l'Oise, l'un des principaux affluents de la Seine, prend sa source près de Chimay, dans le sud de la Belgique. Bien que son cours de 341 km ne s'étende que sur quelques kilomètres dans ce pays, le bassin de la Seine n'est donc pas entièrement situé en France.

Le climat est tempéré et océanique. Les températures moyennes sont de 17°C en été à 3,1°C en hiver. Les froids extrêmes sont rares en Belgique, sauf dans le Massif de l'Ardenne. Les pluies sont abondantes toute l'année. Seule la Gaume, à l'extrême sud-est du pays, possède un climat plus chaud et ensoleillé qui permet la culture de la vigne.

Carte physique

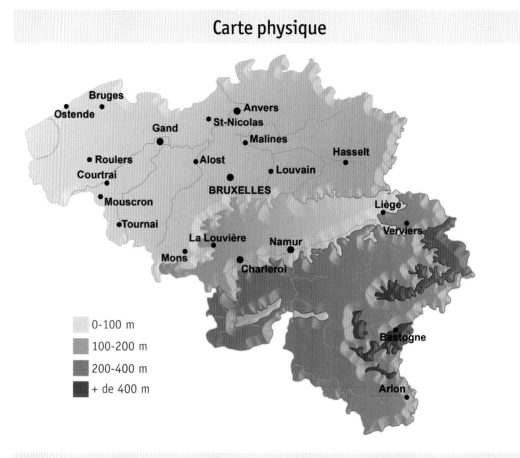

0-100 m

100-200 m

200-400 m

+ de 400 m

Carte climatique

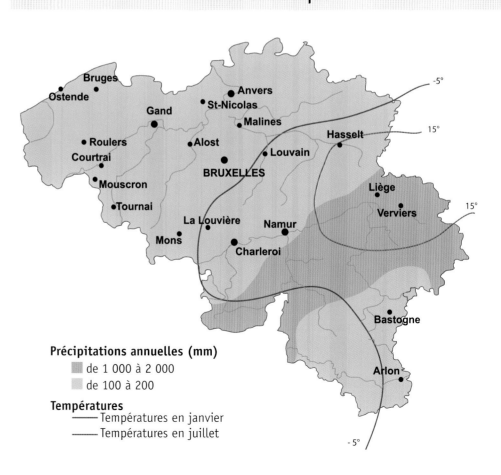

Précipitations annuelles (mm)

de 1 000 à 2 000

de 100 à 200

Températures

——— Températures en janvier

——— Températures en juillet

LA BELGIQUE ÉCONOMIQUE

Carte de l'agriculture

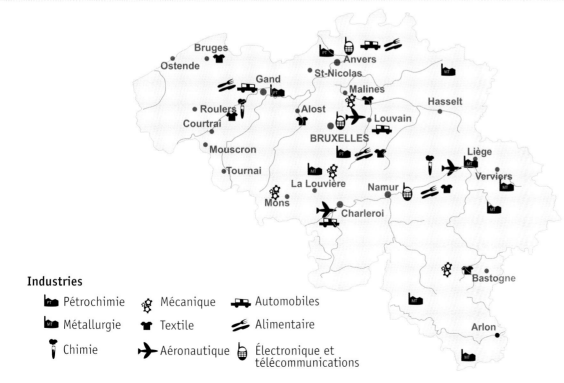

Végétation
- Forêts
- Pâturages
- Cultures
- Pâturages et cultures

Élevage
- 🐂 Bovins
- 🐖 Porcins

Cultures
- 🌾 Céréales
- 🥔 Pomme de terre et légumes
- 🌳 Arbres fruitiers
- 🌱 Betterave sucrière

Carte de l'industrie

Industries
- Pétrochimie
- Métallurgie
- Chimie
- Mécanique
- Textile
- Aéronautique
- Automobiles
- Alimentaire
- Électronique et télécommunications

Le saviez-vous ?

● **Les forêts couvrent 692 920 hectares,** soit 22,7 % de la superficie du pays, mais près de 80 % des forêts belges sont situées en Wallonie, surtout dans le massif de l'Ardenne. La Flandre, très agricole, ne compte que 19 % des forêts belges.

● **Grâce à la forêt ardennaise,** la Belgique produit près de 4,95 millions de mètres cube de bois chaque année.

● **Avec 4,371 millions de tonnes en 2008, la betterave sucrière** est la principale culture (en tonnage) de la Belgique, suivie de la pomme de terre (2,804 millions de tonnes) et du blé (1,869 millions de tonnes). L'orge est aussi largement cultivée.

● **La Belgique fut un des principaux producteurs de charbon.** Dès le milieu du XIXᵉ siècle, le charbon, très peu profond, a été exploité dans les grands bassins houillers des régions de Liège, Mons, Charleroi et du centre du pays.

● **La région principale d'exploitation du charbon était le Borinage.** Ce nom ne désigne pas une région géographique ou administrative, mais simplement la région des "borins", les ouvriers de la mine. Ce nom s'applique à la région ouvrière à l'ouest et au sud-ouest de la ville de Mons, dans la province de Hainaut. L'exploitation de la houille belge a cessé vers 1995. Les gisements étaient devenus trop pauvres ou trop profonds pour être rentables.

● **En 2010, l'industrie belge,** de grande qualité, se consacre surtout à la sidérurgie des aciers spéciaux, aux machines-outils, aux constructions aéronautiques et ferroviaires et à l'électronique. La Belgique est un pays très industrialisé.

LE CANADA

TABLEAU RÉCAPITULATIF

Nom officiel	Canada
Indépendance de l'État	1867 (constitution propre en 1982)
Régime politique	Monarchie constitutionnelle, régime parlementaire
Capitale fédérale	Ottawa
Habitants	Canadiens (H), Canadiennes (F)
Hymne national	"Ô Canada"
Superficie	9 984 670 km²
Point culminant	Mont Logan / P. E. Trudeau (5 959 m)
Population (2009)	33 487 210 habitants
Densité de population	3,4 habitants / km²
Langues officielles	Anglais, français
Religion	Catholique (46 %), protestante (28 %)
Monnaie	Dollar canadien
PNB (2008)	1 390,040 millions de dollars américains
PNB / habitant (2008)	36 220 dollars américains

Le saviez-vous ?

L'histoire du Canada est écrite depuis 1534 lorsque l'explorateur français Jacques Cartier a débarqué dans l'embouchure du fleuve Saint-Laurent. À cette époque, le Canada était habité par des tribus indiennes.

Le nom "Canada" est un mot de la langue iroquoise qui signifie "groupement de cabanes". Ce mot désignait en fait le premier village rencontré par Jacques Cartier en 1534.

Le Canada fut fondé comme un territoire autonome du Royaume-Uni (le Dominion du Canada) le 1er juillet 1867. Toutefois, sa constitution était déposée à Londres. Le Canada ne disposera de sa propre constitution que le 17 avril 1982. Juridiquement, ce n'est qu'à cette date que la Fédération du Canada devient un État pleinement indépendant !

Le Canada est un État fédéral divisé en dix provinces et trois territoires. Chaque entité, largement autonome, est dirigée par son propre Premier ministre et son assemblée législative. La capitale fédérale de l'État canadien est Ottawa.

Environ 80 % de la superficie du territoire comptent moins d'un habitant par kilomètre carré ! Les forêts boréales et le Grand Nord canadien sont des déserts humains.

Le Canada est officiellement bilingue. Le pays compte 30,5 % de francophones contre 67,5 % d'anglophones. Toutefois, seule la province du Québec a le français pour langue officielle. La province du Nouveau-Brunswick (32,6 % de francophones) et le Territoire du Yukon (4 % de francophones) sont officiellement bilingues français et anglais.

Environ 8,5 % de la superficie du pays sont occupés par des lacs. Les Grands Lacs et le fleuve Saint-Laurent regroupent environ 18 % des réserves mondiales d'eau douce.

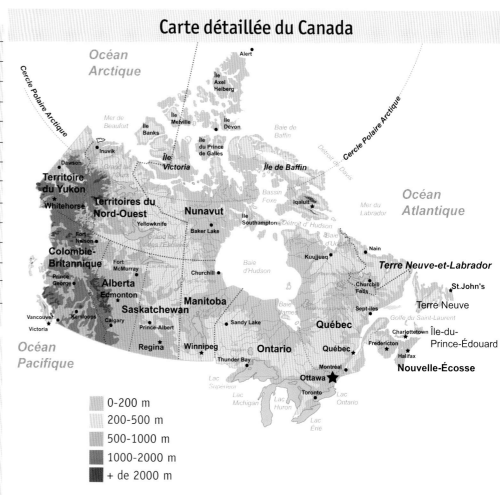

Carte détaillée du Canada

- 0-200 m
- 200-500 m
- 500-1000 m
- 1000-2000 m
- + de 2000 m

Carte administrative du Canada

LE CANADA CLIMATIQUE ET ÉCONOMIQUE

Carte climatique du Canada

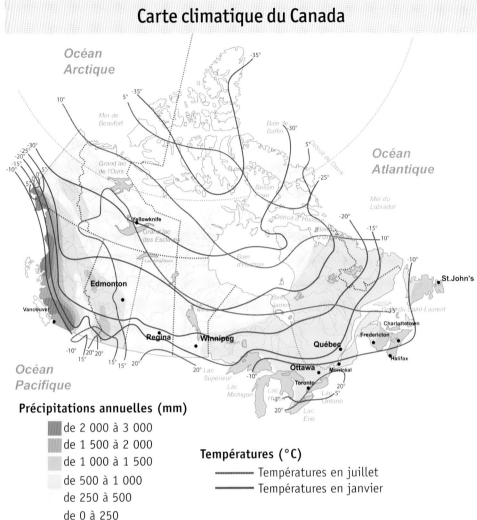

Précipitations annuelles (mm)

- de 2 000 à 3 000
- de 1 500 à 2 000
- de 1 000 à 1 500
- de 500 à 1 000
- de 250 à 500
- de 0 à 250

Températures (°C)

- ----------- Températures en juillet
- ————— Températures en janvier

Carte de la végétation et des cultures

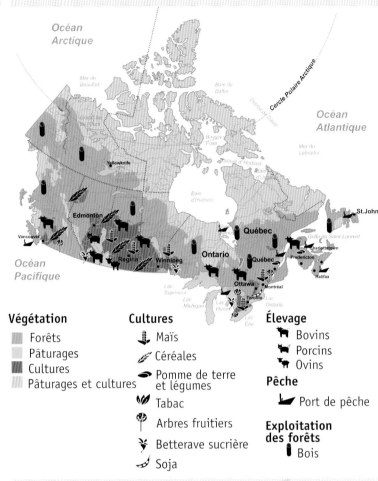

Végétation
- Forêts
- Pâturages
- Cultures
- Pâturages et cultures

Cultures
- Maïs
- Céréales
- Pomme de terre et légumes
- Tabac
- Arbres fruitiers
- Betterave sucrière
- Soja

Élevage
- Bovins
- Porcins
- Ovins

Pêche
- Port de pêche

Exploitation des forêts
- Bois

Carte de l'énergie et de l'industrie

Énergie
- Gaz naturel
- Centrale nucléaire
- Centrale hydroélectrique
- Pétrole

Industrie
- Pétrochimie
- Sidérurgie
- Chimie
- Mécanique
- Textile
- Mine
- Papier
- Aéronautique
- Automobiles
- Alimentaire
- Chantier naval
- Meubles
- Électronique et télécommunications

Le saviez-vous ?

● **Le climat du Canada** est tempéré dans les régions maritimes du sud-est et du sud-ouest du pays, continental sec dans une grande partie du centre et polaire dans sa partie septentrionale.

● **Les forêts couvrent environ 27 % de la superficie du Canada.** Au nord, les forêts boréales sont constituées de sapins. Au sud, les immenses forêts d'arbres feuillus prennent des couleurs magnifiques en automne.

● **Le Canada est le 6e producteur mondial de blé** mais la principale richesse agricole du pays est constituée par l'industrie forestière. En 2007, le Canada a produit 199,4 millions de mètres cube de bois.

● **Les ressources naturelles du pays sont gigantesques.** Le Canada est très riche en charbon, minerais, pétrole et gaz naturel. Le Canada est le troisième producteur au monde de gaz naturel, le septième pour le pétrole et le sixième pour l'énergie électrique.

● **L'industrie canadienne est réputée** pour ses constructions mécaniques, automobiles, ferroviaires (le géant mondial Bombardier est canadien) et aérospatiales.

LE QUÉBEC

Nom officiel	Province du Québec
Capitale provinciale	Québec
Ville principale	Montréal
Habitants	Québécois (H), Québécoises (F)
Admission dans le Dominion du Canada	1er juillet 1867 (membre originel)
Superficie	1 667 441 km²
Point culminant	Mont d'Iberville (1 652 mètres)
Population (2009)	7 828 880 habitants
Densité de population	5,0 habitants / km²
Langue officielle	Français

Le saviez-vous ?

● **La province du Québec** est l'une des dix provinces de l'État fédéral du Canada. Sa capitale est Québec. La province est divisée en 17 régions administratives. La province est dirigée par le gouvernement du Québec.

● **La capitale de la province du Québec est la ville de Québec.** Cette ville historique et touristique compte 508 300 habitants, contre 1 667 700 habitants pour Montréal, la capitale économique de la province.

● **Le Québec revendique une large autonomie** au sein de l'État fédéral canadien, voire son indépendance. Par son histoire, sa langue, son gouvernement provincial, ses institutions et sa richesse, il forme une véritable nation dont le statut a été reconnu par le gouvernement fédéral en 2006.

● **La devise du Québec est "Je me souviens".**

● **Avant l'arrivée des Européens,** cette région était habitée par diverses tribus amérindiennes, dont les Iroquois, les Algonquins et les Mohawks. Les descendants de ces premiers habitants constituent les onze nations autochtones actuelles du Québec.

● **Le nom "Québec" est issu de la langue des Indiens Algonquin.** Il signifie "le rétrécissement du fleuve", car le Saint-Laurent coule entre des falaises près de la ville de Québec.

● **La population de la province est de langue maternelle française** à environ 80 %. Toutefois, le français, langue officielle de la province, est compris et parlé par environ 95 % de sa population. Le Québec représente la principale région francophone d'Amérique du Nord.

● **La défense de la francophonie** est une préoccupation majeure du gouvernement et de la population du Québec. Une "Charte de la langue française" a été promulguée en 1977.

● **C'est depuis le balcon de l'hôtel de ville de Montréal** que, le 24 juillet 1967, le général de Gaulle prononça sa phrase célèbre : "Vive Montréal ! Vive le Québec ! Vive le Québec libre !"

Carte détaillée du Québec

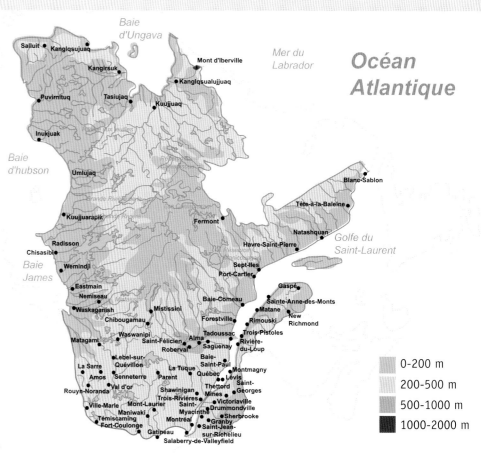

	0-200 m
	200-500 m
	500-1000 m
	1000-2000 m

Carte administrative du Québec

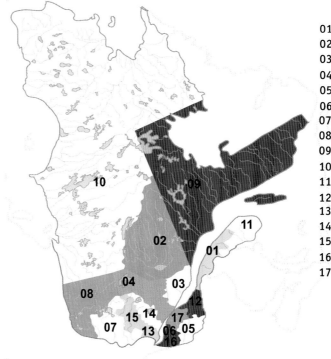

01 Bas-Saint-Laurent
02 Saguenay–Lac-Saint-Jean
03 Capitale-Nationale
04 Mauricie
05 Estrie
06 Montréal
07 Outaouais
08 Abitibi-Témiscamingue
09 Côte-Nord
10 Nord-du-Québec
11 Gaspésie–Îles-de-la-Madeleine
12 Chaudière-Appalaches
13 Laval
14 Lanaudière
15 Laurentides
16 Montérégie
17 Centre-du-Québec

LA CONSTRUCTION DU QUÉBEC

La Nouvelle-France en 1753

Le Canada-Uni en 1841

Canada-Est
Canada-Ouest

Le Dominion du Canada en 1867

Possessions britanniques

Nouveau-Brunswick Nouvelle-Écosse
Québec
Ontario

Le saviez-vous ?

● **En 1524, le roi François Ier** charge un navigateur italien, Giovanni da Verrazano, de trouver un passage vers "les Indes" au nord de la région explorée par Christophe Colomb. Verrazano explore toute la côte de l'Amérique du Nord. Il la nomme la "Nouvelle-France".

● **Le 25 juillet 1534,** le navigateur français Jacques Cartier débarque à Gaspé, un village situé à l'orée de l'embouchure du fleuve Saint-Laurent. Lors de son deuxième voyage en 1535, Jacques Cartier aborde un autre village, Stadaconé, qui deviendra la ville de Québec. C'est ce village de huttes, ce "canada" en langue iroquoise, qui finira par désigner le second plus vaste État au monde.

● **En 1608, Samuel de Champlain fonde la ville de Québec,** la première installation française permanente en Amérique du Nord.

● **En 1763, après une longue guerre contre l'Angleterre,** les Français sont vaincus en Amérique du Nord. La France cède la Nouvelle-France. Une longue période de colonisation anglaise débute au Canada. L' Angleterre crée la Province de Québec ; elle portera plus tard le nom de Canada-Est.

● **En 1841,** cette province est unie au Canada-Ouest, l'actuel Ontario, pour constituer la colonie du Canada-Uni. Le 1er juillet 1867, le Dominion du Canada est créé à partir de trois colonies britanniques dont le Canada-Uni.

LE QUÉBEC PHYSIQUE

Le saviez-vous ?

● **Avec 1 667 926 km², la province du Québec** est la deuxième plus vaste division du Canada. Cette province est 2,8 fois plus vaste que la France métropolitaine ! Ses paysages majestueux lui ont valu son surnom de "Belle Province".

● **Environ 21,3 % de la superficie du Québec** sont constitués d'eau, dont 12,1 % d'eau douce et 9,2 % d'eau salée. La province compte plus de 500 000 lacs et 4 500 rivières majeures ! Le Québec rassemble 3 % de toutes les réserves d'eau douce de la Terre.

● **Le Saint-Laurent naît à la sortie du lac Ontario** et coule sur 1 140 km avant de se jeter dans le golfe du Saint-Laurent. Ce fleuve est en fait le déversoir des Grands Lacs d'Amérique du Nord. En tenant compte des cinq Grands Lacs, le Saint-Laurent coule alors sur 3 760 km et arrose un bassin gigantesque de 1 610 000 km².

● **Le point culminant du Québec est le mont d'Iberville**, à 1 652 mètres d'altitude dans les Monts Torngat, au nord-est de la péninsule du Labrador.

● **Le climat du Québec varie selon la latitude.** Du sud au nord, on y trouve le climat continental humide, le climat boréal et le climat polaire. Le climat boréal couvre la plus grande partie de la province.

Carte physique

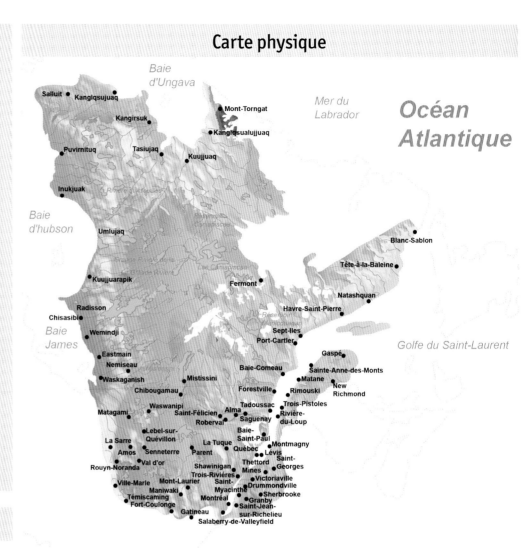

L'hydrographie du Québec

Les climats du Québec

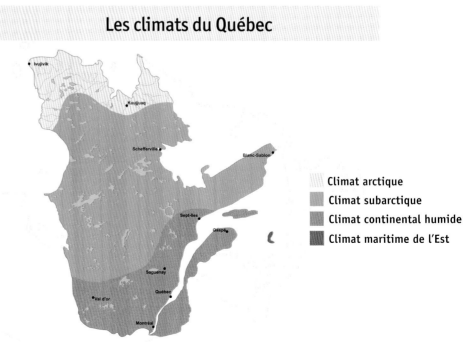

Climat arctique
Climat subarctique
Climat continental humide
Climat maritime de l'Est

LE QUÉBEC NATUREL ET ÉCONOMIQUE

Carte des forêts du Québec

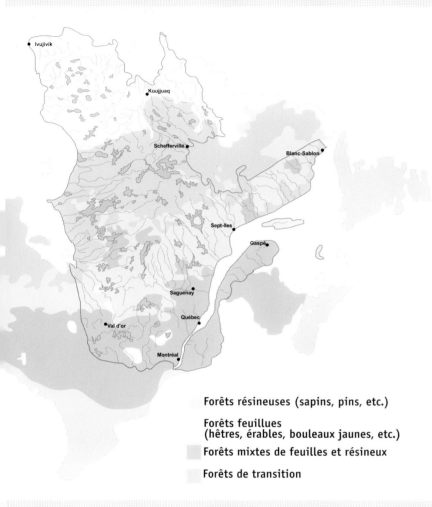

Forêts résineuses (sapins, pins, etc.)

Forêts feuillues
(hêtres, érables, bouleaux jaunes, etc.)

Forêts mixtes de feuilles et résineux

Forêts de transition

Carte de l'agriculture, de l'énergie et de l'industrie

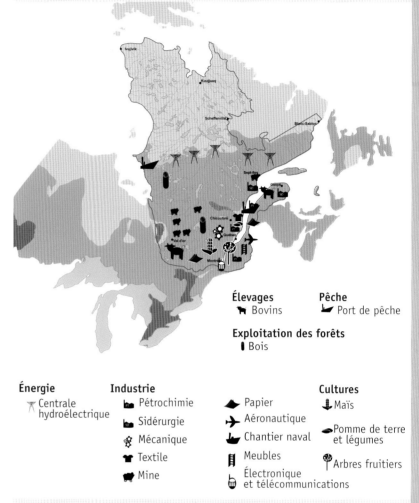

Élevages
🐂 Bovins

Pêche
Port de pêche

Exploitation des forêts
Bois

Énergie
Centrale hydroélectrique

Industrie
Pétrochimie
Sidérurgie
Mécanique
Textile
Mine

Papier
Aéronautique
Chantier naval
Meubles
Électronique et télécommunications

Cultures
Maïs
Pomme de terre et légumes
Arbres fruitiers

Les exploitations minières au Québec

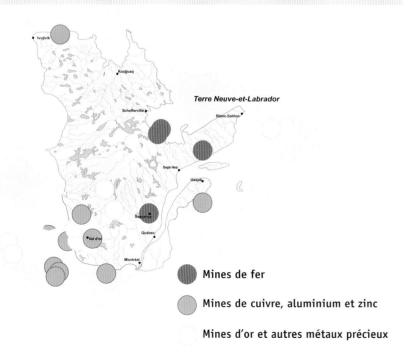

Mines de fer

Mines de cuivre, aluminium et zinc

Mines d'or et autres métaux précieux

Le saviez-vous ?

● **Le Québec est la seconde province du Canada par sa population,** avec 7 828 880 habitants en 2009. Elle est aussi la seconde province économique du pays derrière l'Ontario.

● **Seulement 1,9 % de la superficie du Québec** est constitué de terres agricoles. Les principales cultures sont les céréales, le fourrage pour le bétail et les légumes. Elles sont concentrées dans les plaines du Saint-Laurent.

● **L'immense forêt qui recouvre le Québec s'étend sur** 912 120 km². Elle est largement exploitée pour la pâte à papier et l'industrie du bois. La forêt québécoise est composée d'arbres feuillus et de résineux, comme les sapins.

● **Le Québec se classe parmi les dix principaux producteurs mondiaux de métaux.** La province compte environ 30 mines, qui exploitent de riches filons de fer, d'alumine, de cuivre, de zinc et d'or, ainsi que des diamants. Le Québec produit à lui seul environ 10 % de l'aluminium mondial.

● **Avec 59 centrales hydroélectriques, le Québec** est le plus grand producteur mondial d'électricité d'origine hydroélectrique, avec une puissance globale de 36 429 mégawatts.

LA SUISSE

Nom officiel (francophone)	Confédération suisse
Fondation de l'État	1291
Régime politique	État fédéral sous le régime de la démocratie avec recours au référendum
Capitale fédérale	Berne (Bern en allemand)
Habitants	Suisses (H), Suissesses (F)
Hymne national	"Le Cantique suisse"
Superficie	41 288 km²
Point culminant	Pointe Dufour (4 634 m)
Population (2009)	7 604 470 habitants
Densité de population	184,2 habitants / km²
Langues nationales	Allemand, français, italien, romanche
Religion	Catholique (42 %), Église protestante (35 %)
Monnaie	Franc suisse
PNB (2008)	498,534 millions de dollars
PNB / habitant (2008)	46 460 dollars

Carte détaillée de la Suisse

: 0-1000 m
: 1000-2000 m
: + de 2000 m

Le saviez-vous ?

● **Le nom officiel** de la Suisse est la **Confédération suisse.** On parle souvent de Confédération helvétique, mais ce nom n'est plus utilisé dans les textes officiels. Il provient de la traduction du nom latin utilisé dans les textes anciens, *Confoederatio helvetica*, d'où l'abréviation officielle du pays par les lettres CH. L'adjectif "helvétique" se réfère au peuple des Helvètes qui peuplait le territoire de la Suisse actuelle à l'époque gallo-romaine.

● **La fondation de la Suisse remonte officiellement** au mois d'août 1291, lorsque les habitants de trois vallées, alors rattachées au Saint-Empire romain germanique, ont conclu un pacte d'unité et de défense, appelé le Pacte fédéral. Ce pacte a fondé la "Confédération des III Cantons", premier territoire unifié de la future Suisse.

● **La Suisse est un État fédéral** depuis 1848. Divisé en 26 cantons, il est placé sous le régime de la démocratie semi-directe, c'est-à-dire avec de nombreux recours aux référendums. Les cantons bénéficient d'une large autonomie, le gouvernement fédéral s'occupant surtout de la politique étrangère et de l'économie nationale. La capitale fédérale, où siège le gouvernement de la Confédération suisse, est la ville de Berne.

● **Les cantons suisses** sont plus que des divisions administratives. En effet, chaque canton a conservé sa langue, sa culture et ses traditions. Les cantons ressemblent à de petits États qui sont fédérées en une seule nation. Leur superficie est très variable.

● **La Confédération suisse** s'est déclarée neutre dès 1815 ! Pour cette raison, la Suisse abrite le siège de nombreuses organisations internationales, bien qu'elle n'ait adhéré à l'ONU qu'en 2002. Elle n'est pas membre de l'Union européenne.

Carte administrative de la Suisse

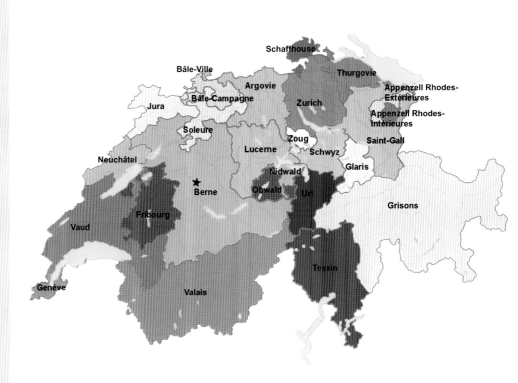

LA CONSTRUCTION DE LA SUISSE

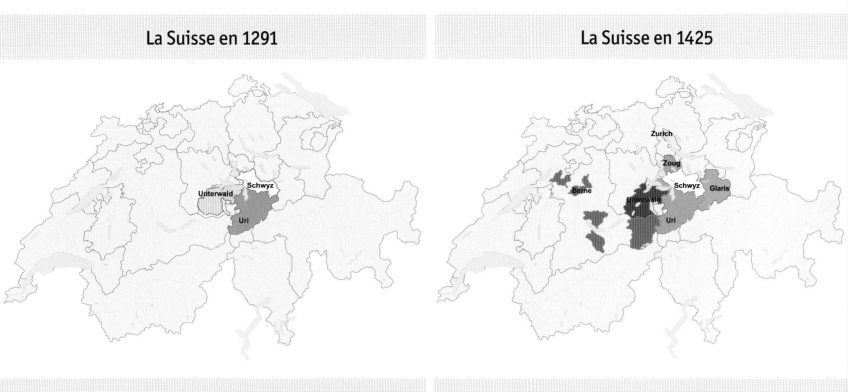

La Suisse en 1291

La Suisse en 1425

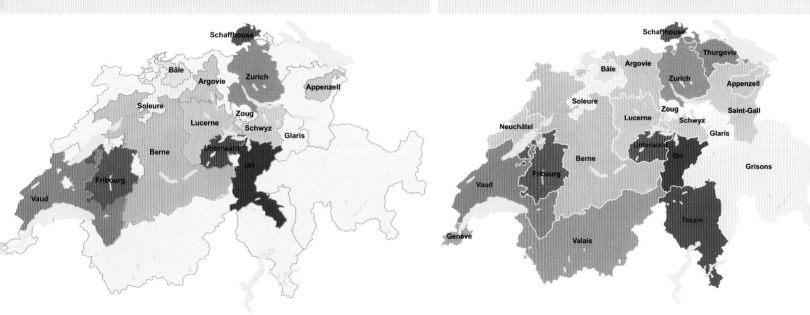

La Suisse en 1648

La Suisse en 1815

Le saviez-vous ?

● **L'un des trois cantons originels, le canton de Schwyz,** est à l'origine du nom actuel du pays. Les autres cantons originels sont les cantons d'Uri et d'Unterwald qui est aujourd'hui divisé en deux cantons nommés Obwald et Nidwald.

● **La date exacte de signature du Pacte fédéral** a été fixée arbitrairement au 1er août 1291. Le 1er août est maintenant la date de la fête nationale de la Confédération suisse.

● **La Suisse** compte trois langues nationales officielles : l'allemand, le français et l'italien. Une quatrième langue, le romanche, possède un statut officiel à l'intérieur du pays. L'allemand est parlé par 63,6 % de la population. Le français arrive en second avec 20,3 %, suivi de l'italien, 6,3 % et du romanche, environ 0,5 %.

LA SUISSE PHYSIQUE

Le saviez-vous ?

● **La Suisse est un pays très montagneux.** Son territoire est divisé en trois grandes régions naturelles : le Jura, le Plateau central, ou simplement Plateau, et les Alpes. La chaîne des Alpes couvre 63 % de la superficie de la Suisse. Le Plateau central, le plus peuplé, occupe environ 28 % du territoire, et le Jura environ 9 %.

● **Le point culminant du pays, la Pointe Dufour,** est l'un des sommets du massif du Mont Rose. Situé sur la commune de Zermatt, dans le canton du Valais, ce massif est à la limite de la frontière italienne.

● **Le canton du Valais contient la majorité des sommets** des Alpes qui dépassent les 4 000 mètres d'altitude.

● **Les deux principaux fleuves traversant la Suisse** sont le Rhin (1 321 km) et le Rhône (812 km). Ces deux fleuves majeurs du continent européen y prennent leur source. Le Rhin traverse le pays sur 376 km.

● **Le massif du Saint-Gothard, dans le centre de la Suisse,** est souvent appelé le "château d'eau de l'Europe". En effet, le Rhin, le Rhône, l'Inn, l'un des principaux affluents du Danube, et le Tessin, un affluent majeur du Pô, sont issus des glaciers du massif.

● **Les fleuves et rivières de Suisse** rejoignent soit la Méditerranée, soit la Mer du Nord, ou la Mer Noire ou enfin l'Adriatique. Le pays est situé au carrefour de quatre grands bassins versants d'Europe.

● **Les cours d'eau et les lacs sont très nombreux.** Ainsi, ils occupent au total environ 4,2 % de la superficie du pays. La Suisse compte environ 1 600 lacs !

● **Le plus grand lac de Suisse est le Lac Léman.** Avec 582,5 km² de superficie et une longueur de 72,8 km, il est l'un des plus grands lacs d'Europe occidentale. Bien que le Lac Léman soit alimenté par le Rhône, les eaux du fleuve et du lac ne se mélangent que difficilement ! Les eaux du Rhône mettent environ 12 ans à traverser le lac !

● **Le climat de la Suisse est très complexe,** en raison de la chaîne des Alpes qui influe fortement sur les précipitations et crée de nombreux microclimats. Le climat suisse est soit tempéré, soit continental, soit montagnard ou encore méditerranéen, selon les régions et l'altitude.

● **Le climat montagnard,** très froid en hiver, occupe une grande partie de la région alpine. Les glaciers recouvrent 3 % de la surface de la Suisse.

● **De nombreuses vallées du sud du pays** bénéficient du climat méditerranéen, très ensoleillé, chaud et sec en été. Les rives du Lac Léman sont également connues pour la douceur de leur climat. Le soleil brille généreusement mais le climat local, très humide, n'est pas méditerranéen.

Carte physique

Les trois grandes régions naturelles de la Suisse

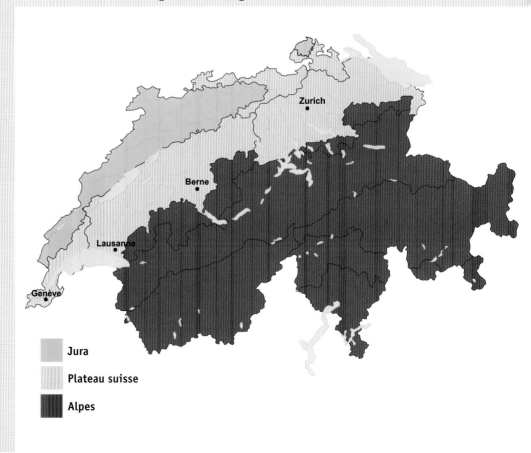

Jura

Plateau suisse

Alpes

LA SUISSE ÉCONOMIQUE

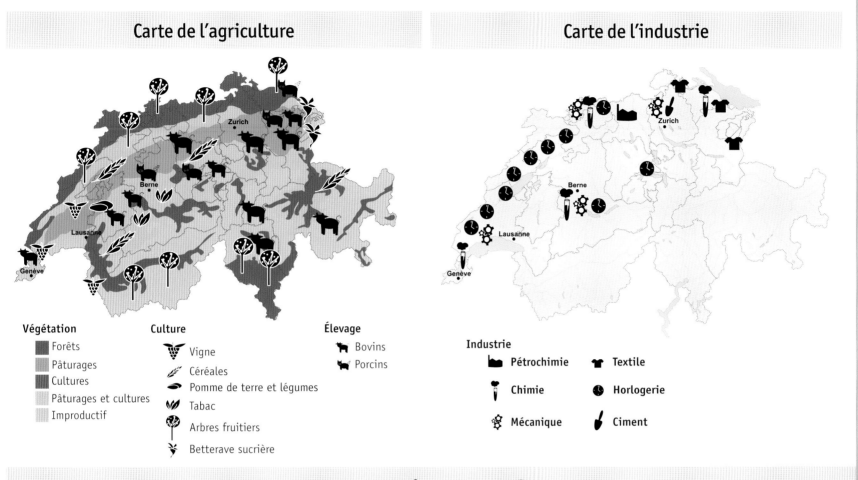

Carte de l'agriculture

Carte de l'industrie

Végétation
- Forêts
- Pâturages
- Cultures
- Pâturages et cultures
- Improductif

Culture
- Vigne
- Céréales
- Pomme de terre et légumes
- Tabac
- Arbres fruitiers
- Betterave sucrière

Élevage
- Bovins
- Porcins

Industrie
- Pétrochimie
- Chimie
- Mécanique
- Textile
- Horlogerie
- Ciment

Le saviez-vous ?

Les forêts couvrent environ 30,8 % de la superficie du pays. Elles sont principalement situées dans les régions montagneuses du nord et du sud du pays. La plupart des grandes forêts non exploitées se situent dans les Alpes.

L'agriculture n'est pas la richesse première de la Suisse. Seulement 1,3 % du PNB et environ 3,5 % de la population active relèvent du secteur de l'agriculture. Néanmoins, si près de 18,1 % du territoire sont couverts par des prairies, moins de 3 % sont occupés par des cultures proprement dites.

La principale richesse agricole de la Suisse est constituée par l'élevage des bovins, notamment pour le lait, dans les nombreux pâturages et alpages. Les produits laitiers, dont les célèbres fromages suisses comme l'emmental et le gruyère, et le chocolat constituent une part importante des exportations agricoles du pays. En 2008, la Suisse a produit 4 140 860 tonnes de lait, soit environ 4,012 millions de litres, se classant au 34e rang mondial.

La Suisse est un pays de tradition viticole. Les principaux vignobles sont situés dans le sud de la Suisse romande, où ils bénéficient de conditions climatiques clémentes.

Le PNB par habitant de la Suisse était au neuvième rang mondial en 2008, avec 46 460 dollars, loin devant les grandes nations européennes comme l'Allemagne et la France.

La Suisse entretient des relations privilégiées avec l'Union européenne grâce à une vingtaine d'accords économiques.

L'industrie, ou secteur secondaire, compte pour 26,3 % de la richesse nationale. Il emploie près d'un quart de la population active. L'économie de la Suisse relève surtout du secteur tertiaire, c'est-à-dire fondée sur les services, comme les banques et les assurances. Ce secteur pèse pour 72,4 % de la richesse nationale. Genève et Zurich sont des places financières de première importance.

La Suisse est l'un des rares pays riches à ne disposer d'aucune source d'énergie fossile. Ses ressources en matières premières sont très pauvres.

Depuis le XVIe siècle, la Suisse est réputée pour la qualité de ses produits. Les montres et les horloges, puis les instruments de précision et de contrôle ont fait la notoriété du pays. En 2010, l'industrie suisse, d'une excellente qualité, se consacre surtout aux machines-outils, aux moteurs thermiques, aux constructions ferroviaires et aérospatiales, à la mécanique de précision et à l'électronique.

LA FRANCE D'OUTRE-MER

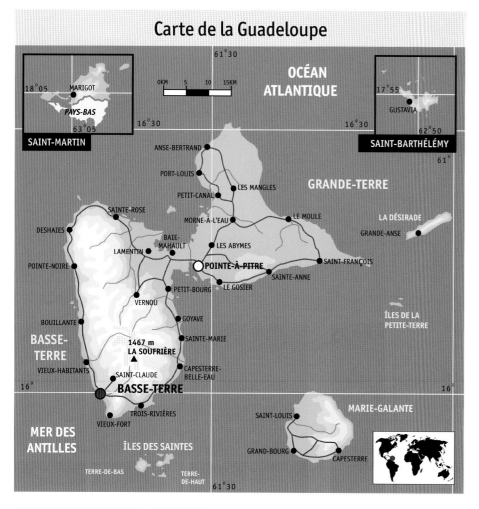

Carte de la Guadeloupe

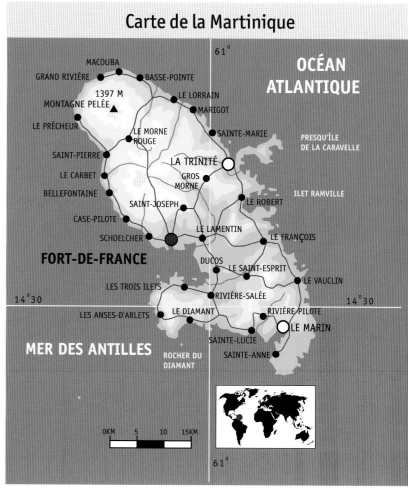

Carte de la Martinique

Le saviez-vous ?

● **La France d'outre-mer** comprend quatre départements : la **Guadeloupe**, la **Guyane**, la **Martinique** et La **Réunion.** Leur population totale est de 1 873 842 habitants. En outre-mer, le département et la région portent le même nom. Chacun de ces départements représente donc aussi l'une des 26 régions françaises.

● **Les départements d'outre-mer, ou DOM,** ont été créés en mars 1946. Ils sont des territoires à part entière de la République française, qui ont chacun leur conseil général et leur conseil régional.

● **Le volcan de la Martinique est la Montagne Pelée.** Ce volcan, qui culmine à 1 397 mètres, est à l'origine de l'une des plus graves catastrophes volcaniques récentes. Le 8 mai 1902, une violente éruption suivie d'une nuée ardente – nuage de cendres et de gaz brûlants – a rasé la ville de Saint-Pierre. L'éruption fit environ 30 000 morts.

● **L'île de la Guadeloupe** est en fait constituée de deux îles, Grande-Terre et Basse-Terre, séparée par un bras de mer très étroit, la Rivière Salée. Autant Basse-Terre est une île volcanique, montagneuse et humide, autant Grande-Terre est une île calcaire, plate et aride.

● **La Soufrière, le volcan de Basse-Terre,** culmine à 1 467 mètres, ce qui en fait le plus haut sommet des Petites Antilles.

● **L'île de la Guadeloupe fut découverte en 1493** par Christophe Colomb, qui la baptisa du nom d'un monastère espagnol, Santa Maria de Guadalupe. La Martinique ne fut découverte officiellement qu'en 1502 par le même navigateur. L'arrivée des Français date de 1635 en Martinique comme en Guadeloupe.

LES DÉPARTEMENTS D'OUTRE-MER

Département	Population	Préfecture	Superficie (km²)	Numéro
GUADELOUPE (LA)	409 315	BASSE-TERRE	1 628	971
GUYANE FRANÇAISE (LA)	239 750	CAYENNE	86 504	973
MARTINIQUE (LA)	405 882	FORT-DE-FRANCE	1 128	972
RÉUNION (LA)	818 895	SAINT-DENIS	2 512	974

Carte de la Réunion

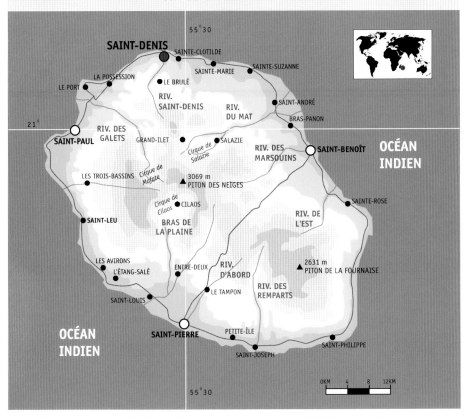

Carte de la Guyane

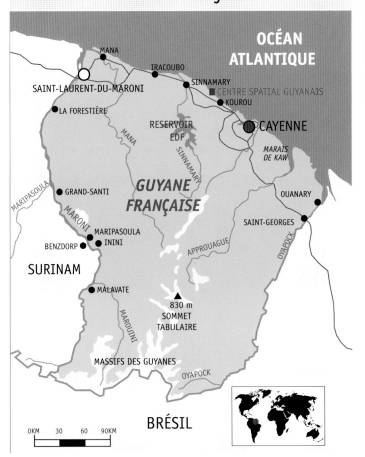

Le saviez-vous ?

● **Avant l'arrivée des Européens et des esclaves africains,** les îles des Antilles étaient peuplées de tribus amérindiennes, comme les Caraïbes et les Arawaks, ces derniers faisant partie de l'ethnie des Arawaks d'Amérique du Sud.

● **Tous les départements d'outre-mer** sont soumis au climat tropical, voire équatorial pour la Guyane. Les îles des Antilles et La Réunion sont situées sur le trajet des cyclones.

● **La banane et la canne à sucre** constituent les principales productions agricoles de la Martinique et de la Guadeloupe.

● **La Guyane Française fut habitée par des Français** dès 1503, qui s'implantèrent dans la région de Cayenne. Toutefois, le climat et la forêt ont longtemps freiné le développement du territoire.

● **La Guyane Française a longtemps porté le nom de** "France équinoxiale", en raison de sa position très proche de l'équateur. Le nom "Guyane" est d'origine indienne. Il signifie "le pays sans nom" ou "le pays que l'on ne peut nommer".

● **Il ne faut pas confondre la Guyane Française** avec le Massif des Guyanes, un vaste ensemble montagneux qui s'étend du Venezuela au sud de la Guyane Française et au nord du Brésil.

● **En raison de cette position équatoriale,** la Guyane Française a été choisie en 1962 pour implanter une base spatiale. Les lanceurs spatiaux bénéficient ainsi au maximum de la vitesse de rotation de la Terre, ce qui augmente leurs performances. Le Centre Spatial Guyanais (CSG), d'où sont lancées les fusées Ariane, est devenu l'une des principales bases de lancements spatiaux au monde.

● **La plus grande partie de la Guyane** – environ 96 % de sa superficie – est largement couverte d'une vaste forêt pluviale primaire, prolongement des forêts du bassin de l'Amazone. La richesse biologique en espèces végétales et animales de cette forêt est très élevée.

● **La population des Amérindiens de Guyane** est estimée à moins de 5 000 personnes, réparties en six ethnies.

● **La densité de la population en Guyane** est officiellement de 2,5 habitants par kilomètre carré, la plus faible de tous les départements français.

● **La commune de Maripasoula,** au sud-ouest de la Guyane, est la plus vaste commune française. Sa superficie, 18 360 km², est comparable à celle de la région Limousin !

● **La Réunion** est une jeune île volcanique. Elle a émergé de l'océan Indien il y a seulement 2 millions d'années. Le Piton de la Fournaise, qui culmine à 2 631 m au-dessus de l'île, est l'un des volcans les plus actifs au monde.

● **L'île de la Réunion était totalement inhabitée** avant sa découverte par des navigateurs portugais, en 1500. Elle est l'une des rares îles tropicales où les premiers habitants furent des Européens.

● **Le climat de l'île de la Réunion est tropical** mais il est très diversifié à cause des montagnes qui occupent le centre de l'île. Ainsi, la commune du Port, au nord-est de l'île, ne reçoit en moyenne que 636 mm de pluie par an, contre 3 465 mm pour Saint-Benoît, au nord-ouest.

LA FRANCE D'OUTRE-MER

Département	Population	Chef-lieu	Superficie (km²)
CLIPPERTON	0	—	6,0
MAYOTTE	223 765	MAMOUDZOU	374,1
NOUVELLE-CALÉDONIE (LA)	227 436	NOUMÉA	19 060
POLYNÉSIE FRANÇAISE (LA)	287 032	PAPEETE	4 167
SAINT-BARTHÉLEMY	7 448	GUSTAVIA	21,2
SAINT-MARTIN	29 820	MARIGOT	54,5
SAINT-PIERRE-ET-MIQUELON	7 063	SAINT-PIERRE	242
TERRES AUSTRALES ET ANTARCTIQUES FRANÇAISES (LES) (TAAF)	0 [1]	SAINT-PIERRE DE LA RÉUNION [2]	7 768 [3]
WALLIS-ET-FUTUNA	15 289	MATA-UTU	274,5

(1) Ces îles sont inhabitées sauf par des militaires et des missions scientifiques.

(2) Les TAAF sont dirigées par un administrateur basé à Saint-Pierre de la Réunion.

(3) Cette superficie est la somme de la superficie des îles, mais exclut la Terre-Adélie de l'Antarctique (environ 500 000 km²; voir page 65.

Carte de Saint-Pierre-et-Miquelon

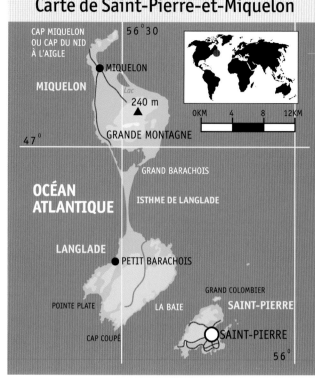

Le saviez-vous ?

● **Depuis le 28 mars 2003, les anciens territoires d'outre-mer (TOM)** sont devenus des collectivités d'outre-mer (COM). Toutefois, leur statut et leur autonomie varient selon les collectivités. La population totale des COM est de 797 853 habitants.

● **Jusqu'au 15 juillet 2007, l'île de Saint-Barthélemy** et la partie française de Saint-Martin, dans les Antilles, dépendaient de la Guadeloupe. À cette date, elles sont devenues des collectivités d'outre-mer (COM).

● **Mayotte est une île de l'archipel des Comores.** Ces îles ont longtemps constitué un protectorat français. En 1974, l'archipel est devenu indépendant sous le nom d'Union des Comores, sauf l'île de Mayotte, qui a choisi de rester un territoire français.

Carte de Mayotte

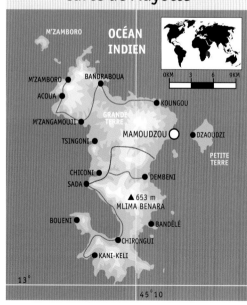

Carte des TAAF

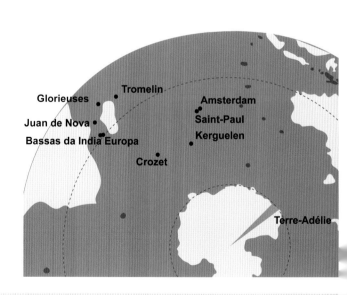

● **Mayotte deviendra un département d'outre-mer en 2011.** Suite au référendum du 29 mars 2009, la majorité de la population a approuvé le changement de statut de l'île. Mayotte sera donc le cinquième département français d'outre-mer.

● **L'archipel de Saint-Pierre-et-Miquelon** est formé de trois îles, Saint-Pierre, Miquelon et Langlade. Saint-Pierre abrite 90 % de la population. L'archipel était inhabité avant l'arrivée des pêcheurs bretons, normands et surtout basques dès 1604.

● **Les Terres Australes et Antarctiques Françaises, ou TAAF,** constituent une collectivité territoriale depuis 1955. Elle inclut des îles inhabitées de l'océan Indien et le territoire de la Terre-Adélie en Antarctique.

Carte de la Nouvelle-Calédonie

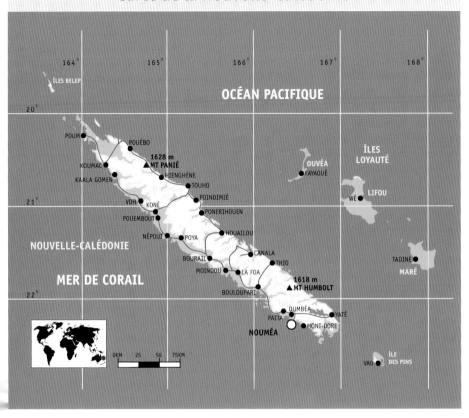

Carte de Tahiti

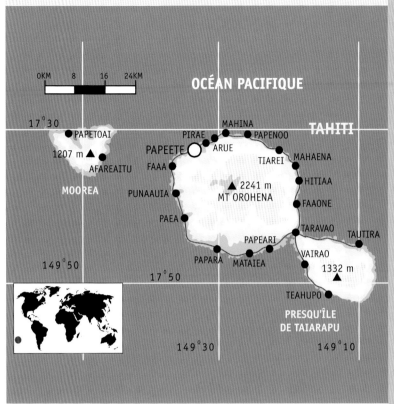

Carte de la Polynésie française

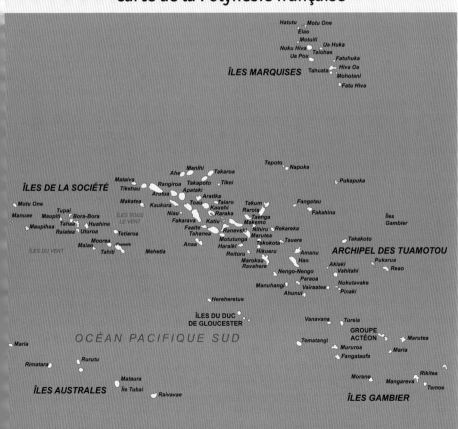

Le saviez-vous ?

● **La Polynésie française** est formée de cinq archipels : Archipel de la Société, divisé en Îles du Vent et Îles Sous-le-Vent, Archipel des Gambier, Archipel des Tuamotu, les Marquises et l'Archipel des Australes. Au total, la Polynésie française comprend 118 îles. Leur superficie est de 4 167 km² mais elles s'étendent sur plus de 2,5 millions de kilomètres carrés !

● **Depuis le 27 février 2004, la Polynésie française** a officiellement le statut de "Pays d'outre-mer" et bénéficie d'une très large autonomie. Ce territoire possède un gouvernement local, dirigé par le président de la Polynésie française, qui est basé à Papeete.

● **Les Îles Sous-le-Vent ne sont pratiquement pas sujettes aux marées.** En effet, ces îles sont situées sur un point de la Terre où les effets de la Lune sur l'océan Pacifique sont pratiquement nuls, sauf au début de l'été austral.

● **Les îles de Wallis-et-Futuna disposent d'un statut très original.** En fait, ce territoire est constitué de trois monarchies, Alo, Sigave et Uvéa, qui constituent également les circonscriptions territoriales de l'administration française.

● **La Nouvelle-Calédonie possède un statut spécifique** qui lui octroie une large autonomie. La population de l'île pourra décider en 2014 par référendum son indépendance éventuelle de la France.

QUESTIONS

1. Quel est le plus haut sommet des États-Unis ?

2. De quelle région la tomate est-elle originaire ?

3. Quelle grande île européenne est située géographiquement en Amérique du Nord ?

4. Combien de pays constituent l'Amérique Centrale ?

5. Parmi les grands massifs montagneux français, lequel n'a pas donné son nom à un département ?

6. Quelles régions de France métropolitaine comptent le moins de départements ?

7. Quel est le gaz principal de l'atmosphère terrestre ?

8. Comment s'appelle le tout premier continent de la Terre ?

9. Comment appelle-t-on la richesse de la Terre en organismes vivants ?

10. Combien de continents les géographes reconnaissent-ils ?

11. Quel est le seul grand fleuve qui ne soit enjambé par aucun pont ?

12. Comment appelle-t-on la couche de roches qui forme le fond des océans ?

13. Où se trouve le point le plus profond des océans ?

14. Le climat équatorial est-il caractérisé par de faibles variations annuelles dans les températures ou les précipitations ?

15. Pourquoi le climat méditerranéen n'est-il pas un climat subtropical ?

16. Comment appelle-t-on un milieu naturel défini par son climat, sa flore et sa faune ?

17. Où trouve-t-on les plus grands arbres ?

18. Où trouve-t-on le point le plus chaud de la Terre ?

19. Quelle est la première source d'énergie dans le monde ?

20. Quelle est la date admise pour la fondation de la France ?

21. Dans quel pays le Nil prend-il sa source ?

22. Quel est l'endroit le plus arrosé de la Terre ?

23. La superficie des océans est-elle plus grande ou plus petite que celle de l'ensemble des continents ?

24. Quel est le seul animal domestique dont on ne connaît pas l'origine ?

25. Hormis les départements de la Région parisienne, quel est le plus petit département de France métropolitaine ?

26. Quelle est la plus ancienne plante cultivée connue ?

27. Quelle est la langue la plus pratiquée dans le monde ?

28. Combien de pays sont membres de l'Union européenne ?

29. Combien y a-t-il de langues officielles en Inde ?

30. Quel état a le produit national brut par habitant le plus élevé au monde ?

31. Quel est le premier pays producteur de pommes de terre dans le monde ?

32. Parmi les 10 premiers pays producteurs de riz, lequel n'est pas un pays asiatique ?

33. Combien y a-t-il de langues officielles en Espagne ?

34. Comment fabrique-t-on de l'acier ?

35. Quel est le volume d'un baril de pétrole ?

36. Comment appelle-t-on la région du Proche-Orient, considérée comme le berceau de l'agriculture ?

37. Quelles sont les réserves mondiales de pétrole brut ?

38. Quelle est la part de l'énergie nucléaire dans la production française totale d'électricité ?

39. Combien la France compte-t-elle de centrales nucléaires en service ?

40. Quel est le plus haut sommet du continent africain ?

41. Quel continent compte-t-il le plus d'États indépendants ?

42. Comment appelle-t-on les anciens TOM, Territoires d'outre-mer français ?

43. Qu'est-ce que le Nunavut ?

44. Où se situent les Chutes du Niagara ?

45. Quel est le plus haut sommet du continent européen ?

46. Quelle est la plus grande île de la planète ?

47. Comment appelle-t-on la couche de glace qui recouvre l'océan Arctique ?

48. Quel est le seul continent à ne compter aucun État ni territoire politique ?

49. Quelle est la limite orientale de l'Europe ?

50. En combien de nations le Royaume-Uni est-il divisé ?

51. Quelle est la capitale du Belize ?

52. Quel est le pourcentage de la superficie de la Turquie située en Europe ?

53. Quel est le premier pays producteur de blé dans le monde ?

54. Combien y a-t-il de langues officielles en Europe ?

55. Quelle est la langue maternelle la plus parlée dans toute l'Europe ?

56. Quel est le nom officiel de la France ?

57. Quand l'Italie est-elle devenue l'État sous sa forme actuelle ?

58. Quel est le village le plus froid de France ?

59. Quel est le plus long fleuve au monde ?

60. Quelle est la religion la plus pratiquée dans le monde ?

61. Quel est le premier pays producteur de pétrole dans le monde ?

62. Combien de sommets de la chaîne de l'Himalaya dépassent-ils 7 000 mètres ?

63. Quelle est l'épaisseur de la couche de glace qui recouvre l'Antarctique ?

64. Combien y a-t-il de départements français ?

ANNEXES
Les statistiques du monde

En ce XXIe siècle, ère du numérique et de la mondialisation, l'humanité et ses activités agricoles, industrielles et économiques sont consignées, surveillées, analysées, voire décortiquées, par une multitude d'organismes internationaux ou nationaux, d'universités, de cabinets d'étude et d'experts. Malgré cela, les chiffres sont dispersés dans une multitude d'ouvrages, publiés par de nombreux organismes dans des rapports plus ou moins accessibles, et surtout, plus ou moins fiables. Selon le domaine considéré, les valeurs qui ont servi à alimenter les différents tableaux de cet atlas sont évidemment issues de sources très différentes, selon le domaine considéré. Nous avons systématiquement privilégié les données issues de grands organismes nationaux et internationaux, par rapport aux valeurs publiées par des firmes ou des cabinets privés. Une autre difficulté est liée à l'homogénéité des dates de publication des données. Si les chiffres de la production du pétrole sont connus avec précision et réactualisés tous les mois, il en va différemment pour la plupart des matières premières, ou pour la population de nombreux états.

L'état politique du monde est celui admis par l'Organisation des Nations Unies (l'ONU) au 1er janvier 2010. Le statut de certaines entités, comme l'Autorité palestinienne et le Kosovo, n'était pas réglé à cette date.

Les chiffres de la population des États proviennent essentiellement des valeurs publiées par l'Organisation de coopération et de développement économiques (OCDE) et surtout du World Factbook, publié par la CIA (États-Unis). Ce dernier ouvrage publie plutôt des estimations précises que des valeurs finalisées, mais il est constamment réactualisé. Lorsque l'on sait que les chiffres officiels de la population de nombreux pays proviennent de recensements remontant à 2002, voire 1999, il nous a paru plus réaliste de présenter des valeurs, certes souvent estimées mais actualisées jusqu'en juillet, voire décembre 2009. Nous avons donc présenté pour chaque état les dernières les dernières valeurs de population disponibles à la date d'impression de cet atlas. Ce choix explique les différences avec d'autres sources, qui présentent des valeurs datant au mieux de 2007, voire de 2006.

Les données économiques proviennent des rapports publiés par le Fonds monétaire international (le FMI), la Banque mondiale et l'OCDE. Sauf mention contraire, toutes ces données portent sur l'année 2008. Pour la France, les valeurs liées à l'économie et à la démographie proviennent tout naturellement des données publiées ou estimées par l'Institut national de la statistique et des études économiques (l'INSEE).

Les données agricoles mondiales ont été collectées à partir de plusieurs sources, dont l'OCDE et surtout l'Organisation des Nations unies pour l'alimentation et l'agriculture (la FAO, sigle anglais de Food and Agriculture Organization). Pour la France, les chiffres proviennent des statistiques publiées par le ministère de l'agriculture et de la pêche. Tous les chiffres portent sur l'année 2008 complète.

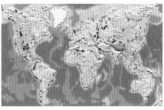

Les chiffres des productions de pétrole et de gaz naturels étant fréquemment réactualisés, les valeurs couvrant l'année 2009 étaient partiellement disponibles. Il en va différemment pour les productions des métaux et de leurs minerais. Nous avons préféré nous appuyer sur des chiffres définitifs, plutôt que sur des estimations publiées par des compagnies impliquées dans ces marchés colossaux, estimations souvent partielles et, peut-être, partiales. Pour cette raison, les valeurs des différentes matières premières sont celles de l'année 2008.

Enfin, les valeurs météorologiques et climatiques ont été obtenues dans différents ouvrages qui s'appuient sur les données de l'Organisation météorologique mondiale (l'OMM).

Malgré la disparité des sources et des années de validité, entre 2007 et 2009 selon les domaines, nous avions pour objectif de présenter le visage du monde le plus complet, le plus fiable et le plus actuel possible. Néanmoins, les chiffres absolus n'existent pas, ils ne permettent que des comparaisons. N'oublions pas que, chaque seconde, il naît 3,9 personnes sur Terre et qu'il en meurt 1,9... selon les statistiques. Ainsi va le monde, rapide, insaisissable.

Population, PNB et PNB par habitant

ÉTAT	POPULATION (habitants)	PNB 2008 (milliards de dollars)	PNB ANNUEL par habitant (année 2008, dollars)	ÉTAT	POPULATION (habitants)	PNB 2008 (milliards de dollars)	PNB ANNUEL par habitant (année 2008, dollars)
Afghanistan (L')	26 396 500	9,802	350	Équateur (L')	14 573 100	49,105	7 760
Afrique du Sud (L')	49 052 490	283,310	9 780	Érythrée (L')	5 647 170	1,492	630
Albanie (L')	3 639 460	12,057	7 950	Espagne (L')	46 661 950	1 456,488	31 130
Algérie (L')	34 178 255	146,365	7 940	Estonie (L')	1 299 375	19,131	19 280
Allemagne (L')	82 329 760	3 485,674	35 940	États Fédérés de Micronésie (Les)	107 435	0,260	3 010
Andorre (La Principauté d')	83 890	3,660	43 630				
Angola (L')	12 799 300	62,113	5 020	États-Unis (Les)	311 625 695 (3)	14 466,112	46 970
Antigua-et-Barbuda	85 635	1,165	20 570	Éthiopie (L')	85 237 340	22,742	870
Arabie Saoudite (L')	28 686 650	374,333	22 950	Fédération de Malaysia	25 715 820	188,061	13 740
Argentine (L')	40 913 585	287,160	14 020	Fédération de Russie (La)	140 041 250	1 364,475	15 640
Arménie (L')	2 967 005	10,320	6 310	Fidji (Les)	944 720	3,300	4 270
Australie (L')	21 266 790 (1)	862,461	34 040	Finlande (La)	5 250 275	255,678	35 660
Autriche (L')	8 210 280	386,044	37 680	France (La)	65 465 227 (4)	2 702,180	34 405
Azerbaïdjan (L')	8 238 675	33,232	7 770	Gabon (Le)	1 514 995	10,490	12 270
Bahamas (Les)	309 160	4,532	14 680	Gambie (La)	1 782 895	0,653	1 280
Bahreïn	727 785	7,246	37 800	Géorgie (La)	4 615 810	10,788	4 880
Bangladesh (Le)	156 050 885	82,569	1 460	Ghana (Le)	23 832 495	15,744	1 430
Barbade (La)	284 590	2,614	9 285	Grèce (La)	10 737 430	321,972	28 470
Belgique (La)	10 414 336	474,467	34 760	Grenade (La)	90 740	0,603	8 060
Belize (Le)	307 905	1,186	6 040	Guatemala (Le)	13 276 550	36,634	4 690
Bénin (Le)	8 791 835	5,951	1 440	Guinée (La)	10 057 975	3,722	1 190
Bhoutan (Le)	691 145	1,302	4 880	Guinée Bissau (La)	1 533 965	0,386	530
Biélorussie (La)	9 648 535	52,117	12 150	Guinée Équatoriale (La)	633 450	0,985	2 170
Bolivie (La)	9 775 250	14,106	4 140	Guyana (Le)	772 295	1,081	2 510
Bosnie-Herzégovine (La)	4 613 415	17,001	8 620	Haïti	9 035 550	6,464	1 160
Botswana (Le)	1 990 875	12,328	13 100	Honduras (Le)	7 792 860	13,026	3 860
Brésil (Le)	198 739 270	1 411,224	10 070	Hongrie (La)	9 905 595	128,581	17 790
Bulgarie (La)	7 204 687	41,830	11 950	Îles Cook (Les)	11 870	0,090	7 555
Burkina (Le)	15 746 235	7,278	1 160	Îles Marshall (Les)	64 525	0,195	3 025
Burundi (Le)	8 988 100	1,092	380	Inde (L')	1 166 079 220	1 215,485	2 960
Cambodge (Le)	14 494 295	8,859	1 820	Indonésie (L')	240 271 522	458,159	3 830
Cameroun (Le)	18 879 305	21,781	2 180	Irak (L')	28 945 660	70,100	2 420
Canada (Le)	33 487 210	1 390,040	36 220	Iran (L')	66 429 284	251,486	10 840
Cap-Vert (Le)	429 475	1,561	3 450	Irlande (L')	4 203 205	221,158	37 350
Centrafrique (La)	4 511 490	1,804	730	Islande (L')	306 694	12,702	25 220
Chili (Le)	16 601 710	157,460	13 270	Israël	7 233 705 (5)	180,499	27 450
Chypre (La République de)	796 740	19,617	24 040	Italie (L')	58 126 215	2 109,075	30 250
Colombie (La)	45 644 025	207,425	8 510	Jamaïque (La)	2 825 930	13,098	7 360
Comores (Les)	752 440	0,483	1 170	Japon (Le)	127 078 680	4 879,171	35 220
Congo (Le)	4 012 810	7,134	3 090	Jordanie (La)	6 342 950	19,526	5 530
Corée du Nord (La)	22 665 345	27,820	1 225	Kazakhstan (Le)	15 399 440	96,240	9 690
Corée du Sud (La)	48 508 975	1 046,285	28 120	Kenya (Le)	39 002 775	29,541	1 585
Costa Rica (Le)	4 253 880	27,447	10 950	Kirghizistan (Le)	5 431 750	3,932	2 140
Côte d'Ivoire (La)	20 617 070	20,257	1 580	Kiribati (Les)	112 855	0,193	3 660
Croatie (La)	4 489 410	60,192	18 420	Koweït (Le)	2 691 160	99,865	52 610
Cuba	11 451 655	55,300	9 700	Laos (Le)	6 834 950	4,595	2 040
Danemark (Le)	5 606 965 (2)	325,060	37 380	Lesotho (Le)	2 130 820	2,179	1 995
Djibouti	516 055	0,957	2 330	Lettonie (La)	2 231 505	26,883	16 740
Dominique (La)	72 660	0,349	8 300	Liban (Le)	4 017 095	26,297	10 880
Égypte (L')	83 082 870	146,851	5 460	Liberia (Le)	3 441 790	0,634	330
El Salvador	7 185 220	21,361	6 670	Libye (La)	6 310 435	72,735	15 630
Émirats Arabes Unis (Les)	4 798 495	49,205	10 255	Liechtenstein (Le)	34 765	4,993	122 100

(1) : dont 21 262 645 habitants pour l'Australie proprement dite et 4 145 habitants pour ses territoires océaniques (Île Christmas, Île Norfolk, etc.)

(2) : dont 5 500 510 habitants pour le Danemark proprement dit, auxquels s'ajoutent 57 595 habitants au Groenland et 48 860 habitants aux Îles Féroé, deux territoires autonomes du Danemark.

(3) : dont 307 212 125 habitants pour les États-Unis continentaux, l'Alaska et les Îles Hawaii, auxquels s'ajoutent 4 413 570 habitants pour les territoires américains d'outre-mer (3 971 020 habitants pour Porto-Rico, 178 430 pour l'île de Guam, 109 825 habitants aux Îles Vierges, etc.)

(4) : dont 64 667 374 habitants pour la France métropolitaine et les DOM, auxquels s'ajoutent 797 853 habitants dans les diverses Collectivités d'outre-mer (voir page 136-137).

(5) : cette valeur ne tient pas compte de la Bande de Gaza (1 551 860 habitants) et de la Cisjordanie (2 461 270 habitants). Ces territoires sont revendiqués par l'Autorité palestinienne.

Population, PNB et PNB par habitant

ÉTAT	POPULATION (habitants)	PNB 2008 (milliards de dollars)	PNB ANNUEL par habitant (année 2008, dollars)	ÉTAT	POPULATION (habitants)	PNB 2008 (milliards de dollars)	PNB ANNUEL par habitant (année 2008, dollars)
Lituanie (La)	3 555 180	39,866	18 210	Saint-Vincent-et les-Grenadines	104 575	0,561	8 770
Luxembourg	491 775	41,406	64 320	Salomon (Les)	595 615	0,598	2 580
Macédoine (La)	2 066 720	8,432	9 950	Samoa (Les)	220 010	0,504	4 340
Madagascar	20 653 560	7,766	1 040	Sao Tomé e Principe	212 680	0,164	1 780
Malawi (Le)	14 268 700	4,107	830	Sénégal (Le)	13 711 605	11,825	1 760
Maldives (Les)	396 335	1,126	5 280	Serbie (La)	9 184 120 (8)	41,929	11 150
Mali (Le)	12 666 990	7,360	1 090	Seychelles (Les)	87 480	0,889	19 770
Malte	405 165	6,825	22 460	Sierra Leone (La)	6 440 055	1,785	750
Maroc (Le)	35 260 580	80,544	4 330	Singapour	4 657 545	168,227	47 940
Maurice	1 284 265	8,122	12 480	Slovaquie (La)	5 463 050	78,607	21 300
Mauritanie (La)	3 129 485	2,636	1 985	Slovénie (La)	2 005 695	48,973	26 910
Mexique (Le)	111 211 790	1 061,444	14 270	Somalie (La)	9 832 020	1,120	115
Moldavie (La)	4 320 750	5,338	3 210	Soudan (Le)	41 087 825	46,520	1 930
Monaco (La Principauté de)	32 965	0,976	30 605	Sri Lanka (Le)	21 324 795	35,854	4 460
Mongolie (La)	3 041 145	4,411	3 480	Suède (La)	9 059 655	469,744	38 180
Monténégro (Le)	672 180	4,008	13 920	Suisse (La)	7 604 470	498,534	46 460
Mozambique (Le)	21 669 280	8,119	770	Sultanat d'Oman (Le)	3 418 085	32,755	20 650
Myanmar (Le)	48 137 740	26,552	1 290	Sultanat du Brunei (Le)	388 190	10,211	50 200
Namibie (La)	2 108 665	8,880	6 270	Surinam (Le)	481 270	2,570	7 130
Nauru	14 020	0,170	12 125	Swaziland (Le)	1 123 915	2,945	5 010
Népal (Le)	28 563 380	11,537	1 120	Syrie (La)	20 178 485	44,439	4 350
Nicaragua (Le)	5 891 210	6,126	2 620	Tadjikistan (Le)	7 349 145	4,074	1 860
Niger (Le)	15 306 255	4,823	680	Taiwan	22 974 350	396,5	17 285
Nigeria (Le)	149 229 090	175,622	1 940	Tanzanie (La)	41 048 535	18,350	1 235
Niué	1 398	0,020	14 295	Tchad (Le)	10 329 210	5,916	1 150
Norvège (La)	4 662 660	415,249	58 510	Thaïlande (La)	65 905 410	191,650	5 990
Nouvelle-Zélande (La)	4 214 840	119,246	25 090	Timor-Leste (Le)	1 131 615	2,706	4 690
Ouganda (L')	32 369 560	13,254	1 140	Togo (Le)	6 019 880	2,607	820
Ouzbékistan (L')	27 606 010	24,738	2 665	Tonga (Les)	120 905	0,265	3 880
Pakistan (Le)	176 242 950	162,930	2 710	Trinidad-et-Tobago	1 229 960	22,123	23 940
Palaos (Les)	20 795	0,175	8 350	Tunisie (La)	10 486 340	33,998	7 070
Panama (Le)	3 360 475	20,973	11 650	Turkménistan (Le)	4 884 890	14,260	6 210
Papouasie Nouvelle-Guinée (La)	6 057 270	6,509	2 005	Turquie (La)	76 805 525	690,706	13 770
Paraguay (Le)	6 995 660	13,574	4 820	Tuvalu (Les)	12 375	0,090	7 270
Pays-Bas (Les)	17 046 120 (6)	824,636	41 670	Ukraine (L')	45 700 395	148,643	7 210
Pérou (Le)	29 546 965	114,960	7 980	Uruguay (L')	3 494 385	27,536	12 540
Philippines (Les)	97 976 603	170,410	3 905	Vanuatu (Le)	218 520	0,340	3 940
Pologne (La)	38 482 920	453,034	17 310	Vatican (La Cité du)	826	-----	-----
Portugal (Le)	10 707 924	218,405	22 080	Venezuela (Le)	26 814 845	257,794	12 830
Qatar (Le)	833 285	92,540	121 400	Viêt Nam (Le)	86 967 525	77,031	2 700
République Démocratique du Congo (La)	68 692 550	9,843	290	Yémen (Le)	23 822 785	21,901	2 210
République Dominicaine (La)	9 650 055	43,207	7 890	Zambie (La)	11 862 740	11,986	1 230
République populaire de Chine (La)	1 346 227 905	3 899,329 (9)	6 020	Zimbabwe (Le)	11 392 630	6,164	490
République Tchèque (La)	10 211 905	173,154	22 790				
Roumanie (La)	22 215 425	170,560	13 500				
Royaume-Uni (Le)	61 853 610 (7)	2 787,159	36 130				
Rwanda (Le)	10 473 285	3,955	1 010				
Sainte-Lucie	160 270	0,940	9 190				
Saint-Kitts-et-Nevis	40 135	0,539	15 170				
Saint-Marin	30 325	1,430	41 155				

● Les valeurs des populations sont les plus récentes disponibles. La plupart datent de juillet à décembre 2009.

● Le PNB par habitant ne correspond pas exactement à la valeur du PNB divisée par le nombre d'habitants. D'une part, ces données n'ont pas été obtenues simultanément, d'autre part d'autres facteurs sont impliqués.

(6) : dont 16 716 005 habitants pour les Pays-Bas proprement dits, auxquels s'ajoutent 227 050 habitants pour les Antilles Néerlandaises et 103 065 habitants sur l'île d'Aruba.
(7) dont 61 381 110 habitants pour la partie située sur les Îles Britanniques, auxquels s'ajoutent 472 430 habitants pour les îles dépendant de la Couronne, comme Jersey (91 630 habitants) et Guernesey (65 870 habitants), et les territoires d'outre-mer, tels que les Bermudes (67 840 habitants), les Îles Cayman (49 035), etc.
(8) : dont 7 379 340 habitants pour la Serbie proprement dite et 1 804 840 habitants pour le Kosovo.
(9) : avec les PNB de Hong Kong et Macao.

Production mondiale de pétrole et de gaz naturel

PAYS	PRODUCTION DE PÉTROLE 2008 (million de tonnes)	RANG
Algérie	85,095	16
Allemagne	3,415	51
Angola	84,100	17
Arabie Saoudite	**493,125**	**1**
Argentine	32,960	26
Australie	21,362	31
Azerbaïdjan	41,267	22
Bahreïn	1,721	62
Biélorussie	1,760	61
Bolivie	1,907	57
Brésil	94,800	14
Cameroun	4,200	50
Canada	137,300	7
Colombie	27,400	28
Congo	10,400	39
Côte d'Ivoire	2,605	54
Cuba	2,905	53
Danemark	15,551	36
Égypte	34,100	25
Émirats Arabes Unis	135,910	8
Équateur	26,021	29
Estonie	1,902	58
États-Unis	316,938	3
Fédération de Malaysia	32,600	27
Fédération de Russie	491,126	2
France	1,013	64
Gabon	11,495	37
Guinée équatoriale	17,995	33
Inde	34,115	24
Indonésie	47,720	21
Irak	105,325	13
Iran	212,100	4
Italie	5,800	44
Kazakhstan	67,125	19
Koweït	129,600	10
Libye	86,100	15
Mexique	179,760	6
Nigeria	114,200	12
Norvège	125,763	11
Nouvelle-Zélande	1,875	59
Papouasie Nouvelle-Guinée	2,107	56
Ouzbékistan	4,900	46
Pakistan	3,282	52
Pays-Bas	2,576	55
Pérou	5,612	45
Qatar	53,600	20
République Démocratique du Congo	1,360	63
République populaire de Chine	186,657	5
Roumanie	4,837	47
Royaume-Uni	71,485	18
Soudan	22,500	30
Sultanat d'Oman	35,370	23
Sultanat du Brunei	9,639	41
Syrie	18,600	32
Tchad	7,500	42
Thaïlande	11,495	38
Trinidad-et-Tobago	6,184	43
Tunisie	4,546	48
Turkménistan	9,795	40
Turquie	1,783	60
Ukraine	4,459	49
Venezuela	133,900	9
Viêt Nam	15,920	34
Yémen	15,800	35

← Cette table liste tous les pays ayant produit au moins 1 million de tonnes de pétrole en 2008.

PAYS	PRODUCTION DE GAZ NATUREL 2008 (milliards de mètres cube)	RANG
Afrique du Sud	1,600	61
Algérie	84,827	6
Allemagne	18,075	30
Arabie Saoudite	74,420	9
Argentine	51,007	16
Australie	39,955	22
Autriche	1,835	60
Azerbaïdjan	10,832	40
Bahreïn	11,433	39
Bangladesh	15,920	31
Bolivie	14,301	34
Brésil	12,710	35
Canada	174,429	3
Chili	2,015	58
Colombie	7,690	45
Côte d'Ivoire	2,200	57
Croatie	2,892	52
Cuba	1,218	63
Danemark	8,752	42
Égypte	46,495	18
Émirats Arabes Unis	50,290	17
États-Unis	546,155	2
Fédération de Malaysia	60,780	13
Fédération de Russie	**651,015**	**1**
France	1,023	63
Guinée équatoriale	2,000	59
Hongrie	2,653	55
Inde	31,455	24
Indonésie	76,703	8
Irak	1,460	62
Iran	111,900	4
Israël	2,758	53
Italie	9,700	41
Japon	3,708	49
Kazakhstan	29,562	25
Koweït	12,060	37
Libye	15,280	32
Mexique	46,202	19
Myanmar	14,700	33
Nigeria	34,100	23
Norvège	89,695	5
Nouvelle-Zélande	4,310	48
Ouzbékistan	58,500	15
Pakistan	40,028	21
Pays-Bas	72,431	10
Pérou	2,700	54
Philippines	3,200	51
Pologne	5,653	46
Qatar	59,800	14
Rép. pop. de Chine	69,300	11
Roumanie	11,981	36
Royaume Uni	76,856	7
Slovénie	3,400	50
Sultanat d'Oman	26,104	27
Sultanat du Brunei	11,718	38
Syrie	7,825	43
Thaïlande	25,812	28
Timor-Leste	4,826	47
Trinidad et Tobago	41,766	20
Tunisie	2,285	56
Turkménistan	67,400	12
Ukraine	21,104	29
Venezuela	28,495	26
Viêt Nam	7,700	44

⇒ Cette table liste tous les pays ayant produit au moins 1 milliard de mètres cube de gaz naturel en 2008.

Production mondiale de l'acier et de l'aluminium

PAYS	PRODUCTION D'ACIER 2008 (million de tonnes)	RANG	PAYS	PRODUCTION D'ACIER 2008 (million de tonnes)	RANG
Afrique du Sud	9,100	21	Koweït	0,500	64
Albanie	0,100	73	Lettonie	0,550	61
Algérie	1,278	46	Libye	1,250	49
Allemagne	48,550	7	Luxembourg	2,858	37
Arabie Saoudite	4,644	34	Macédoine	0,330	66
Argentine	5,388	30	Maroc	0,512	63
Autriche	7,577	22	Mexique	17,563	15
Azerbaïdjan	0,243	70	Moldavie	0,965	52
Belgique	10,692	18	Monténégro	0,174	71
Biélorussie	2,214	40	Norvège	0,708	56
Bosnie-Herzégovine	0,514	62	Nouvelle-Zélande	0,845	53
Brésil	33,782	9	Ouzbékistan	0,649	58
Bulgarie	2,050	41	Pakistan	1,090	51
Canada	15,718	16	Pays-Bas	7,368	23
Chili	1,689	43	Pérou	0,753	54
Colombie	1,253	48	Philippines	0,718	55
Corée du Nord	0,300	67	Pologne	9,832	20
Corée du Sud	51,517	6	Portugal	1,395	45
Cuba	0,262	69	Qatar	1,175	50
Égypte	6,224	26	**République populaire de Chine**	**489,560**	**1**
Espagne	18,998	14	République Tchèque	7,059	24
États-Unis	98,181	3	Roumanie	6,261	25
Fédération de Malaysia	6,120	27	Royaume-Uni	14,312	17
Fédération de Russie	72,220	4	Serbie	1,478	44
Finlande	4,431	35	Singapour	0,640	59
France	19,250	13	Slovaquie	5,082	31
Grèce	2,554	38	Slovénie	0,638	60
Guatemala	0,349	65	Suède	5,673	28
Hongrie	2,227	39	Suisse	1,264	47
Inde	53,080	5	Taiwan	20,700	12
Indonésie	4,016	36	Thaïlande	5,565	29
Iran	10,051	19	Trinidad-et-Tobago	0,695	57
Israël	0,299	68	Turquie	25,761	11
Italie	31,506	10	Ukraine	42,830	8
Japon	120,203	2	Venezuela	5,081	32
Jordanie	0,150	72	Viêt Nam	2,005	42
Kazakhstan	4,784	33			

Cette table liste tous les pays ayant produit au moins 100 000 tonnes d'acier brut en 2008.

PAYS	PRODUCTION D'ALUMINIUM 2008 (milliers de tonnes)	RANG	PAYS	PRODUCTION D'ALUMINIUM 2008 (milliers de tonnes)	RANG
Afrique du Sud	898,950	9	Islande	446,247	15
Allemagne	551,030	14	Italie	179,500	28
Argentine	292,700	23	Kazakhstan	419,060	17
Australie	1 957,000	5	Monténégro	135,151	31
Bahreïn	865,883	11	Mozambique	559,900	13
Bosnie-Herzégovine	147,193	30	Norvège	1 362,000	7
Brésil	1 654,800	6	Nouvelle-Zélande	353,000	20
Cameroun	87,000	35	Pays-Bas	296,900	22
Canada	3 082,625	3	Pologne	58,736	37
Égypte	258,300	24	**République populaire de Chine**	**12 558,600**	**1**
Émirats Arabes Unis	889,548	10	Roumanie	297,940	21
Espagne	405,120	18	Royaume-Uni	364,595	19
États-Unis	2 554,000	4	Slovaquie	190,237	27
Fédération de Russie	3 955,417	2	Slovénie	111,016	33
France	430,159	16	Suède	99,842	34
Grèce	168,200	29	Turquie	63,400	36
Inde	1 230,000	8	Ukraine	113,417	32
Indonésie	242,000	25	Venezuela	615,700	12
Iran	204,000	26			

Cette table liste tous les pays ayant produit au moins 50 000 tonnes d'aluminium brut en 2008.

Production mondiale de blé et de maïs

PAYS	PRODUCTION DE BLÉ 2008 (million de tonnes)	RANG	PAYS	PRODUCTION DE BLÉ 2008 (million de tonnes)	RANG	PAYS	PRODUCTION DE BLÉ 2008 (million de tonnes)	RANG
Afghanistan	2,623	32	Fédération de Russie	63,765	4	Ouzbékistan	6,147	21
Afrique du Sud	2,300	35	Finlande	0,788	58	Pakistan	20,959	10
Albanie	0,260	68	France	39,002	5	Paraguay	0,805	57
Algérie	2,305	34	Grèce	1,939	40	Pays-Bas	1,366	47
Allemagne	25,989	7	Hongrie	5,654	23	Pérou	0,207	72
Arabie saoudite	2,630	31	Inde	78,570	2	Pologne	9,275	15
Argentine	8,428	17	Irak	2,228	36	Portugal	0,203	73
Arménie	0,226	69	Iran	10,150	14	**Rép. pop. de Chine**	**112,463**	**1**
Australie	21,397	9	Irlande	0,951	52	République Tchèque	4,632	26
Autriche	1,670	44	Israël	0,159	78	Roumanie	7,181	19
Azerbaïdjan	1,646	45	Italie	8,855	16	Royaume-Uni	17,227	12
Bangladesh	0,844	56	Japon	0,882	54	Serbie	2,095	38
Belgique	1,869	41	Kazakhstan	12,538	13	Slovaquie	1,819	42
Biélorussie	2,045	39	Kenya	0,289	67	Slovénie	0,160	77
Bolivie	0,165	76	Kirghizistan	0,746	59	Soudan	0,587	61
Bosnie-Herzégovine	0,226	70	Lettonie	0,989	51	Suède	2,202	37
Brésil	5,886	22	Liban	0,116	80	Suisse	0,557	62
Bulgarie	4,632	25	Libye	0,102	82	Syrie	4,041	27
Canada	28,611	6	Lituanie	1,723	43	Tadjikistan	0,659	60
Chili	1,238	50	Macédoine	0,292	66	Tunisie	0,919	53
Corée du Nord	0,175	74	Maroc	3,769	29	Turkménistan	2,702	30
Croatie	0,852	55	Mexique	4,019	28	Turquie	17,782	11
Danemark	5,019	24	Moldavie	1,286	49	Ukraine	25,885	8
Égypte	7,977	18	Mongolie	0,209	71	Uruguay	1,288	48
Espagne	6,714	20	Myanmar	0,158	79	Yémen	0,170	75
Estonie	0,343	64	Népal	1,572	46	Zambie	0,113	81
États-Unis	68,026	3	Norvège	0,460	63			
Éthiopie	2,463	33	Nouvelle-Zélande	0,343	65			

⬆ Cette table liste tous les pays ayant produit au moins 100 000 tonnes de blé en 2008, soit 1 million de quintaux.

Cette table liste tous les pays ayant produit au moins 100 000 tonnes de maïs en 2008, soit 1 million de quintaux. ⬇

PAYS	PRODUCTION DE MAÏS 2006 (million de tonnes)	RANG	PAYS	PRODUCTION DE MAÏS 2006 (million de tonnes)	RANG	PAYS	PRODUCTION DE MAÏS 2006 (million de tonnes)	RANG
Afghanistan	0,280	84	**États-Unis**	**307,384**	**1**	Ouganda	1,266	48
Afrique du Sud	11,597	9	Éthiopie	3,776	24	Ouzbékistan	0,228	87
Albanie	0,230	86	Fédération de Russie	6,682	17	Pakistan	4,036	23
Allemagne	5,106	20	France	16,012	8	Paraguay	1,901	34
Angola	0,570	69	Géorgie	0,306	83	Pays-Bas	0,252	85
Arabie Saoudite	0,126	97	Ghana	1,100	53	Pérou	1,362	44
Argentine	22,017	5	Grèce	2,472	31	Philippines	6,928	16
Australie	0,387	77	Guatemala	1,294	46	Pologne	1,844	36
Autriche	2,147	33	Guinée	0,952	58	Portugal	0,699	64
Azerbaïdjan	0,158	93	Haïti	0,210	89	Rép. Dém. du Congo	1,156	50
Bangladesh	1,347	45	Honduras	0,617	66	Rép. pop. de Chine	166,036	2
Belgique	0,743	63	Hongrie	8,963	13	République Tchèque	0,858	60
Bénin	1,030	54	Inde	19,291	6	Roumanie	7,849	14
Biélorussie	0,495	72	Indonésie	16,234	7	Sénégal	0,454	74
Bolivie	0,770	62	Irak	0,384	78	Serbie	6,158	19
Bosnie-Herzégovine	0,976	57	Iran	1,599	38	Slovaquie	1,261	49
Brésil	59,018	3	Italie	9,491	12	Slovénie	0,320	82
Bulgarie	1,368	42	Kazakhstan	0,420	76	Sri Lanka	0,112	100
Burkina	1,013	55	Kenya	2,367	32	Suisse	0,177	91
Burundi	0,116	99	Kirghizistan	0,462	73	Syrie	0,177	92
Cambodge	0,612	67	Laos	1,108	52	Tadjikistan	0,136	95
Cameroun	0,899	59	Macédoine	0,127	96	Tanzanie	3,659	26
Canada	10,592	11	Madagascar	0,370	79	Tchad	0,226	88
Centrafrique	0,141	94	Malawi	2,635	28	Thaïlande	3,753	25
Chili	1,365	43	Mali	0,533	70	Togo	0,595	68
Colombie	1,727	37	Maroc	0,121	98	Turquie	4,274	22
Corée du Nord	1,411	41	Mexique	24,320	4	Ukraine	11,447	10
Côte d'Ivoire	0,681	65	Moldavie	1,479	39	Uruguay	0,335	80
Croatie	2,505	30	Mozambique	1,285	47	Venezuela	2,571	29
Cuba	0,326	81	Myanmar	1,114	51	Viêt Nam	4,531	21
Égypte	6,544	18	Népal	1,879	35	Zambie	1,446	40
El Salvador	1,002	56	Nicaragua	0,424	75	Zimbabwe	0,496	71
Équateur	0,804	61	Nigeria	7,525	15			
Espagne	3,625	27	Nouvelle-Zélande	0,206	90			

Production mondiale de canne à sucre et de riz

PAYS	PRODUCTION CANNE À SUCRE 2008 (million de tonnes)	RANG	PAYS	PRODUCTION CANNE À SUCRE 2008 (million de tonnes)	RANG	PAYS	PRODUCTION CANNE À SUCRE 2008 (million de tonnes)	RANG
Afrique du Sud	20,500	14	Ghana	0,145	78	Pakistan	63,920	5
Angola	0,359	68	Guatemala	25,437	13	Panama	1,823	48
Argentine	29,950	9	Guinée	0,283	71	Papouasie Nouvelle-Guinée	0,451	64
Australie	33,973	8	Guyana	2,767	36	Paraguay	4,500	32
Bangladesh	4,984	29	Haïti	1,110	54	Pérou	8,229	20
Barbade	0,387	66	Honduras	5,958	24	Philippines	26,601	11
Belize	0,980	55	Inde	348,188	2	Rép. Dém. du Congo	1,550	50
Bolivie	6,419	23	Indonésie	26,010	12	Rép. Dominicaine	4,824	30
Brésil	**648,921**	**1**	Iran	5,700	25	Rép. pop. de Chine	124,918	3
Burkina	0,455	63	Jamaïque	1,968	47	Rwanda	0,159	77
Burundi	0,179	76	Japon	1,500	51	Saint-Kitts-et-Nevis	0,105	80
Cambodge	0,385	67	Kenya	5,112	27	Sénégal	0,836	57
Cameroun	1,450	53	Laos	0,749	59	Somalie	0,215	74
Colombie	38,501	7	Libéria	0,265	72	Soudan	6,805	22
Congo	0,650	61	Madagascar	2,600	37	Sri Lanka	0,799	58
Costa Rica	3,504	34	Malawi	2,495	40	Surinam	0,120	79
Côte d'Ivoire	1,630	49	Mali	0,350	69	Swaziland	5,000	28
Cuba	15,705	17	Maroc	0,913	56	Tanzanie	2,370	43
Égypte	16,470	15	Maurice	4,533	31	Tchad	0,390	65
El Salvador	5,249	26	Mexique	51,107	6	Thaïlande	73,502	4
Équateur	9,341	19	Mozambique	2,451	42	Trinidad-et-Tobago	0,475	62
États-Unis	27,603	10	Myanmar	7,000	21	Uruguay	0,334	70
Éthiopie	2,300	46	Népal	2,485	41	Venezuela	9,691	18
Fédération de Malaysia	0,694	60	Nicaragua	4,305	33	Viêt Nam	16,128	16
Fidji	2,322	45	Niger	0,188	75	Zambie	2,505	39
France (DOM)	2,530	38	Nigeria	1,499	52	Zimbabwe	3,100	35
Gabon	0,220	73	Ouganda	2,350	44			

PAYS	PRODUCTION DE RIZ 2008 (million de tonnes)	RANG	PAYS	PRODUCTION DE RIZ 2008 (million de tonnes)	RANG	PAYS	PRODUCTION DE RIZ 2008 (million de tonnes)	RANG
Afghanistan	410,0	42	Gambie	38,300	85	Ouganda	171,0	57
Argentine	1 245,8	32	Ghana	242,0	52	Ouzbékistan	110,4	66
Australie	19,0	92	Grèce	208,8	55	Pakistan	10 428,0	12
Bangladesh	46 905,0	6	Guatemala	35,0	87	Panama	231,3	53
Belize	11,8	99	Guinée	1 534,1	26	Paraguay	132,0	62
Bénin	99,3	71	Guinée-Bissau	148,8	61	Pérou	2 793,9	22
Bhoutan	74,4	73	Guyana	507,0	40	Philippines	16 815,5	10
Bolivie	369,1	44	Haïti	110,0	67	Portugal	154,6	60
Brésil	12 100,1	11	Honduras	23,6	91	Rép. Dém. du Congo	316,5	48
Bulgarie	38,6	84	Hongrie	12,6	98	**Rép. pop. de Chine**	**193 354,2**	**1**
Burkina	162,152	59	Inde	148 260,0	2	République Dominicaine	644,2	39
Burundi	70,9	74	Indonésie	60 251,1	5	Roumanie	48,9	81
Cambodge	71 754,7	4	Irak	393,0	43	Rwanda	62,0	77
Cameroun	52,0	79	Iran	3 500,0	19	Sénégal	368,1	45
Centrafrique	50,0	80	Italie	1 400,0	28	Sierra Leone	999,0	34
Chili	121,4	63	Japon	110 287,5	3	Somalie	16,0	97
Colombie	2 792,2	23	Kazakhstan	254,7	50	Soudan	29,9	88
Comores	16,9	95	Kenya	63,3	76	Sri Lanka	3 875,0	18
Congo	316,5	47	Kirghizistan	17,7	94	Surinam	182,9	56
Corée du Nord	2 862,0	21	Laos	2 710,1	24	Tadjikistan	54,0	78
Corée du Sud	6 919,3	15	Liberia	295,1	49	Tanzanie	1 341,8	29
Costa Rica	248,0	51	Macédoine	16,1	96	Tchad	169,8	58
Côte d'Ivoire	683,7	37	Madagascar	3 010,0	20	Thaïlande	30 466,9	9
Cuba	436,0	41	Malawi	114,9	64	Timor-Leste	41,4	83
Égypte	7 253,4	14	Mali	1 309,7	31	Togo	70,2	75
El Salvador	35,218	86	Maroc	44,5	82	Turkménistan	110,9	65
Équateur	1 442,1	27	Mauritanie	82,2	72	Turquie	753,3	35
Espagne	665,1	38	Mexique	224,4	54	Ukraine	100,7	70
États-Unis	9 239,6	13	Mozambique	101,9	69	Uruguay	1 330,0	30
Éthiopie	24,4	90	Myanmar	30 515,0	8	Venezuela	1 054,9	33
Fédération de Malaisie	2 384,0	25	Népal	4 299,2	16	Viêt Nam	38 725,1	7
Fédération de Russie	738,3	36	Nicaragua	321,9	46	Zambie	18,317	93
Fidji	11,6	100	Niger	28,5	89			
France	104,1	68	Nigeria	4 179,0	17			

↑ Cette table liste tous les pays ayant produit au moins 100 000 tonnes de canne à sucre en 2008.

← Cette table liste tous les pays ayant produit au moins 10 000 tonnes de riz en 2008, soit 100 000 quintaux.

Production mondiale de lait et de viande bovine

PAYS	PRODUCTION DE LAIT 2008 (milliers de tonnes)	RANG	PAYS	PRODUCTION DE LAIT 2008 (milliers de tonnes)	RANG	PAYS	PRODUCTION DE LAIT 2008 (milliers de tonnes)	RANG	PAYS	PRODUCTION DE LAIT 2008 (milliers de tonnes)	RANG
Afghanistan	1 590,300	58	Égypte	5 960,102	27	Libye	203,400	108	République Dominicaine	548,263	88
Afrique du Sud	3 060,000	36	El Salvador	578,517	87	Lituanie	1 955,003	49	République Tchèque	2 808,875	39
Albanie	1 038,010	69	Équateur	5 334,713	30	Luxembourg	277,672	103	Roumanie	6 190,281	26
Algérie	1 962,500	48	Espagne	7 374,100	24	Macédoine	366,500	97	Royaume-Uni	13 719,000	10
Allemagne	28 691,256	6	Estonie	694,900	82	Madagascar	530,000	91	Rwanda	149,100	116
Angola	195,500	109	États-Unis	86 178,896	2	Mali	768,314	76	Sénégal	145,990	117
Arabie saoudite	1 919,000	50	Éthiopie	1 638,000	54	Maroc	1 764,800	52	Serbie	1 594,400	57
Argentine	10 545,200	17	Fédération de Russie	32 364,248	5	Mauritanie	358,300	98	Slovaquie	1 074,311	68
Arménie	661,900	84	Finlande	2 310,908	43	Mexique	10 930,801	16	Slovénie	668,302	83
Australie	9 223,000	18	France	25 363,943	8	Moldavie	543,388	90	Somalie	2 166,000	45
Autriche	3 221,097	35	Géorgie	644,200	85	Mongolie	411,700	94	Soudan	7 402,905	23
Azerbaïdjan	1 381,623	61	Grèce	2 090,110	46	Monténégro	178,020	115	Sri Lanka	180,725	113
Bangladesh	3 059,830	37	Guatemala	340,800	100	Myanmar	1 215,876	66	Suède	3 046,500	38
Belgique	2 805,000	40	Honduras	724,800	80	Namibie	110,000	120	Suisse	4 140,860	34
Biélorussie	6 224,800	25	Hongrie	1 845,650	51	Népal	1 469,830	60	Sultanat d'Oman	124,420	119
Bolivie	301,709	101	**Inde**	**109 125,000**	**1**	Nicaragua	718,882	81	Syrie	2 678,100	41
Bosnie-Herzégovine	755,973	77	Indonésie	930,606	71	Niger	733,800	79	Tadjikistan	601,000	86
Botswana	105,375	121	Irak	504,445	92	Nigeria	469,250	93	Tanzanie	955,000	70
Brésil	27 888,500	7	Iran	7 639,000	21	Norvège	1 616,479	55	Tchad	260,411	105
Bulgarie	1 316,071	64	Irlande	5 372,633	29	Nouvelle-Zélande	15 216,840	9	Thaïlande	827,252	75
Burkina	244,240	106	Islande	126,358	118	Ouganda	735,000	78	Tunisie	1 078,700	67
Cameroun	194,300	110	Israël	1 332,450	63	Ouzbékistan	5 426,300	28	Turkménistan	1 332,800	62
Canada	8 142,200	19	Italie	12 118,980	13	Pakistan	33 270,000	4	Turquie	12 243,064	12
Chili	2 562,500	42	Jamaïque	179,094	114	Panama	181,543	112	Ukraine	11 761,350	14
Chypre	190,735	111	Japon	7 982,500	20	Paraguay	374,950	95	Uruguay	1 576,000	59
Colombie	7 431,480	22	Jordanie	368,000	96	Pays-Bas	11 285,910	15	Venezuela	1 703,544	53
Corée du Sud	2 204,235	44	Kazakhstan	5 198,700	31	Pérou	1 600,834	56	Viêt Nam	272,000	104
Costa Rica	881,595	72	Kenya	4 158,000	33	Pologne	12 445,282	11	Yémen	287,508	102
Croatie	848,000	73	Kirghizistan	1 273,500	65	Porto Rico	350,073	99			
Cuba	547,506	89	Lettonie	833,446	74	Portugal	2 081,310	47	**TOTAL MONDE**	**693 707,345**	
Danemark	4 720,350	32	Liban	242,300	107	Rép. Pop. de Chine	40 130,066	3		**milliers de tonnes**	

⬆ Cette table liste tous les pays ayant produit au moins 100 000 tonnes de lait (lait de vache, chèvre, brebis, bufflonne et chamelle) en 2008.

Cette table liste tous les pays ayant produit au moins 50 000 tonnes de viande bovine en 2008. ⬇

PAYS	PRODUCTION DE VIANDE BOVINE 2008 (milliers de tonnes)	RANG	PAYS	PRODUCTION DE VIANDE BOVINE 2008 (milliers de tonnes)	RANG	PAYS	PRODUCTION DE VIANDE BOVINE 2008 (milliers de tonnes)	RANG	PAYS	PRODUCTION DE VIANDE BOVINE 2008 (milliers de tonnes)	RANG
Afghanistan	133,000	58	Danemark	128,800	60	Maroc	171,990	50	Royaume-Uni	862,110	15
Afrique du Sud	805,050	16	Égypte	589,995	19	Mexique	1 667,138	8	Sénégal	65,937	88
Albanie	49,775	95	Équateur	248,050	42	Mongolie	54,200	92	Serbie	99,000	68
Algérie	123,045	61	Espagne	658,334	17	Myanmar	171,166	51	Somalie	66,000	87
Allemagne	1 209,768	12	**États-Unis**	**12 246,350**	**1**	Népal	200,990	48	Soudan	340,000	34
Angola	85,350	75	Éthiopie	380,000	28	Nicaragua	96,080	70	Suède	136,084	56
Argentine	2 830,000	4	Fédération de Russie	1 768,700	7	Niger	219,772	47	Suisse	135,200	57
Australie	2 300,050	6	Finlande	81,900	77	Nigeria	287,450	37	Syrie	65,783	89
Autriche	224,231	46	France	1 489,569	9	Norvège	84,678	76	Tanzanie	247,000	43
Azerbaïdjan	76,954	79	Grèce	68,115	86	Nouvelle-Zélande	634,558	18	Tchad	85,935	74
Bangladesh	192,700	49	Guatemala	75,600	81	Ouganda	106,000	65	Thaïlande	298,177	36
Belgique	267,274	41	Honduras	74,376	82	Ouzbékistan	586,000	21	Tunisie	53,050	94
Biélorussie	268,900	40	Inde	2 754,996	5	Pakistan	1 388,000	10	Turkménistan	102,000	66
Bolivie	170,150	52	Indonésie	396,367	27	Panama	69,730	85	Turquie	371,953	31
Brésil	9 024,000	2	Irak	53,750	93	Paraguay	275,800	39	Ukraine	479,700	25
Burkina	115,687	63	Iran	374,900	30	Pays-Bas	378,383	29	Uruguay	588,000	20
Cambodge	72,820	84	Irlande	537,243	22	Pérou	163,235	53	Venezuela	493,878	24
Cameroun	94,000	71	Israël	116,554	62	Philippines	279,198	38	Viêt-Nam	315,795	35
Canada	1 288,070	11	Italie	1 059,314	13	Pologne	362,600	33	Yémen	72,895	83
Centrafrique	75,850	80	Japon	519,900	23	Portugal	108,540	64	Zambie	58,400	91
Chili	240,257	45	Kazakhstan	400,100	26	République Dominicaine	101,106	67	Zimbabwe	97,000	69
Colombie	917,368	14	Kenya	365,000	32	Rép. pop. de Chine	6 151,586	3			
Corée du Sud	246,000	44	Kirghizistan	91,600	72	République Tchèque	80,020	78	**TOTAL MONDE**	**62 363,306**	
Costa Rica	87,524	73	Madagascar	150,450	54	Roumanie	149,660	55		**milliers de tonnes**	
Cuba	61,950	90	Mali	129,142	59						

RÉPONSES

1. Le Mont McKinley. Il culmine à 6 194 mètres et se situe en Alaska, un des états des États-Unis.

2. Le nord de l'Amérique du Sud.

3. Le Groenland, territoire autonome dépendant du Danemark.

4. Il y a sept pays : le Guatemala, le Belize, le Honduras, El Salvador, le Nicaragua, le Costa Rica et le Panama. Le Mexique appartient à l'Amérique du Nord.

5. Le Massif Central.

6. La région Corse, l'Alsace et la Région Nord-Pas-de-Calais sont chacune formées de seulement deux départements.

7. L'azote, qui forme 78,06 % de notre atmosphère.

8. L'Yilgarn

9. La biodiversité.

10. Six continents, voir page 11.

11. L'Amazone.

12. La croûte océanique.

13. C'est la Fosse des Mariannes, dans l'océan Pacifique Nord.

14. Dans les températures ; les précipitations varient selon la saison.

15. Ses hivers sont frais mais, surtout, il ne pleut pas l'été. En climat subtropical, il pleut surtout l'été.

16. Un biome, voir page 16.

17. En Californie, où les séquoias dépassent les cent mètres de hauteur.

18. C'est El Aziza, dans le désert de Libye.

19. Le pétrole, qui représente plus de 37,3 % de la consommation d'énergie.

20. Le 8 ou le 11 août 843, à la signature du Traité de Verdun qui a créé la Francie Occidentale.

21. Au Rwanda, en Afrique Centrale.

22. Dans les environs de la petite ville de Cherrapunji, au nord-est de l'Inde, voir pages 20-21.

23. Beaucoup plus grande, car les océans couvrent 70,9 % de la superficie de toute la Terre !

24. Le dromadaire, inconnu à l'état sauvage.

25. Le Territoire de Belfort (90).

26. Le figuier, déjà cultivé il y a 11 400 ans !

27. L'anglais, loin devant le chinois.

28. Au 1er septembre 2008, l'Union européenne compte 27 états membres.

29. Cet état compte 22 langues officielles !

30. Le Liechtenstein, voir page 33.

31. C'est la République populaire de Chine, loin devant la Russie.

32. Le Brésil, en neuvième position.

33. L'Espagne considère neuf langues comme officielles.

34. L'acier est du fer auquel on ajoute entre 0,1 et 2,8 % de carbone.

35. Un baril contient 160 litres.

36. Le Croissant fertile.

37. Environ 1 270 milliards de barils, plus les réserves encore mal évaluées.

38. Environ 76,8 % (418,6 TWh sur un total de 544,7 TWh).

39. 19 centrales nucléaires.

40. Le Mont Kilimandjaro, avec 5 894 mètres.

41. L'Afrique, avec 53 états.

42. Les Collectivités d'outre-mer (COM).

43. Le Nunavut est le territoire autonome accordé aux Inuits par le gouvernement canadien.

44. Elles sont situées entre le Lac Erié et le Lac Ontario, à la frontière entre les États-Unis et le Canada.

45. Le Mont Elbrouz, situé dans le Caucase, en Russie, avec 5 642 mètres.

46. Le Groenland. L'Australie est plus grande, mais elle a plutôt un statut de continent.

47. La banquise, constituée d'eau de mer gelée.

48. L'Antarctique, suite à un traité international.

49. Les Mont Oural, dans la Fédération de Russie, et la frontière entre la Russie et le Kazakhstan.

50. Quatre : Angleterre, Écosse, Pays de Galles et l'Ulster.

51. Belmopan, une petite ville.

52. Environ 3 % seulement...

53. La République populaire de Chine, loin devant l'Inde et les États-Unis.

54. L'Europe compte 35 langues officielles, auxquelles s'ajoutent au moins 228 langues régionales.

55. L'allemand, parlé par 23,3 % des Européens, contre 18,6 % qui parlent le français.

56. La République française.

57. En 1861 seulement.

58. Mouthe, dans le Doubs.

59. L'Amazone, avec 6 805 kilomètres, devant le Nil, avec 6 718 kilomètres.

60. La religion chrétienne, avec plus de 2 milliards de pratiquants.

61. L'Arabie Saoudite, devant la Fédération de Russie et les États-Unis.

62. Au moins 105 sommets sont à plus de 7 000 mètres.

63. Environ 1 600 mètres, jusqu'à 3 500 mètres.

64. La France est divisée en 100 départements, 96 en métropole et 4 en outre-mer.

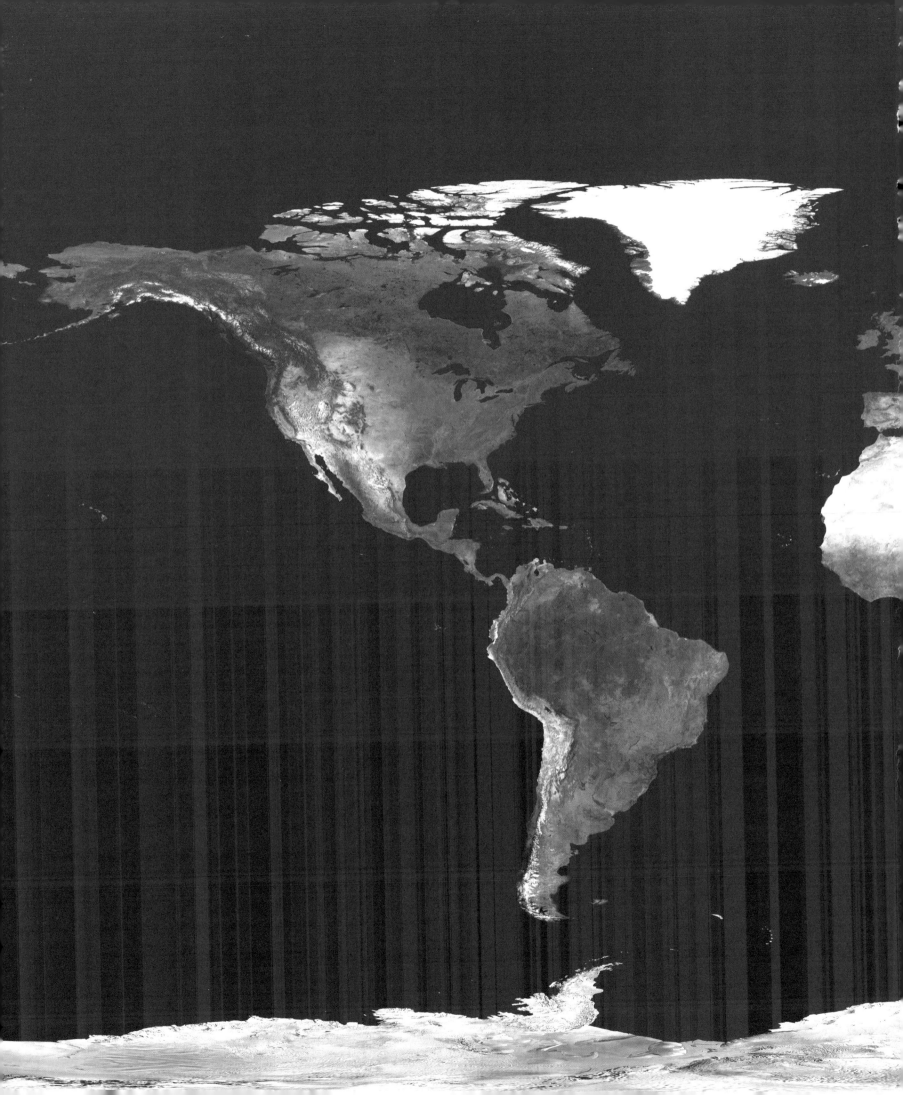